戦争と人類

グウィン・ダイヤー
Gwynne Dyer

月沢李歌子 訳

ハヤカワ新書 015

THE SHORTEST HISTORY OF WAR
by
Gwynne Dyer

Translated by
Rikako Tsukisawa
First published 2023 in Japan by
Hayakawa Publishing, Inc.
This book is published in Japan by
arrangement with
Old Street Publishing, Exeter
c/o Intercontinental Literary Agency Ltd, London
through Tuttle-Mori Agency Inc., Tokyo.

アリスへ

目次

訳注は〔 〕内に小さめの字で記した。

まえがき

空軍はとても金がかかるものだ。ドローンによって、小国は戦術飛行と精密誘導兵器が非常に安価で手に入るようになり、それらで敵の戦車や防空システムのようなより高額な設備を破壊できる。

マイケル・コフマン　米海軍分析センターの軍事アナリスト[1]
二〇二〇年のナゴルノ・カラバフ紛争について

分析すべき戦争はつねにあり、わたしは自分の時代に起きたいくつかを分析してきた。だが、本書はそうしたものとは異なる。戦争は全体としてどのように作用するか、わたしたちがなぜ戦争をするのか、どうすれば戦争をやめられるのかについて考える。多くの国では、ようやく世論が目的を達成するために戦争を行なうことに反対するようになったが、ほぼどの国も使わなければならない可能性がどんなに低く思えても、軍隊を抱えている。

わたしたちは、大きな進歩を遂げてきた。この七五年間は、どの大国も別の大国と直接は戦っていない。過去何千年かにおいて、もっとも長く戦争をしていないことになる。ときに代理戦争を行なったり、ときに自国より小さく弱い国を攻撃したりすることもあるとしても、兵器があまりにも大きな破壊力を持つため、何度か恐ろしい危機を起こしつつも、互いに戦うのを繰り返し避けてきた。

さらに、戦争で失われた命や破壊された都市の数は、毎月一〇〇万人以上が亡くなった一九四五年以降、劇的に減っている。一九七〇年代までに、戦争の被害者は年間一〇〇万人に減った。今では数十万人にとどまり、交通事故での死者よりも少ない。現在、南西アジアやアフリカの紛争地域をのぞき、全世界でいかなる規模でも戦争はひとつしか起こっていない——本書が出版されるまでにロシア・ウクライナ戦争が終結していれば、ゼロになる。

国際的な組織も法律もある。ほとんどすべてが第二次世界大戦以降に設けられたもので、戦争の脅威を減らし、戦争が一般市民へ与える影響を制限することを目的として、ある程度の成功を収めている。メディアは視聴者が見ずにいられないことを知っているがゆえに、絶えず戦争の新しい映像を送ってくるが、多くはいくつかの同じ場所からだ。ロシア・ウクライナ戦争のように、ときに劇的な出来事はあるが、おそらく今は世界の歴史においてもっとも平和な時代だろう。

それでも、兵器は依然として存在し、かつてのものよりも殺傷能力が高い。参謀は今でも作戦を練り、軍隊は兵士に殺人の訓練をし（最近はとても露骨に）、国防予算はここ一〇年間にわたってほぼどの国も実際に増大している。過去に例がないほどの平和と繁栄の時期にありながら、兵士も、また外交官も、戦争は起こり得ると考え続けている。さらに、より残酷な時代が近づいてもいる。

世界の人口が八倍に膨れあがり、大規模な工業化が進展した二〇〇年間にわたるどんちゃん騒ぎのツケを払う日がやって来ようとしている。だが、支払いは簡単ではなさそうだ。気候は過去一万年にわたって、文明を育ててきた安定した状態をすでに脱している。気温の上昇がプラス二度の境界値を超えて上昇の一途をたどる前に、それを一定に保つことができれば幸運だ。

たとえその大惨事をうまく回避できたとしても、とくに熱帯や亜熱帯では、食糧生産に大きな損害を被るほど温暖化が進むだろう。大気中にすでに排出された温室効果ガスには遅延作用があるのに加え、今すぐに化石燃料から他のエネルギー資源に移行するというもっとも大胆な対策をしたとしても別の排出物が生じるからだ。

その結果、過去になかったほど多くの難民が生まれるのはほぼまちがいない。難民たちが向かう国の政府は、誰を受け入れ、誰を拒むか、また、いかに合法的に拒めるかの苦渋の選択を迫られる。自国民を養えない政府は存続が難しいため、もっとも被害の大きいいくつかの国々に、広大な「無政府」地帯ができるかもしれない。ソマリアのような国が一〇も二〇もできることを想像してみてほしい。大きな水系を共有する国同士は戦争を避けられないかもしれない。流水量が減るため、上流の国は自国民のためにより多くの水を確保しようとするからだ。

このような将来の可能性は公の場で頻繁に議論されはしないが、軍事大国では、上級の計画立案者たちが戦略的評価で考慮に入れている。紛争を期待しているのではなく、戦争を予測し、それに備えるのが彼らの職務上の責任だからだ。その予測によると、武力を用いずには解決できない大きな問題が起こると考えられている。何百万も人々が命を落とすような大国間の戦争は死んだわけではなく、ただ眠っているにすぎない。しかも、最近はぴくぴくとうごめきはじめている。

これは悪い知らせだ。だが、戦争という事象全体を見直すもっともな理由にもなる。わずか一世紀前――第一次世界大戦の半ば頃――まで、戦争は（勝った場合には）気高い事業で「良いこと」だというのが一般的な見方だった。しかし、前線で市民兵が大量に戦死したため、こうした見方に終止符が打たれた。それ以来、注意深い人々は、戦争は「問題」だと正しく考えた。核兵器が登場する前からこの結論にいたっているのだ。

ところが、わたしたちの多くは、戦争がどこで生じるのか、あるいは、実際にどのように作用するのかについては、あまり知らされていない。その点を掘り下げて調べると、国のために命を犠牲にした人々への畏敬と感謝の念を損ねるのではないかという恐れがおもな理由である。それでも、戦争で「没した」人々（こんなあいまいな言い方よりもっとふさわしい言葉があるはずだが）に敬意を払いながらも、行なうべきだ。

わたしは、軍事史家として教育を受け、成人後の人生の前半は軍のさまざまな部署を転々とした。だが、本書は、通常の意味での軍事史を説くものではない。戦争を習慣や伝統、政治や社会的制度、そして「問題」として論じている。

医学史の本における外科手術のように、本書では戦術、戦略、政策、テクノロジーについての記述がひときわ目立つが、それらはおもな焦点ではない。こうした制度の途方もない要求を受け入れなければならない人類も、また指揮官や一般の兵士も物語の一部である。だが、大半は、わたしたちはなぜ戦争を行なうのか、そして戦争を止めることが必要とされている今、それを可能にする方法について述べている。

第1章
戦争の起源

戦争はいつから行なわれているのか

人類は戦争を生みだしたのではない。受け継いだのだ。人類のもっとも遠い先祖も戦争をしたし、進化の隣人であるサルも戦争をする。だが過去二世紀のあいだ、戦争は文明とともに発展したもので、狩猟採集民である祖先たちにとっては重要な問題ではなかったと考えられてきた。

一八世紀半ばにその考えを強力に推し進めたのが、影響力の大きかった啓蒙主義の思想家ジャン゠ジャック・ルソーだ。ルソーは、大衆文明台頭以前の「高貴な野蛮人」は自由と平等のなかで生きたと主張し、さらに平和に暮らしていたことを示唆した。よって、目下、文明国家を支配する無慈悲な王と聖職者を排除さえすれば、わたしたちは失った楽園を取り返すことができる、と。それは魅力的な考えであり、ルソーの時代の人々はそれにもとづいて行動しはじめていた。ルソー自身は、アメリカ革命勃発の二年後、また、フランス革命という大変動のわずか一一年前に世を去った。

ルソーは、彼の同時代の高貴な野蛮人たちがときには戦争をすることを知っていただろう。だが、そういった武力衝突は小規模で、死傷者が少なく、文明国の大軍同士の悲惨な戦闘からは遠い世界のものだった。人類学者が、現代まで生き延びた狩猟採集民のグループを研究しはじめた二世紀後でさえ、こうした三〇人から一〇〇人未満程度の小集団のあいだで起こる武力衝突は犠牲者が少ない、本質的には儀式的な活動としてとらえられ続けた。人類学者がまちがっていると認識されるようになったのは、わずか五〇年ほど前からだ。

だが、ルソーを非難することはできない。彼の時代は、過去については三〇〇〇年ほど前までのことしかわからなかったからだ。四六億年前に地球が誕生したことも、四〇〇万年から五五〇万年前にヒト科の系統はチンパンジーの系統から分岐したことも、約三〇万年前にホモサピエンスが出現したことさえ、誰も知らなかった。人類学者が、目の前に積みあげられた証拠をそんなにも長いあいだ、なぜ無視できたのかを理解するのはいっそう難しいが、ルソーの主張は二〇世紀のかなり遅くまで信じられ続けた。

たとえば、一八〇三年にオーストラリア南岸の流刑地から逃げ出し、三二年間、先住民であるアボリジニとともに暮らしたウィリアム・バックリーのような人々が語ったことも無視された。

敵の部族が近づいたとき、全員が男であることがわかった……すぐに戦いがはじまった……［バックリーの集団(バンド)はふたりを失い、その晩、報復に出かけた］彼らの大半が眠っていて、グループに分かれて寝転がっていたので、急襲してその場で三人殺害し、ほかにも何人かに傷を負わせた。敵は逃げた……武器と、ブーメランで殴り殺されることになる負傷者を敵の手に残して。[1]

二〇世紀初期に民族学者ロイド・ワーナーが行なった、オーストラリア北部アーネムランドのムルンギン族についての先駆的な研究も無視された。ムルンギン族は近年になってヨーロッパの人々と日常的に接触するようになった。彼らのオーラルヒストリーの伝統は力強いものであり、彼らの祖父母や曾祖父母が経験した行為が理解され、共感を呼んだ。ワーナーは詳細な取材調査を通じて、一九世紀後半（ファーストコンタクト以前）にアボリジニの集団(バンド)間で起こった戦闘規模を再現しようとした。そして、ひとり、ないしはふたり程度の死者が出る小規模な襲撃や奇襲は常習的に行なわれ、調査研究した二〇年のうちで、ムルンギン族（人口約三〇〇〇人）を構成するさまざまな集団(バンド)における成人男性の二五パーセントの死因となった、と結論づけた。[2]だが、台頭しつつある人類学の専門家たちはワーナーの研究にほとんど目を向けなかった。ルソーの主張が依然として支配的だったからだ。

獰猛な人々

論争が起こったのは、一九六八年に人類学者ナポレオン・シャグノンの『ヤノマミ——獰猛な人々』が出版されたときだった。ベネズエラとブラジルの国境を流れるオリノコ川とアマゾン川の上流付近に住むヤノマミ族についての調査報告書である。ヤノマミは約二五〇の村に分かれた二万五〇〇〇人程度の部族で、絶えず互いに戦闘状態にあった。この部族は、厳密には狩猟採集ではなく、数年ごとに村を移動することを求められる、一種の焼き畑農業を営む「栽培者」たちだった。一方、集団の規模（一村あたり平均九〇人）や、戦いを含む社会的習慣は狩猟採集民と変わらなかった。

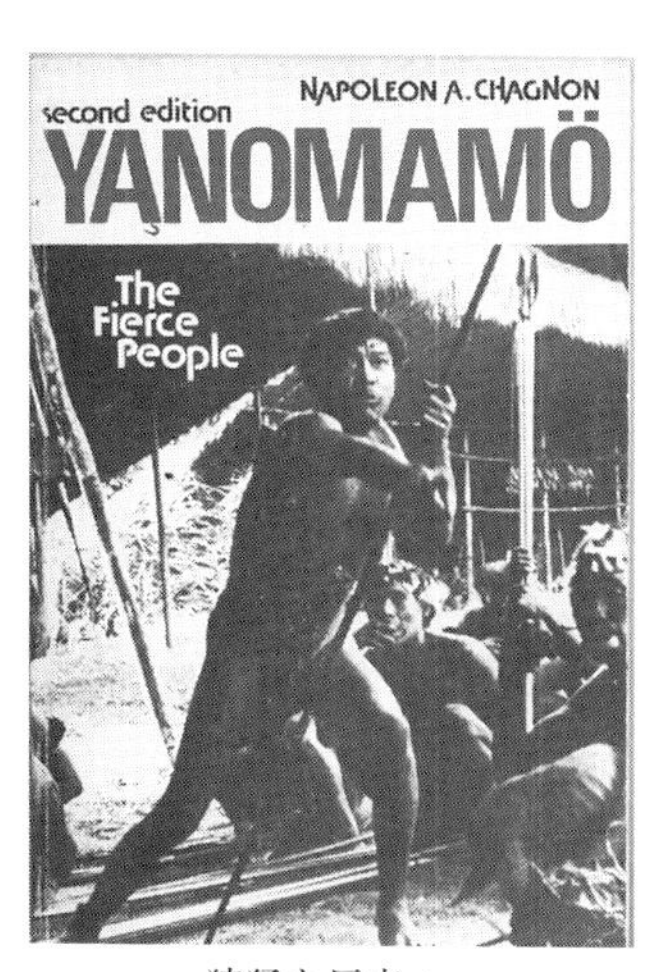

獰猛な反応：
シャグノンの議論の
中心となった研究

ヤノマミ族の村は要塞化されていて、村と村のあいだには、ときには五〇キロ近くにおよぶほどの緩衝地帯があった。襲撃隊が速く、遠くまで移動できたからだろう。

さらに、彼らは領土の中心地で暮らす傾向があり、境界付近には大きな集団でしか足を踏み入れなかったため、そうした地域のほとんどが未開拓のままだった。ときおり、村全体が破壊されることもあった。こうした戦争の常態化によって、シャグノンの計算では、一世代当たりの男性の平均二四パーセント、女性の平均七パーセントが死んだ。[3]

シャグノンの主張は一定の影響力があり、その著書は大学のカリキュラムの定番になった。だが、ヤノマミ族に生来、戦争をする傾向があるという示唆は、ルソーの教義や、それを守ろうとする人類学者にとってあまりに遠いものだった。そうした古い考え方を持つ人々によって、シャグノンはデータを歪めた、あるいは捏造したとさえ非難され、ベネズエラ政府にも、一時期、ヤノマミ族の村を再訪するのを禁止された。名誉を回復し、アメリカ科学アカデミーへの入会を許されたのは二〇一二年だった。そして、その七年後に亡くなった。

人類学者のアーネスト・バーチは、それほどひどい目にあわずにすんだ。彼は、一九六〇年代にアラスカ北西部の狩猟採集民であるエスキモーについて行なった同様の調査によって、エスキモー間の戦争は、約九〇年前にヨーロッパ人やアメリカ人との接触がはじまってからほとんど行なわれなくなったものの、歴史にもとづく記録や老人の記憶によれば、かつては少なくとも年に一度戦争が行なわれていた、と結論づけた。そうした戦争には、近隣のエスキモー集団(バンド)同士で、また、遠く離れたエスキモーの部族間で、さらに、現在のユーコン準州にいるアサバスカ諸族とのあいだで起こったものがあった。対立する集団は数の優位性を得ようとするために、同盟関係はつねに変わった。戦争の最終目的は、たいがいは対抗する集団を絶滅させることだった。

エスキモーの戦士は、骨や象牙の破片を鎖帷子(くさりかたびら)のように繋ぎ合わせたよろいを上着の下に着込み、五〇人程度の襲撃隊を組んで、敵を攻撃するために何日間も移動した。ときには戦闘部隊が正面から衝突する本格的な戦争もあったが、ほとんどは、村人が眠っているところを夜明け前に襲撃し、大虐殺におよんだ。男の戦士は、のちに拷問や殺害するために捕虜にされることもあったが、女性と子どもはたいがい殺された。バーチは一九七四年までそのデータを公表しなかった。一〇年早ければ大論争が起こっただろうが、発表当時にはそうした事実は知られていた。[4]

チンパンジーの戦争

奇妙なことに、ルソーにとどめを刺したのは人類学分野の研究ではなく、霊長類学者のジェーン・グドールだった。グドールはタンザニアのゴンベ渓流国立公園で研究中に、チンパンジーの群れが近くに住む他の群れに戦いを仕掛けるのに気づいた。人類はチンパンジーとDNAの九九パーセント以上を共有し、少なくとも狩猟採集段階以来、あらゆる地でつねに戦争を行なっているため、この行動はおそらく少なくとも四〇〇万年以上前の最終共通祖先

グドールとチンパンジーのデヴィッド・グレイベアド
（1965年頃）

まで遡ってヒト亜属とチンパンジー亜属に共通するものだろう。

チンパンジー同士の衝突は、人間の狩猟採集民の「戦争」よりも原始的だった。チンパンジーはめったに武器を使わないし（木の枝をときおり使うことはあるかもしれないが）、一匹のチンパンジーが素手で別の一匹を殺すのは容易でない。チンパンジーの集団間では、決して大きな戦いは起こらない。殺害が起こるのは、一方の集団に属する多数のチンパンジーが、対立する集団から孤立した一匹を急襲するときである。

それは境界線のパトロール中に起こった。ある地点で……チンパンジーの群れは、二五メートル先に隠れているらしいゴライアス［老いたチンパンジー］を見つけ、興奮して斜面を駆けおりた。大声をあげるゴライアスを、群れのチンパンジーたちがはやし立て、威嚇する。ゴライアスは捕まえられ、殴打され、蹴られ、持ちあげられ、落とされ、噛まれ、飛び乗られた……攻撃は一八分間続き、群れは引きあげた……ゴライアスは頭から大量に血を流し、背中には切り傷を負っていた。起きあがろうとしたが、震えて倒れた。彼の姿もふたたび見ることはなかった。

『男の凶暴性はどこからきたか』（リチャード・ランガム、デイル・ピーターソン）[5]

それは本当に戦争だったのだろうか。いずれにしても、パトロール隊は、対立する集団から離れたオスを見つけるたびに襲ったわけではなかった。森を移動中に、対立する集団の仲間同士が連絡を保つために発する鳴き声に耳を傾け、襲撃するのは標的を助けに来る仲間が近くにいないときだけだった。そうでなければ、その日は静かに引きあげた。だが、これは重大なことだった。警戒を怠らずにいても、殺されるのは一度に一匹だとしても、群れのオスが最終的に全滅することもあった。そうなると敵対する集団のオスが群れに移入し、生き残ったメスを奪い、生まれたばかりの子を殺して、自分たちの子を産ませるようにした。

チンパンジーの集団のなかにはこんにちまで五〇年間、観察が続けられているものもあり、観察された全集団にわたって、最終的に成体のオスの約三〇パーセント、メスの五パーセントが群れ同士の戦いで死んでいる。チンパンジーの集団の縄張りは、ヤノマミ族の村よりもずっと小さく、集団間の距離はおよそ五から六キロメートルだった。だが、チンパンジーは、ほとんどすべての時間を縄張りの中央三分の一で過ごした。縄張りの残りは、近くの群れに奇襲されて殺される危険があるために、資源が同じように豊かでも「緩衝地帯」となっていて、大きな集団でしか訪れなかった。[6]

幻想に対する警鐘が鳴らされた。アーネムランドのムルンギン狩猟採集民、アマゾンで栽培をするヤノマミ族、ゴンベのチンパンジーに関するデータや資料は、現代文明が経験した以上の割合で犠牲者を生む戦争が、はるか昔から行なわれていたことを示していた。考古学者たちは関心をかき立てられ、化石記録からヒトやその近縁種の戦争の証拠を探しはじめるようになった。それを見つけるのに、長くはかからなかった。

七五万年前のホモ・エレクトスの化石からは、頭蓋骨の陥没骨折（おそらく棍棒によるもの）などヒトが使う武器によって加えられた暴力のしるしや、肉をそぎ落として共食いをしたことを示す傷が見つかった。このような殺害のあとには複雑な浄化の儀式が行なわれることが多く、その一部として人肉を食べることもよくあった。また四万年から一〇万年前に遡るネアンデルタール人の化石からは、肋骨のあいだに槍や石刃を突き刺した傷が見つかり、さらには集団墓地も発見された。[7]
加えて最初の文明が台頭するわずか数千年前に、戦争が行なわれたにちがいないと思われる大量殺戮の痕跡が見つかった。たとえば、およそ一万年前にケニアのトゥルカナ湖の西にあるナタルクで男性、女性、子どもが合わせて二七人虐殺された。ほとんどが撲殺か刺殺（六人はおそらく矢で殺された）で、埋葬されることなく腐った。メディアには新発見として扱われたが、これは有史以前におけるヒトやヒト科の動物の何万、何十万という類似の出来事のうちのひとつにすぎない。さて、それでは、こういったことをどう考えるべきなのだろうか。

ふたつの条件

人間はカインの刻印を負っているのか。みずからを最終的に滅亡させるまで、戦争の規模を拡大していく運命にあるのか。そうとも限らない。だが、すべての種が他の群れに対して行なう戦争的行動を説明するのに必要とされるふたつの条件を満たしている。すなわち、種が捕食性であるか。また、規模が変化する集団で生活しているかである。

人間とその祖先は何百万年ものあいだ狩猟によって生活してきた。そのため、人間が他の人間を殺すことは容易に可能だ。そればかりか、少なくとも二〇万年間、巨大な動物さえ殺すことができた。よって「捕食者」であると考えていいだろう（人間の他にそう考えられる唯一の霊長類はチンパンジーだ。チンパンジーは、サルや他の動物を捕獲し、食べる。また、戦争も行なう）。

「規模が変化する集団で生活する」というのはわかりにくいが、群居しない捕食者は同種のものと深刻な戦いをすることはほとんどない。なぜなら、このような遭遇戦では死ぬ確率がおよそ五〇パーセントになるため、進化的に価値がないからだ。いずれにせよ、戦争は定義上、集団行動である。集団がすべて同規模で、構成メンバーが団結している場合も、正面から戦う可能性は同じように低い。力が互角であれば、多数の死者が出るだけで勝ってもピュロスの勝利〔割に合わないこと。古代ギリシャのエペイロス王、ピュロスが多大な犠牲を払ってローマ軍に勝利したことから〕にしかならないからだ。

対照的に、規模が変化する集団は、食糧を得るためにより小さな群れや個に分かれることが多く、攻撃者に勝算の高い奇襲の機会を与える。だが、そうした機会を狙ったとしても、消耗戦に発展し、どちらかの集団のオスが絶滅することもある。ライオン、オオカミ、ハイエナはそうした行動をする。もちろん、チンパンジーや人間も、規模が変化する集団で生活するすべての捕食動物がそうである。だが、勝者は実際どのような利益を得ているのか。どのような進化上の優位性を与えられるのか。

世界にはつねに空室がなく、食糧もつねに限られていた。砂漠、ジャングル、海岸、あるいはサバンナであれ、捕食者も被食者も環境収容力の限界まで、さらにそれを少し超えて繁殖する傾向がある。狩猟採集民である人間は、しばしば子どもを減らすために新生児の間引きを行なったが、そういった決断は、一般的には集団の方針として課せられたのではなく、過度な負担に耐えかねた親によるものだと思われる。それによって人口増加が大きく鈍化することにはならなかっただろう。

人間の集団が周囲の環境の収容力の限界付近で生活しているならば、たとえば天候パターンや獲物の移動ルートの変化によって、食糧供給が短期間途絶えただけでもすぐに危機が起こる。食糧の多くは貯蔵ができないため、何週間あるいは何カ月かのうちにすべての人がつねに空腹を抱えるようになる。人間は先を読む力があるので、そうした状態が続けば、集団の大半にこれから何が起こるのかを理解する。長期間にわたり、常習的かつ複数回にわたる奇襲によって周辺の集団の成人男性を殺害してきた集団なら、死力を尽くして周辺の集団の男性をすべて殺し、食料資源を奪って危機を切り抜けるという選択肢があるかもしれない。

進化は理性的な計算によって起こるのではないし、有史以前に常習的に起きた戦争は、人間の遺伝子の配列の維持を確実にする装置として意識的に計画されたものではなかった。だ

豊富な
食糧資源に
よって支える

部族集団一：文化的、遺伝学的に攻撃性が強い

部族集団二：文化的、遺伝学的に平和を好む

部族集団一　部族集団二を攻撃し、排除して生存を確実にする

部族集団一　食糧を得るために攻撃的であり続ける

部族集団二　食糧を得るために攻撃的にならざるを得ない

食糧資源
食糧資源
食糧資源

が、それを説明するには、環境が良いときでさえ、近隣の集団間ではつねに資源をめぐってある程度の競争があったこと、また、悪いときには暴力に駆り立てられる集団があるかもしれないことを推測するだけでいい。文化的理由であろうと遺伝的理由であろうと、他よりも少なくともわずかばかり攻撃的な集団はあるだろう。資源が乏しいときに生き残り、次の世代に文化と遺伝子を伝える見込みがあるのはこうした集団だ。それらの要素を数百年間弱火にかけ、ときおりかき混ぜれば、ヤノマミ族の苦境がわかる。

［ヤノマミの］村は、周囲の村を完全には信頼しないし、信頼できない森のなかに位置する。ヤノマミ族の大半は、村同士の絶え間ない戦争を危険で結局のところは非難すべきと

とらえ、もしそれを完全に、確実に終わらせる魔法があるならば、その魔法を選ぶのはまちがいない。だが、そんな魔法は存在しないことはわかっている。近隣の村の人々が悪者である、あるいはすぐにそうなり得ることもわかっている。いつ裏切って本気で襲ってくる敵かもわからない。完全な信頼がないにもかかわらず、ヤノマミ族の村は、交易、村外婚、不完全ながらも公な政治的な協定を結ぶことを通して、また容赦なく報復する準備があるのを示して恐怖を与えることで、他の村とつきあっている。

ランガム、ピーターソン[8]

名前をわずかに置き換えるだけで、これは一九一四年の第一次世界大戦勃発前の大国間の関係の説明にもなるだろう。オーストリアの皇太子がバルカンの町で暗殺されたことは、第一次世界大戦という大きな事件のきっかけとしてはあまりに些細な原因に思われる。それと同じように、ヤノマミ族が説明した戦争の原因は、あまりに哀れで、ばかげたものに思える。というのも、戦争はたいてい女性の取り合いによって起こったからだ。だが、多くの人々はそこにより深い意味があるのではないかとつねに考えた。

平等と戦争

ここまでルソーは、安楽椅子人類学者としてあらゆる面でまちがっていたことが示されてきた。だが、ひとつだけ正しいことがあり、それは非常に大きなことだった。すなわち、文明以前の人間、つまり彼が言う「高貴な野蛮人」とは、完全に自由で絶対的な平等のもとで暮らした人々だという主張である。それこそが、ルソーの人気のおもな理由だった。ルソーは、現代において革命を起こしたい人々のために、過去に先例を見つけようとしていた。革命によって人々がふたたび自由に、平等に生きることができるように。ルソーの主張は推測によるものだったが、見事な推測だった。

すべての男性は支配しようとするが、もし支配できないなら、平等のままであることを好む。

ハロルド・シュナイダー　経済人類学者[9]

ヒトと比較的最近の共通祖先を持つ三種のアフリカの大型類人猿の集団は、きわめて階層的である……だが、一万二〇〇〇年以前は、ヒトは基本的に平等主義者だった。

ブルース・ノフト　文化人類学者[10]

人間の性質に関心のある人々にとって最大の謎は、現在知られているすべての狩猟採集社会とほとんどすべての栽培社会では、少なくとも成人男性は平等だったという事実だ。平等主義の傾向があったということではなく、強迫観念にとらわれたかのように厳格に平等であろうとした。この文化的嗜好は、彼らの子孫が大衆文明社会と接触してからも長く続いている。議論においては年長者が権威を持つかもしれないし、すぐれた狩猟者が獲物の最上の部分を得るかもしれないが、個人が支配権を握ることはない。

これには当惑させられる。有史以来、帝国、絶対君主制、独裁制といった極端に階層的で不平等で圧政的な社会がいくつも存在したからだ。人間の近縁であるサル類や、他の大型類人猿、とくにヒトにもっと近いチンパンジーの小規模社会もそうである。チンパンジーの集団は専制的であり、支配的なオスが身体攻撃をともなう誇示行動を見せ、集団の他のメンバーを服従させる。

短気な暴君が支配する小集団のなかで生きるのは、あまり愉快ではない。従属するオスは、ボスの見えないところでしかメスと交尾できない。だが、協力し合って支配者のオスを倒そうとする企てはつねにある。一般的には、ボスであるオスが高齢だったり、怪我を負ったりして、他を脅して服従させる能力を失いつつあるときは、遅かれ早かれこうした陰謀のひとつが成功する。チンパンジーにとって不幸なのは、その結果が、古いボスと同じように振る舞う新しいボスを生み出すだけだということだ。誰も好んでチンパンジーには生まれたくないだろう。

人間のあいだで異なる価値観が支配的になったのがいつかはわからないが、おそらく何万年も前のことだったにちがいない。なぜなら、その土台となる平等主義の価値と社会的な風潮や習慣は、北極圏から熱帯地方、砂漠や森林地帯、また、あらゆる大陸において、既知のほとんどすべての先住民文化における規範となっているからだ。

わたしの定義では、平等社会は大勢の従属者が強く結束した結果生まれるものであり、集団のなかでボスになりそうな者に対して政治権力をはっきりと否定する。

クリストファー・ボーム　進化人類学者(1)

人間には他の大型類人猿と異なる重要な点がふたつあった。より知性が高く、言語を持つことだ。知性があるために、絶え間なく繰り返される権力闘争においては、個人が「ボス」として台頭できる可能性があまり高くないことがわかる。ボスになれたとしても最後には序列の底辺に落とされ、一生、いじめられ、殴られ続ける。まったく望ましくないが、そうなりかねない。となれば、ボスを倒してすべての成人男性間で平等を実現すればいいという認識にいたるまでそれほど長くはかからないだろう。

　チンパンジーの場合は、たとえ賢いものがこうした概念を漠然と抱いたとしても、それを明確に表現する言語を持たない。陰謀に参加してもらいたい他のチンパンジーに対してだけでなく、自分自身に対してさえそうだろう。人間は言語を持つため、専制君主を倒すだけでなく、支配体制全体を永久に止めることができる。そしてもちろん、そうした。その成果がすばやく伝えられたおかげで、一度だけではなく何千もの集団で何千回もそうしたことが行なわれた。

　この考え方を最初に提唱したのは、クリストファー・ボームである。ボームはこれを「順位制の逆転」と呼んでいる。そのモデルを理解するために、人間を野心や嫉妬心のない種として仮定する必要はないだろう。下位のオスたちが協力し、数の力でボスの支配を止めただけである。武力さえほとんどいらない。カラハリ砂漠で狩猟採集によって生活するクン族は、人類学者リチャード・リーに、社会統制がどのように機能するかを説明している。


　若者がたくさんの獣を仕留めれば、自分自身を長(おさ)か大物と考えるようになり、残りの者を自分の僕(しもべ)か下位者と考える。わたしたちはこれを受け入れられない……そこでつねに彼の獣肉には価値がないと言う。このようにして、彼の気持ちを落ち着かせ、穏やか

にする。[12]

人類学者が研究する機会を得た狩猟採集集団は、どこもきわめて平等だった。最大の社会的犯罪は、ひとりの成人男性が他の成人男性に対して命令をすることだった。意思決定が必要とされるときは、議論という過程を経て合意にいたった。何日も議論が続くこともあったが、合意に拘束力はなかった。人々は集団の外の相手とも結婚したので、もし決定が本当に気に入らなければ、いつでも去って縁者のいる別の集団に入ることができた。

外部との接触が比較的少ない先住民集団では、背の高いケシ〔有力者のこと〕は、少なくとも比喩的には、いつも切り倒される。自分を他の者の上位に置こうとすることに対する罰は、嘲笑からはじまり、追放、流刑へとつながる。過去には、極端な場合、死刑さえ行なわれた。遠い過去の狩猟採集民は、やさしく、穏やかな自然の管理人だったわけではない。武装し、暴力行為に熟達し、しばしば近隣の集団と戦った。平等主義革命は戦争を排除しなかったからだ。彼らは、「革命を守る」（決してそう表現はしなかっただろうが）ために必要であれば、人を殺した。だが、「順位制の逆転」が確立されたあとは、殺害は頻繁には必要なかったかもしれない。

この革命はいつ起こったのだろうか。一〇万年前より早いことはないだろう。もし人間が前間氷期（一三万一〇〇〇年〜一一万四〇〇〇年前）以前に手の込んだ陰謀を企てられるほど言語を発達させていたならば、すでに農業、市民社会、その他がはじまっていたと考えられるからだ。現にそういったことは最終氷期が終わってからまもなく生まれている。一方、二万年前より遅いこともなさそうだ。なぜなら平等という価値観が世界中で専制政治が横行するなかを何千年ものあいだ変わらずに生き残ったからには、長い時間をかけて人間の文化に（おそらく人間のゲノムにまで）深く定着したはずだからだ。だ

サン族の家族（2017 年）

が、それ以上、正確なことはわからない。

この大きな変化の顕著な副産物は、人間の家族である。成人男性が平等である集団では、もはやひとりの支配的男性が、通常のサル類のやり方でその集団の女性たちへの性的接触を独占しようとはしなかった（これは革命の動機の一部だったのだろうか？　おそらくそうだろう）。男女平等は革命の一部ではなかったが、自由で平等な男性はそれぞれ、ひとりの女性配偶者と多少なりとも安定した関係を築いて、誰が自分の子かを知る、あるいは少なくとも知っていると考えることができただろう。子育てに力を貸すようにもなったかもしれない。

大変革

ともあれ、人類は大きく変容し、一万年前には農業革命を迎えようとしていた。また、マダガスカルやニュージーランドのようないくつかの島は別として、地球上のあらゆる居住可能な地域に移り住むようになった。人類の数はおそらく四〇〇万を超える程度で、みな依然として小さな先祖伝来の集団で暮らしていた。戦争は絶えず起こり、大きな被害をもたらしたが（きわめて孤立した集団にはそうではなかっただろうが）、生き残った人々の大多数は自由で健康であり、しかも幸福でさえあっただろう。その後、農業がはじまり、すべてが変わった。

いや、すべてではない。戦争は残った。

第2章
実戦のありさま

不確実性の領域

本書は歴史を論じるものであるため、過去の叙述に多くの時間を費やすことになる。だが、過去と現在は切れ目のない連続体であり、ビッグヒストリー（たとえ非常に短いものであっても）の試みは、少なくとも部分的には今を理解しようとするものだ。したがって、一挙に過去へと戻る前に、現在、つまりこの一〇〇年のあいだに、戦争がどのように行なわれていたかを振り返ることは有益だろう。さしあたっては、戦略やテクノロジーではなく戦場で戦う人々の経験に焦点を当てたい。

ベトナムでひとり歩く
アメリカ海兵隊員（1966 年）

戦争は不確実性の領域である。戦争における行為を支えるものの四分の三は、多かれ少なかれ不確実な霧の中に隠れている。

カール・フォン・クラウゼヴィッツ

配置につこうとしたとき、大きな稲田を横切らなければならなかった。誰かを先に行かせなければならない。一瞬、彼はためらい、わたしを見た。「わたしですか？　本当にわたしですか？」彼はわたしの表情を見て、わたしが本気だとわかったのだろう。稲田を横切っていった。

まずふたりずつ行かせた。問題はなかった。それから、全軍を引き連れて稲田に入った。半分ほど行ったとき、ベトコンがうしろから近づいてきた。たこつぼ壕に隠れていたらしい。部隊のほとんどが捕まった。

戦術的にはすべて想定通りに行ったのだが、何人かの兵士を失った。わたしはまちがっていたのだろうか。わからない。［他の機会であれば］別のやり方をしただろうか。そうは思わない。なぜなら、それが、わたしが訓練されてきたやり方だったからだ。そのおかげで、死ぬ兵士が少なくてすんだのだろうか。その答えは決してわからないだろう。

アメリカ陸軍少佐　ロバート・ウーリー

正しい答えはどこにもない。戦場では、自分たちを殺そうとする人々（通常姿は見えない）がいるなかで、将校たちは適切な情報なしにすばやく意思決定をしなければならない。まちがった決断をすれば命を落とすし、正しい決断をしても死んでしまうことがある。できるのは、成功の保証はないとわかっていても、歴代の将校たちが実際の経験から練りあげたルールに従うことだけだ。たとえ、そうしたルールがせいぜい成功の確率を少し高める程度だとしても。

ウーリー少佐は奇襲のリスクを減らし、ダメージを受けたとしてもそれを最小限に抑えるための軍事訓練を受けていた。戦術的な原則は不可欠だが、確実なものではない。敵がどこで何をしているのかは、はっきりとはわからないからだ。ウーリーは、ベトナムで長いあいだ勝ち目のない戦いを続けた。しかし、ヨッシ・ベン＝カナン将軍のように短期間で勝利した戦争であっても、悪い結果を完全に避けることはできない。

一九七三年の第四次中東戦争において、ベン＝カナンはゴラン高原でイスラエルの戦車旅団を指揮した。開戦六日目、残りの戦車が八台という状態ながら、どうにかシリア軍の前線の背後に回り込んだ。

……わたしたちは後方に到着するとすぐに陣地を構えた。敵の陣地が丸見えだった。砲撃を開始し、二〇分ほどで目に入るものすべてを破壊した。こちらには地の利があった。

突撃し、丘を奪うことに決めた。戦車二台は援護射撃のために残していかなければならなかったので、六台で敵に向かった。ところが、側面に［シリア側の］対戦車ミサイルを受け、あっという間に六台のうち三台が爆破された。わたしが乗っていた戦車も大爆発を起こした。わたしは吹き飛ばされ、そこに残された……そして、やはり攻撃はすべてまちがいだったと思う。

ベン＝カナン将軍は司令官として、状況をよく見るために、砲塔から頭と肩を出していた。そこは機銃や大砲で攻撃されれば、致命的なダメージを受ける場所だ。一方、対戦車ミサイルが車体を貫通するとなれば、そこにいるのがもっともいい。ベン＝カナンは砲塔から吹き飛ばされた。部下たちは戦車のなかで焼け死んだ。ベン＝カナンは有能な司令官でありながらも、攻撃に失敗し、何人かの部下を失くした。司令官は、たいていの場合、ある程度のリスクを受け入れなければならない。状況は刻々と変化するため、より良い情報を待つ余裕はない。

軍隊は、制服、厳格な階級制度、逸脱に対する不寛容さのせいで、平時には過剰に組織化され、融通がきかないように見えるかもしれないが、平時が真の仕事のときではないのだ。戦場では、形式張った言葉で命令し、それを受け入れさせること、その場にいる最高位の人物に絶対服従させること、そういった形式でのみ士官に状況を報告させることは（それに明白な利点がなく）一見、不合理に見えても役に立つ。それによって、本質的に混沌とした状況における不確実性を減らすことができるためだ。

階級の必要性

戦場という特別な状況では、決定をする将校とそれを実行しなければならない下士官との明確な区別も理にかなっている。これは軍隊組織における特異な側面である。軍組織ではすべて、ほぼ同じ年齢で、下級レベルでは同じような仕事をすることが多い人々がふたつのまったく異なる階層に分けられている。そのため、二〇歳の将校が、自分よりも年上で、経験豊富な下士官の上官となる。それどころか、士官候補生として一年間の訓練を終えたばかりの二〇歳の少尉が、陸軍ではもっとも上位の下士官である連隊付き曹長より軍規上、上の階級になる。連隊付き曹長は、その地位に達するまでに最低でも一八年間は兵役に就いてきたはずだ。また、どの軍隊でも、下士官から将校の階級に上がるのはとても難しい。
将校と下士官の区別は、貴族が命令して平民が従った遠い過去の政治や社会構造に根差している。革命期のフランスやボリシェビキ革命を成功させたロシアのような急進的な平等主義を主張した国家でさえ、これを廃止することはなかった。むしろ、維持する必要があった。兵士の命を使って、国家の目的を達成するのが将校の義務だからである。

［兵士とは］距離を置かなければならない。そのためには将校と下士官の距離が役に立つ。これはもっともつらいことのひとつだ。ときには、彼らへの愛情を抑えなければならない。彼らを死なせなければならないときもあるからだ。実際そうしている。彼らを使い果たす。まるでモノのように。どれだけ使い果たせばやるべきことを成し遂げられるかを知ることも、優秀な将校には必要である。

第二次世界大戦歩兵将校　ポール・ファッセル

将校は攻撃の管理者である。極限の状況以外は、みずから武器を持たない。武器を持つ兵士たちを指揮し、命の限り戦わせることが彼らの仕事だ。兵士たちを心配していないとか、危険を避けているとかいうことでは決してない。それどころか、たいがいは将校の犠牲者が

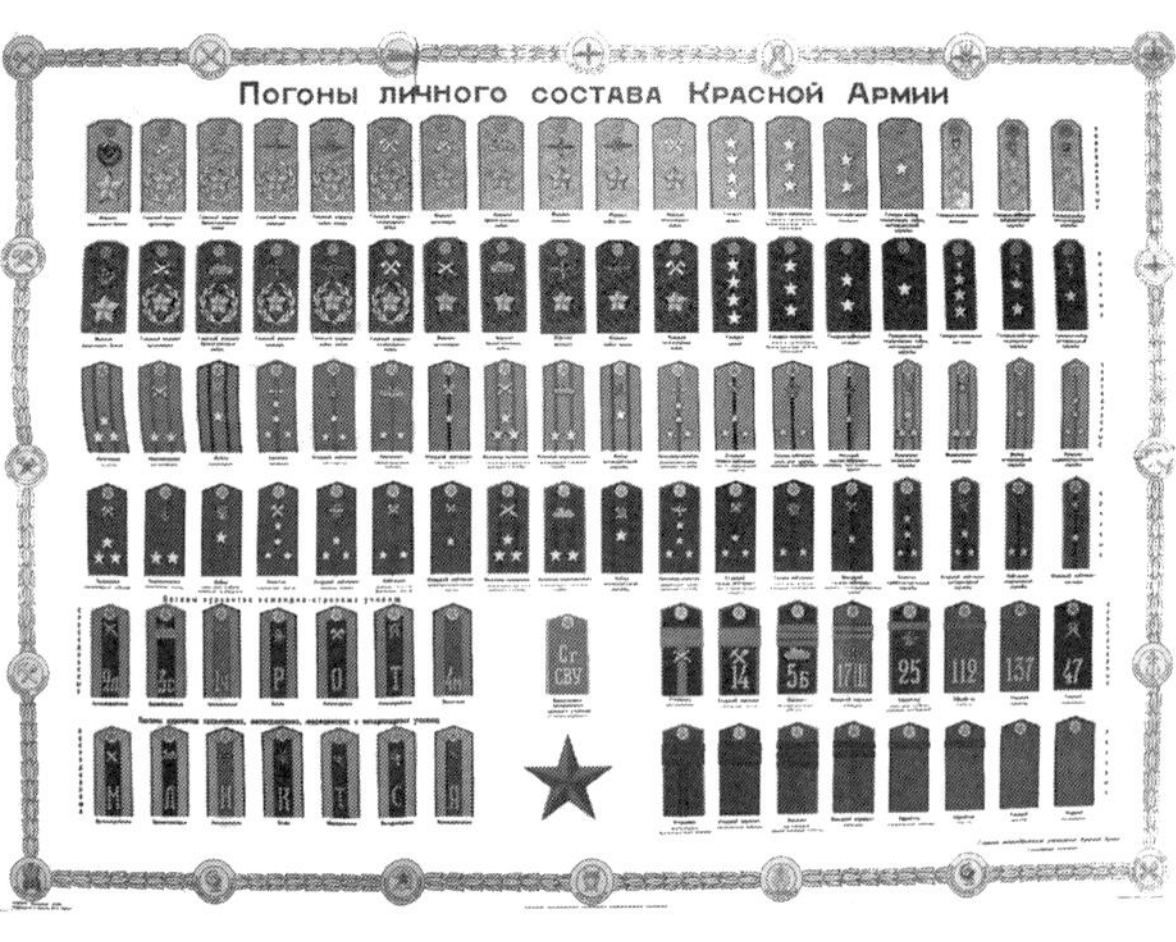

赤軍肩章　1943年頃

下士官よりも相対的に多い。将校は兵士の士気を高めるために、自分の身を危険にさらさなければならないというのがおもな理由だ。第二次世界大戦では、イギリスやアメリカの歩兵大隊の将校の死傷者は、下士官の二倍だった。過去二世紀の大きな戦闘に参加した軍隊のほとんどで、同様の数字が当てはまる(1)。

Dデイ〔ノルマンディー上陸作戦のこと〕以来、大隊に仕えた将校の人数を数えてみた。ライン川を渡った三月二七日まで（一〇カ月弱）に……一二のライフル隊を指揮した将校は五五人で、平均日数は三八日だった……〔判明している限りでは〕五三パーセントが負傷、二四パーセントが即死あるいは負傷により死亡、一五パーセントが傷病兵として送還、残ったのは五パーセントだった。

第一ゴードン・ハイランダーズ　M・リンゼイ大佐[2]

将校は特殊な役割を担っているため、世のなかの仕組みについても特別な視点を持っている。

職業倫理

軍事倫理は、人間はいつも無分別で、弱くて、不道徳であることを重視している。また、個人よりも社会が優先であること、および秩序、階層、役割の分担の重要性を主張する。

さらに、国民国家を政治組織の最上位のものとし、国民国家間の戦争が続く可能性を認め……服従を軍人の最高の美徳として称賛する……要するに、現実的で保守的である。

サミュエル・ハンチントン[3]

ハンチントンの古典的な「軍人的考え方」の定義の多くは、遠い昔にも適用されたものかもしれないが、いまや軍人は独立した専門的な職業となっている。

だが、本当に医療や法律の専門家と同じ意味での職業なのだろうか。ほとんどの点で、そうだと言えるだろう。将校たちの集団は誰を仲間として迎え、誰を昇進させるかさえ選ぶことができる（政治的配慮が優先される最高レベルは別として）自律的な組織だ。軍人は、提供する役務の独占的な供給者であり、軍務は特殊な要求であるため、いくつかの特権（早期退職など）が享受できる。医師や弁護士と同じように、軍人たちもさまざまな利益を擁護し、推進する。だが、大きな違いがある。それは、兵士が兵役契約の「無限責任」と呼ぶものだ。他の多くの契約とは異なり、雇用主に要求されたとき、兵士は命を捨てなければならない。

政治家は……兵士が倫理的に他の職業人と変わらない立場にあるというふりをするかもしれない。だが、そんなことはない。兵士は無限責任を負っているし、無限責任が威厳につながる……また、軍事行動は集団行動であり、とりわけ部隊では……その成功が集団の団結力に左右される。集団の団結力は、その集団の信頼と信用の程度に依存する。

アーノルド・トインビーが「軍人の美徳」と呼んだ不屈の精神、忍耐力、忠誠心、勇気などは、どんな集団にも見られるすぐれた資質だ。一方、軍人の組織にとっては、機能上、必要不可欠な、まったく異なる意味を持つものになる。というのも、不誠実、短

朝鮮戦争。ひとりの歩兵が別の歩兵を慰めている。もうひとりは手帳に書き込みをしている　1950年8月25日

命、嘘つき、あらゆる面で腐敗しているといった人でも、才気あふれる数学者や世界的に認められた画家になれる。だが、そうした人がなれないものがある。それは優秀な兵士、水兵、航空兵だ。

サー・ジョン・ハケット将軍

もちろん、悪い将校もいるが、「軍人の美徳」が欠けているからこそ悪い将校になる。少しでも軍人たちのなかで生活したことがあれば、彼らが他の点では多様でありながら、並はずれて誠実で忠誠心の強い集団であることがわかるだろう。それは将校たちだけではない。一九四四年、ノルマンディー上陸作戦で第五イーストランカシャー部隊に一兵卒として従軍したスティーブン・バグナルは、回想録で、前線の兵士のあいだに不可避的に蔓延する悪意のなかの恵みについて書いている。「前線に近づくにつれ、兵士たちは互いに助け合い、ほとんど陽気とも言えるようになる。信じがたいほどはっきりと場違いなほどに。最近いところからの手紙に……こうあった。『戦場にいるときほど、人間を愛おしく感じることはない』それは真実であるだけでなく、はじまりであり、終わりでもある[4]」

だが、それは真実のすべてではない。

神経症への対処

行けと言われたところへ行き、やれと言われたことをやった。それだけだ。ほとんどいつもちびりそうなほど怖かった。

第二次世界大戦　米軍歩兵　ジェームズ・ジョーンズ

もし血が茶色なら、みんながメダルを持っている。

一九四四年―四五年　ヨーロッパ北西部　カナダ軍軍曹

第二次世界大戦中、アメリカ陸軍は兵士にアンケートを行ない、戦場でどれほどの恐怖に襲われるかを調査した。一九四四年八月、フランスに配備されたある歩兵師団では、三分の二の兵士が、極度の恐怖で任務を遂行できなかったことが少なくとも一度はある、と認めた。また、五分の二を超える兵士が、何度もそういうことがあったと答えている。

南太平洋の別の歩兵師団で、恐怖による身体症状があったかどうかを二〇〇〇人以上に尋ねたところ、八四パーセントの兵士が心臓の鼓動が極度に激しくなったと答え、五分の三以上が全身の震えが止まらなかったと述べている。約半数が気を失いかけ、冷や汗をかき、吐き気をもよおした。四分の一以上が嘔吐し、二一パーセントが排泄をコントロールできなくなったそうだ[5]。この数字はあくまで自主的に認めたものであり、実際の割合はすべての項目で、とりわけ面目を失いかねないものではもっと高いと思われる。ジェームズ・ジョーンズの「ちびりそうなほど怖かった」というのは、単なる下品な表現ではないだろう。

これが戦闘で将校たちが向き合う現実だ。兵士たちの訓練と自尊心、周囲の親しい友人への忠誠心は、肉体的な恐怖や死にたくないという切実な願いと絶妙なバランスを保っている。そのバランスがわずかでも傾けば、兵士たちは恐怖に取り憑かれた暴徒に変わりかねないため、将校は兵士たちが戦い続けられるようできるだけのことをする。近年の大きな戦争では、誰もがたいがい最終的に精神の崩壊に陥る。大事なのは、全員が同時にそうならないようにすることだ。

二〇世紀以前のおもな戦争では、死傷者の割合が戦闘に参加した兵士の四〇～五〇パーセントに達することがよくあった。二〇パーセント以下になることはめったになかった。一年のうちに二度戦闘があれば、終戦にならない限り、歩兵は、毎年同じ確率で死傷することになる。あまりに悲観的な見通しだ。だが、戦闘は一日で終わり、兵士たちは一年のうち残りの三六三日は、たいがい敵に接近することもなかった。寒かったり、雨に濡れたり、疲労や空腹に苛（さいな）まれたりする日々だったかもしれないが、一年の半分は屋根の下で眠ることができただろう。一年以内に死んだり、負傷したりする可能性があることは、他の人が最終的に確実に死ぬことと同じように考えて無視すればよかった。だが、今、状況はまったく異なる。

戦闘の心理的影響に関する米陸軍の調査[6]

「戦闘に慣れる」ということはない。戦場では、一瞬一瞬、極度の緊張にさらされ、それが強く、長く続くせいで人間が壊れてしまう。

一九世紀に入ってからは一日の戦闘における死傷者数は大きく減っている。第二次世界大戦の激しい戦闘では、師団規模の部隊の一日の平均損失は、人員の約二パーセントだった。だが問題は、いまや戦闘が何週間も続き、さらに次々と起こることだ。

累積損失率は以前とほぼ変わらず、歩兵が一年以内に死亡または重傷を負う確率も五分五分だが、戦闘がもたらす心理的影響は大きく異なる。部隊は連日砲撃され、つねに敵に囲まれ、兵士たちの周りでは死が繰り返される。それにより、生き延びようとする信念は容赦なく打ち砕かれ、やがて、すべての人の勇気と意志を破壊してしまう。スティーブン・バグナルは次のように記している。「最初は力強く湧いてきた勇気も、その後は弱くなる。非常に勇敢な人には気づかない程度かもしれない。だが、まちがいなく弱くなる……そうならざるを得ない[7]」

アメリカ陸軍は、第二次世界大戦中に、死や負傷を免れたとしても二〇〇日から二四〇日にわたる「戦闘日」を経験したあとは、精神がやられてしまうと結論づけている。前線で戦う部隊を頻繁に交代させたイギリスが算出した日数は四〇〇日だが、心身の破綻は避けられないという見方は一致している。精神衰弱に陥ったのは傷病者の六分の一程度であるものの、それは、戦闘部隊のほとんどが精神が崩壊するほど長くは生き延びられなかったからだ。

どの軍隊でも、戦場の歩兵がたどる過程は同じようなものだった。戦闘がはじまって数日は絶え間ない恐怖と不安を経験する（そして、それを隠そうとする）。やがて、戦闘中の真に危険な状況と単なる恐怖とを区別できるようになると、自信がつき、仕事ぶりも確実に向上する。だが、三週間後にはピークを迎え、そこから長い下降線をたどる。

一九四四年にアメリカの歩兵大隊に同行したふたりの陸軍精神科医は、戦闘が続いて六週目になると、兵士の大半が死を避けられないことを確信し、自分のスキルや勇気は何の役にも立たないと思うようになったと報告している。その後、何カ月かは役目を果たし続けながらもだんだんと能力を発揮できなくなり、たとえ戦死することはなくても、負傷したり、戦闘から離脱したりという同じ結果になった。

> 彼らについて言えば、状況は絶望的だった……（その兵士は）精神的な障害がひどくなり、口頭で命令を託すことができなくなり……いつも塹壕（ざんごう）のなかか、その付近にいて、急に戦闘がはじまったときも、それにほとんど加わることなく、いつも震えていた。
>
> 『攻撃』（一九四七）スティーブン・バグナル

「二〇〇〇ヤードの凝視」〔恐怖で解離状態となり、感情が麻痺した兵士のうつろな眼差しのこと〕の段階だ。これが進めば緊張病（カタトニー）、つまり混迷状態と精神の衰弱に陥る。(8) だが、崩壊した部隊は比較的少なかった。死傷者（「戦闘神経症」に苦しむ者も含む）にかわって、絶え間なく

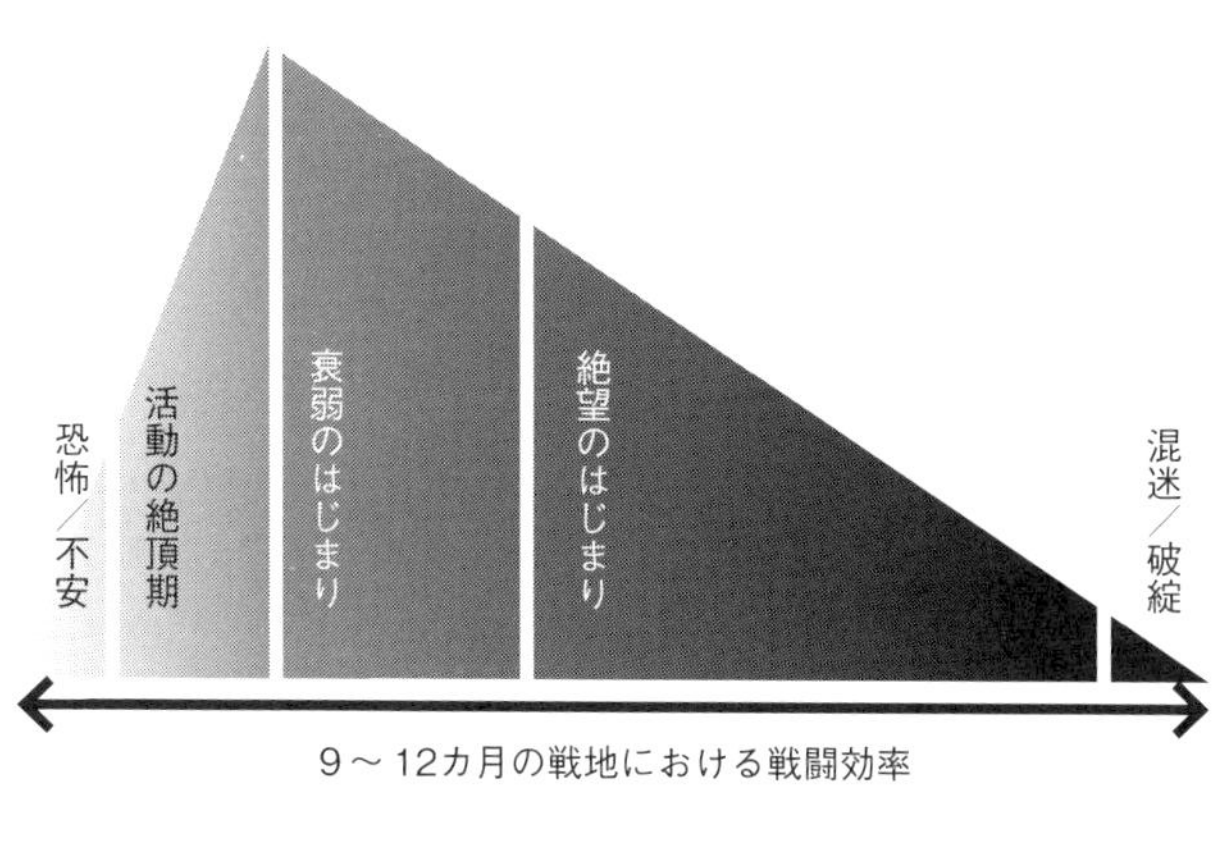

兵士が補充されたからだ。よって、現代の戦争では長期の戦闘に参加するほとんどの部隊が、未熟で自信のない補充者、古参兵（多くは精神的に衰弱しつつある）、未熟から燃え尽きるまでの段階へ移行しつつある大勢の兵士たち――部隊から見ればできるだけ多いほうがいい――による不安定な集まりになっている。

将校はこうした人々を務めを果たすために「使い切る」必要がある。彼らの心境について、第一次世界大戦の退役軍人であり、第二次世界大戦と朝鮮戦争に関する歴史家であるアメリカ陸軍のＳ・Ｌ・Ａ・マーシャル准将が次のように述べている。

戦場における部隊の調査では、兵士たちがたいがい恐怖に怯えていることがわかる。だが、さらに調べてみると、彼らはその恐怖心が仲間に臆病だと思われるような行為として表れるのをいやがっている。

極度の危険はおかしたくないと思っているし、英雄的な役割にあこがれているわけでもないが、仲間のなかでもっとも価値がないとみなされるのも同じようにいやだと考えている……。

パニックを引き起こす種は、部隊が物理的な危険にさらされている限りつねにある。自制心を保てるかどうかは……部隊内の規律が見た目上、維持されているかどうかにかかっている……他の兵士が逃げ出せば、社会的圧力がなくなり、平均的な兵士は任務から解放されたかのように反応するだろう。全体が崩壊すれば、個人としての失敗が目立たなくなることを知っているからだ。[9]

第二次世界大戦が終わるまで、兵士のほとんどが、たとえ逃げないとしても、実際は誰も殺していないことに部隊は気づいていなかった。

基礎訓練

戦闘には、何千万もの男性たちが参加してきた。女性も増え続けている。だが、どこか不可解だ。

死を与えたり、与えられたりすることは、通常の取引とは言えない。

軍隊は、他の職業ではほとんどすることがない要求をする。当然ながら、情緒的に不安定な人は、殺しの訓練を受けたと言う……兵士であることの本質は殺すことではなく、殺されることだ。殺し屋になるのではなく、殺されるために自分を差し出す。とても苦しい立場だ。だが、そこに考える材料がある。

サー・ジョン・ハケット将軍

ハケット将軍による「兵士であることの本質」の定義は、軍人以外には愚かしいほどロマンチックに聞こえるが、確かにそこには考える材料がある。兵士たちは自分が死ぬかもしれないことがわかっている。だが、各自の判断に任せておけば、ほとんどの兵士は驚くほど殺したがらない。殺すときは、たとえ戦闘中であっても、多くが深く動揺する。

そのことを考え、殺さなければならないことはわかっているが、その意味が理解できない。これまで生きてきた社会では、殺人はもっとも凶悪な犯罪だったからだ……

わたしはすっかり恐怖に襲われ、身動きもできないほどだった。だが、海岸近くの小さな釣り小屋には日本の狙撃兵がいるはずだ……わたしが行くしかない……そこで、小屋に向かって走り、侵入した。なかには誰もいなかった。

ドアがある。つまり、もうひとつ部屋があり、狙撃兵はそこにいるのだろう――ドアを破った。狙撃兵が待ち構えていて、撃たれるのではないかという恐怖にとらわれた。ところが狙撃兵はハーネスを装着していたため、すぐに振り向くことができなかった。ハーネスのせいで動けない彼を45口径で撃った。後悔と恥ずかしさに襲われた。馬鹿みたいに「すまない」とつぶやいたあと嘔吐したのを覚えている……体中が嘔吐物にまみれた。子どもの頃から教えられてきたことに背いてしまった。

ウィリアム・マンチェスター

マンチェスターは一九四五年に沖縄で戦ったとき、二三歳の伍長だった。誰かを殺すということはアメリカ海兵隊に所属するまで考えもしなかっただろう。当然ながら、自分がやったことにひどく苦しんだ。単に「現代人の感性」だとあざ笑う者もいるかもしれない。一七世紀や一八世紀には、公開処刑は一種の娯楽だった。もし事態が逆であれば、日本の狙撃兵はマンチェスターを殺してもそれほど動揺しなかっただろう、と言われたかもしれない。だが、軍隊は問題を深刻に受けとめている。

S・L・A・マーシャルは、一九四七年に「戦争とは人を殺すことであるのを認めざるを

教官に応える新兵。サンディエゴ海兵隊新兵訓練所

得ない」と記した。しかし、こんにちの軍隊は、新兵が人を殺したがらないことをよくわかっている。そのため、新兵はすぐに隔離され、六週間から一二週間、「基礎訓練」を受ける。その訓練は武器の使い方を学ぶこととはほとんど関係がない。

基礎訓練は転向のプロセスであり、新兵は極限まで身体的なストレスにさらされ、心理操作される。彼らの市民としての主体性を押しつぶし、新たな価値観や、忠誠心や、すばやく反応して行動する姿勢などを植えつけ、従順で意欲的な兵士にするのが目的だ。たいがいはうまくいくが、市民としての主体性は表に出ないだけで、失われはしない。マンチェスターは訓練を積んだ兵士として人を殺したが、以前の自分のままその行為に反応した。

マンチェスターの二世代後のアメリカ海兵隊東海岸訓練基地の教官であるパリス・アイランドは言う。

「少しは洗脳したと言えるかもしれないが、彼らはいい子だった。だが、訓練を受けてもほとんどが人を殺したがらないことに軍隊が気づいたのは、第二次世界大戦が終わってからだ。当時大佐だった前述のS・L・A・マーシャルは軍事史家として、一九四四年から一九四五年にかけて太平洋とヨーロッパの両方の戦場のアメリカ歩兵部隊に戦闘後の聞き取り調査を行ない、激しい戦闘中でさえ、自分の武器を撃った兵士は四分の一以下であることがわかった。兵士たちは逃げることはなかったが、その瞬間が来ても敵を殺すことができなかった、とマーシャルは述べている。

生まれつきの人殺し？

戦闘による精神的、肉体的なストレスに耐えることができる人でも、もし責任から逃れることができるならみずからの意思では殺人をしない。他の人間を殺すことに対して、通常は意識していない抵抗感が残っている……そして、きわめて重要な局面で、良心から任務を拒否するようになる。

『メン・アゲインスト・ファイヤー』S・L・A・マーシャル

これは軍にとって大きな驚きだった。軍の指導者たちは、戦闘では自分の命を守るために、全員ではないにしてもほとんどの兵士が敵に発砲するものだと考えていたからだ。そのため、この問題を深刻にとらえ、訓練方法を変えた。草むらの遠くに丸い射的を置いた訓練はなくなり、今は飛び出してから二秒以内に撃たないとふたたび消える人間の形の射的を狙った射撃訓練をするようになっている。これは「反射経路を植えつける」と呼ばれている。

兵士たちが敵を殺したがらないことについても、より直接的なやり方で取り組んでいる。一九六〇年代までは、アメリカ海兵隊の新兵は朝の身体訓練で走るとき、左足を下ろすたびに「殺せ」と叫んだ。この訓練は効果があったようだ。マーシャルの報告によると、一九五〇年代はじめの朝鮮戦争では、半数の兵士が戦闘中に発砲し、一九六〇年代後半のベトナム戦争では、ほぼすべての兵士が防衛線が危険にさらされた際に発砲した。

問題は第二次世界大戦中にのみ起こったとマーシャルは考えた。第二次世界大戦では、大半の兵士が戦場で下士官や将校に直接、指揮されることがなくなったからだ。歴史のほとんどの時代において、戦場には兵士がたくさんいた。古代ローマの軍団でも、一八世紀の戦列艦の砲台でも、ナポレオン時代の歩兵大隊でも、兵士は実質的に肩を並べて戦った。同じ試練を経験する人が大勢いたため、兵士たちは自分の役割を果たさなければならないという大きな道徳的圧力にさらされ、下士官がいれば、義務を怠るとすぐに罰せられ、ときには死罪になることもあった。

第一次世界大戦の塹壕のなかでさえ、兵士の周りには他の兵士がいた。攻撃のあいだも仲間たちが見えた。ところが第二次世界大戦になると、大砲や機関銃の威力のせいで、歩兵は広範囲に分散し、それぞれがひとり用の塹壕に身を潜めたため、監視されることもなくなった。このように孤立した状況のなかで、兵士たちは敵を殺さなくても、恥をかいたり、罰を受けたりしないですんだ。よって、ほとんどがそうした。一方、機関銃や有人兵器を受け持つ兵士は仲間に見られながら、期待通りに任務を果たし続けた。そうマーシャルは推論した。

マーシャルの発見に含まれる論理的な意味合いは、他の人を殺したくないという気持ちはどの国も共通だということだ。もし、ドイツ兵や日本兵が、とりわけ戦争好きな文化で育ったか、より効果的に洗脳されていたかのどちらかの理由で殺しをいとわなかったのであれば、狙い撃ちが計り知れないほど多かっただろうし、アメリカ軍とのすべての戦いに勝利したことだろう。

人間的な観点からすれば、どの国家や文化においても、大半の人々が他の人間を殺すことに強い抵抗を感じ、できることならそれを避けたいと考えているのは朗報である。それでも、単純な心理的条件づけや訓練によって殺人が容易になるのを知れば、楽観的にはなれない。しかも、マーシャルの死後、彼の研究成果を否定しようとする研究者たちの大きな動きがあった。マーシャルの研究方法はずさんで、結果は希望的観測によって歪曲されている、捏造だ、と批判されたのだ。

彼の研究方法への批判は本質をついていた。だが、論争の思わぬ効果として、他の時代や場所でも同じような行動があったという証拠があるかが調べられた。その結果、見つかったのは、一世紀以上も前から多くの兵士が人を殺すのをひそかに拒んでいたことだった。

アメリカの南北戦争におけるゲティスバーグの戦い（一八六三年）後に拾い集められた二万五五七四丁のマスケット銃の九〇パーセントには弾が込められたままだった。兵士たちはおそらく死んだか負傷したかで銃を落としたのだろうが、彼らが弾を装塡してすぐに撃っていたとは考えられない。実際、半数近い一万二〇〇〇丁には二発以上の弾丸が装塡され、そのうち六〇〇〇丁は三発から一〇発が込められていた。その状態で発砲すれば、銃は爆発してしまう。唯一の合理的な説明は、両軍の兵士の多くが、人の目があるために装塡はしなければならなかったものの、発砲の真似をしただけだったということだ。また、さらに多くが、弾を装塡して発砲はしたものの、高いところを狙って撃ったと思われる。

説得される必要もなく、生まれながら人を殺せるような人はごく少数だ。そういう人たちは殺人者というわけではないが、殺さなければならないという状況で、称賛を得られるなら、人を殺すことに対して他の人のように抵抗を抱かない。たとえば、第二次世界大戦中、アメ

28機を撃墜後、P47サンダーボルト戦闘機の
コックピットに座るガブレスキー（1944年7月）

リカ航空軍において戦闘機のパイロットで「エース」になったのは一パーセントに満たなかった（エースとは第一次世界大戦で生まれた用語で、少なくとも五機の敵機を撃墜したパイロットのこと）。そうしたごく少数の「エース」によって敵機撃墜の三〇から四〇パーセントが行なわれた。一方、パイロットの大多数は一機も撃墜していないことになる。彼らがパイロットとして劣っていたという証拠はない。むしろ、人を殺す本能が欠如していたということかもしれない。

彼らはアリのようだ

生まれつきの殺人者でない人々でも、引き金を引く指から標的までの平均距離が長くなるにつれて抑制が効かなくなる。五〇〇メートルでさえそうだろう。一九四四年六月六日、アメリカの部隊がノルマンディーに上陸したとき、二〇歳のドイツ国防軍（ヴェアマハト）の兵士ハイン・ゼーフェローは、機関銃手としてノルマンディーのオマハビーチを見渡していた。ゼーフェローがいる掩体壕（えんたいごう）は連合軍による爆撃や艦砲射撃を免れた数少ないひとつで、彼の最初で最後の戦闘の日、その壕の前で死傷した四一八四人のアメリカ人の少なくとも半分が彼の機関銃で撃たれた。彼は過熱した銃身を交換するときをのぞいて九時間撃ち続け、五〇〇メートル先の浅瀬で上陸用舟艇から降りてきたアメリカ兵を掃射した。

「遠くにいる敵がアリのように見えた」とゼーフェローは述べている。自分がやっていることに抵抗を感じなかった。交戦が一瞬小止みになったとき、掃射を逃れた若いアメリカ兵が海岸から駆けあがってきた。ゼーフェローはライフルを構えた。弾丸がアメリカ兵の額で炸裂し、ヘルメットが転がり落ちた。アメリカ兵は海辺の砂の上に倒れて死んだ。その距離からでも、ゼーフェローには兵士の顔が苦痛でゆがむのが見えた。「そのときはじめて、自分がずっと人を殺してきたことに気がついた」とゼーフェローは言う。「今［二〇〇四年］でもその兵士の夢を見る。そのことを考えると胸が痛む」

五〇〇メートルの距離によって、兵器が人間におよぼす現実がかすんでしまうのであれば、その一〇〇倍の距離で、しかも上空からなら、現実はまったく見えなくなるだろう。

まるでハンブルク全体が、端から端まで燃えていて、巨大な煙の柱がわたしたちの頭上にそびえ立っているようだった。二万フィート上空にいるわたしたちの頭上に。

暗闇に真っ赤な炎が渦巻く半球形が現れ、まるで巨大な炉心のように燃えている。通りも建物の輪郭も見えなかった。目の前に広がるのは、赤い灰のなかで黄色い閃光を放つ火炎だけだった。街は赤いもやに覆われている。わたしはそれを上空から見下ろし、心を奪われながらも背筋を凍らせ、満足しつつも恐怖を覚えた……わたしたちの爆撃はかまどに石炭を足すようなものだった。

ハンブルク上空を飛ぶ英国空軍（RAF）の乗組員（一九四三年七月二八日）[10]

七五年後、第二次世界大戦の爆撃機パイロットは、幸いにも決してくだされないICBMの発射命令を待つかたわら、経営学修士の通信教育を受ける戦略空軍総司令部の「戦闘員」や、何千マイルも離れたところから映像を見て「標的」を殺害するドローン操縦士に変わった。

ドローンパイロットは爆破羊の夢を見るか？

とくに気に入っているのは、さまざまな可能性があることです。いろいろなスポーツをすることができ、給料もかなり良いと思います。家賃や生活費の支払いがほとんどないので、その分、手元に残るお金が増えます。ドローンを飛ばすのはとても楽しいうえに、アフガニスタンにおける任務の中核を担っています。

英国陸軍による「ドローン攻撃手」オンライン募集広告[11]

武装ドローンによる最初の攻撃は二〇〇一年に行なわれた。二〇〇八年頃からは、テクノロジーの進歩によって攻撃が加速的に増えた。アフガニスタンでは、二〇一九年に一日最大四〇回の空爆があり、二〇二〇年一二月時点でシリア、イラク、イエメン、リビア、ソマリアでドローンの空爆によって失われた人命は五万五五〇六人とNGO団体であるエアウォーズは推定している。[12] アメリカ空軍は現在、戦闘機と爆撃機のパイロットを合わせた数よりも多くの人々を無人航空機（UAV）の操縦士として訓練している。この「テロ対策」の作戦行動の規模と地理的範囲は上空から人々（その多くは民間人）を殺害する者の倫理的立場に関する古くからの気まずい議論を再燃させている。

第二次世界大戦におけるイギリス、カナダ、アメリカの爆撃機戦闘員は、すさまじい数のドイツ人犠牲者（死亡者数の約五〇パーセント）を出したものの、その行動は倫理上の批判をほぼ免れた。だが、無人機のパイロットはみずからの命を危険にさらしてはいない。軍内部でも、彼らの倫理的立場、とくに彼らが戦闘にじかに参加した者と同じ名誉や地位を与えられるに値するかどうかが疑問視されている。

たとえドローン操縦士が飛行服を着用して任務に臨んでいるとしても（一部の空軍ではそうしている）、本当の「戦士」は、単なる「サイバー戦士」が、自分自身や他人の目に価値あるものとして映るヒロイズムという通貨を下落させることを望んでいない。二〇一三年にアメリカ国防総省は、ドローン操縦士の武功を称える殊勲戦闘章（DWM）の創設を提案した。これはいくつかの勲章の上位に位置するもので、それに対して、軍や退役軍人の団体は怒りを表明している。アメリカ在郷軍人会代表のジェームズ・E・カウツは、彼の組織は「コンピューターによる遠隔操作で戦う者と、自分を殺そうとしている敵に対峙して戦う者とのあいだには根本的な違いがあると信じている」と述べている。[13] 二カ月後、国防長官はこの勲章を廃止した。

一般の市民にとっての関心はそれとは異なる。神のように上空からひそかに、安全に人を殺すことを可能にしたこのテクノロジーは、倫理を破壊する。とりわけ作戦が極秘裏に行なわれるとなれば、乱用につながりかねない。当然ながら、グレッグ・バグウェル空軍中将のような軍事マニアは不信感を抱かれる。英国空軍（RAF）の元作戦副司令官であったバグウェルは、部屋にこもってプレイステーションで遊んできた一八歳や一九歳の若者をドローンの操縦士として採用することを提唱した。[14] だが、こんにちのドローン操縦士は倫理的に麻痺しているわけではない。彼らは、被害者が誰なのか、彼らの身に何が起こるのかを、一九四三年に上空からハンブルク空襲を行なった若者たちよりはるかによくわかっている。

こんにちドローンによる攻撃の大半は、「テロを防ぐ」あるいは暴動を鎮圧するという理由で、戦争に動員されることのない市民社会に対して行なわれている。基本的な倫理観としても、暴動鎮圧の公な方針としても、暴動を企てた小集団や、また多くの場合「テロリスト」個人をターゲットとするドローン攻撃は、周りの罪のない人々（家族や友人や近所の人など）に大量の犠牲者を出さないようにしなければならない。ドローン操縦者は何時間も、あるいは何日もかけてターゲットの日常生活を観察して、まず本人であることを確認し、その後、他の人の命を危険にさらすことなくターゲットを襲撃する時間と場所を決める。

だが、それはセオリーにすぎない。実際は、それほど入念な準備が行なわれないこともあるし、大きな時間的な制約が課されることもあるため、無実の人の命を奪うミスが発生することも多い。それでも、ドローンの操縦者は殺害を行なう前に、たいがいターゲットやその家族について十分に「知る」ことになる。爆撃後は周囲を調べ、ターゲットを仕留めたか、葬式に誰が来るか、などを確認する必要がある。もちろん、その日のうちに再度爆撃を行ない、救助隊や弔問客を殺害する「ダブルタップ」攻撃をするためでもあるが、これについては否定されることも多い。ドローン操縦者の命が危険にさらされることはない。また、アメリカ空軍航空宇宙医学校によると、彼らがＰＴＳＤ（心的外傷後ストレス障害）を負う可能性は二パーセントから五パーセントだ。これは戦闘に参加していない他の軍人よりも高いとは言えないし、アメリカの一般成人の年次ＰＴＳＤ発症率にも遠くおよばない。しかし、ドローン操縦者の多くは、自分が目にしたり、行なったりしたことに対する強い感情的な反応に悩まされ、一一パーセントが極度の「心理的苦痛」を感じていると報告している。[15]
軍事医学の世界では、この苦痛を表す「精神的損傷」という用語が（かなりの抵抗を受けているものの）徐々に浸透しつつある。ある元ドローン操縦者は、未公開論文のなかで、この現象を「認知戦闘親密性」、つまり、暴力的な出来事を高解像度でじっくり観察することから生まれる関係的愛着と結びつけている。ある一節では、操縦者が「テロの調整役」の殺害を遂行する一方で、彼の子どもは助かるというシナリオを語った。だが、その後、「子どもは現場に戻り、散らばった父親の肉片を人間の形に戻しはじめた」と恐怖に襲われながら述べた。ターゲットが服を着替えたり、子どもと遊んだりして日常の生活を送っているのを見るほど、ドローン操縦者の「精神的損傷のリスク」は高くなる、と彼は結論づけている。[16]
ただ、こうした作戦行動にはまだ人間がかかわっている。本当に心配なのは次に起こることだ。

ロボット兵器による戦争

「二〇三〇年代には」一二万人の軍隊うち三万人はロボットかもしれない。それは誰にもわからない。

二〇二〇年一一月　英国国防参謀総長ニック・カーター将軍[17]

イギリス軍は、現在認められている上限八万二〇五〇人を満たす人材を確保できずにいるため、欠員を人間以外で補充することに関心を持つのも無理はない。先進国の軍隊は、同じような問題に直面している。さらに「ロボット」は、人間が行なえば膨大な犠牲が出る任務を戦場で遂行するようプログラムできるし、大量に「殺される」ことがあっても、多くの人間の犠牲者が出たときとは異なり、国内で政治的反発を招くこともない。しかし、戦闘中にこうしたロボットの行動を人間が監督しなければならないとしたら、人員の節約にはならないし、反応時間のロスも大きい。とくに殺すか殺さないかの判断は瞬時に行なわなければならない。

戦場で役立てるには、こうしたロボットをいわゆる「致死性自律型兵器システム」（LAWS）にして殺害の決定を任せなければならないというのが、望ましくないものの、避けられない結論になるだろう。それは正気な者であれば誰も行きたいとは思わない「ターミネーター」の国の奥深くに突き進むことになる。あるいは、そういった選択をすれば、誰も足を踏み入れないかもしれないが、もちろん、実際にそうした選択が明言されることはないだろう（また、問題とされる兵器はアーノルド・シュワルツェネッガーとは似ても似つかないものになる）。

このようなLAWSは、人工知能がきわめて大きな進歩を遂げなければ現実になることはないだろう（顔認識ソフトはうまく実現するかもしれないが、まだダンスができるロボットですらほとんどない）。ロボット兵器が、人間の軍隊が作り出した複雑な戦場で（それぞれの判断によって）安全に働くように設計することは非常に難しいが、中央政府の統治が脆弱で、過激派や反乱軍が潜伏し得る広大な場所では、早期に使ってみたくなるかもしれない。ドローンの操縦者を必要としない、次世代後のLAWSが一万台あれば、きわめて妥当な費用でアフガニスタンのような大きな国の農村部にいる反乱者たちを追跡し、識別することができるだろう。

大量生産された最新鋭のLAWSドローン一台が五〇〇万ドルとして、五〇〇億ドルを毎年一〇〇億ドルずつ五年にわたって支払えば、アフガニスタンの農村部五マイル四方の地域をカバーする殺人ドローンを購入することができる。[*] これはアメリカの「軍事」予算のほんの一部にすぎない。武器を携行しているといったような反乱の兆候があれば、ターゲットは爆撃される。もちろん、巻き添え被害もあるだろうが、相手は違う国の人たちだ。それ以外

＊現在は約六九〇〇億ドル／年で、国防予算に追加されるものとなる。

の悲惨なやり方を考えれば、そうした人々のことがどれだけ本当に気になるだろうか。

おそらく、ＬＡＷＳのテクノロジーが成熟するには、まだ一〇年以上かかるだろう。それでも、国際的合意によって禁止されない限り、比較的近い将来に成熟する。ルビコン川を渡るのはアメリカとは限らない。どこかの大国が技術を獲得すれば、他の国もあとに続くにちがいない。

大規模な全面戦争におよぼす影響はそれほど大きくないかもしれない。そのような戦争では、人間の意思決定者でも、ほとんど躊躇なく殺害を行なうことができるからだ。だが、反乱鎮圧のための作戦にはきわめて大きな影響を与える可能性がある。ＬＡＷＳによって、アフガニスタンやソマリアなどの「終わりなき戦争」を終

英国議会前で殺人ロボットに反対するビラを配る
デイヴィッド・レッカム（2019年4月）

わらせる政治的圧力が弱まるだろうし、無慈悲な独裁政権は、権力を永久に握るために、新しい強力な道具を手に入れることだろう。

毒ガスや生物兵器を禁止する国際条約は、ある程度の成果をあげてきた。また、非公式の国際的な取り決めで、地雷や目つぶし用のレーザー兵器のような、悪質だが致命傷を与えない兵器もほぼ根絶された。致死性自律型兵器システムはまだ避けられないものではなく、殺人ロボット阻止キャンペーンが先導するNGOのネットワークは、二〇一三年から、国連によるLAWSの禁止を国際的な課題にするために活動している。本書執筆の時点で、三〇カ国がこうした禁止の支持を表明し、さらに六七カ国が積極的な関心を示している。[18]

だが、先のことはまだわからない。

第3章

戦闘の進化

（紀元前三五〇〇年——紀元前一五〇〇年）

軍の戦いのはじまり

　はじめて軍隊による戦いが行なわれたのがいつかはわからない。おそらく五五〇〇年ほど前に、今のイラクにあたるシュメールの地で行なわれたのではないかと考えられる。当時の軍隊は、槍、ナイフ、斧、おそらく弓矢など、狩猟民や戦士が動物あるいは人間に対して何千年にわたり使ってきたのと同じ武器を携行したのだろう。違ったのは狩猟採集民の集団の一〇から二〇倍の大人数で構成され、ひとりの指揮官に従って、少なくとも数分間は敵と相対して戦った点だ。狩猟採集民は決してこうしたことはしなかった。農耕民族だけが数字、責任の概念、しかるべき社会構造を持っていた。

　だが、きわめて早い時期に例外があった可能性はある。一九五〇年代に考古学者たちが、一万年以上前の紀元前八五〇〇年から八〇〇〇年の頃に、世界ではじめてエリコ〔パレスチナ東部の都市〕に城塞都市が築かれたことを発見した。城壁は少なくとも高さ約三・六メートル、厚さ約一・八メートル。深さ約三メートルの石造りの壕(ほり)が約四万平方メートルの領域を囲っていた。内側には三〇〇〇人におよぶ人々が暮らし、中央には高さ約七・六メートルの塔があった。そこは最終避難所、あるいはもっとも重要な人々が暮らす場所だったのだろう。壁は単なる洪水対策にしては精巧に作られているため、ここに軍備の整った社会があり、価値の高いものを襲撃から守っていたのだと察せられる。それはエリコの帯水層だ。層に含まれた水が城の周りに広がる天然の段々畑を潤していた。

エリコの壁が現れた頃、肥沃な三日月地帯に暮らすナトゥーフ期の狩猟採集民は、野生の獲物の狩猟を続ける一方で、徐々に野生植物の収穫により多くの時間を費やすようになった。彼らの半永久的な居住地には穀物貯蔵用の穴があったが、紀元前八五〇〇年頃、気候が乾燥化し、居住民が激減した。その結果、食糧が欠乏し、ナトゥーフ期の人々は、野生の穀物をただ収穫するのではなく、みずから植えつけるようになったようだ。飢えに苦しむ種族が、エリコの帯水層を奪おうとすることもあっただろう。帯水層を掌握できれば、水が手に入り、食糧も確保できるからだ。一万年も昔にこの壁が築かれたのはおそらくそういった理由だろうが、危機は過ぎ去り、その後三〇〇〇年間、肥沃な三日月地帯に別の城壁があった証拠はない。実際に戦いが起こるのはもっと先のことだった。

次に知られている例外は、この一〇〇〇年ほどのち、エリコから約九六〇キロメートル北に存在したチャタル・ヒュユクだ。チャタル・ヒュユクは五〇〇〇ないし七〇〇〇人から成る共同体で、紀元前七一〇〇年から五七〇〇年まで、現在のトルコ南部コンヤの近くに栄えた。家は蜂の巣のように建てられ、通りや路地は存在せず、出入り口は壁の高い位置あるいは屋根にあった。防衛手段はなく、本格的な軍隊に攻め入られれば一日たりともたなかっただろう。

小麦や大麦を収納する容器が出土したことから、ある種の農業がはじまっていたことが推測されるが、狩猟や河川流域での野生の植物や果物や木の実の採集も行なわれていた。家畜化されたヤギがいたことは確かで、畜牛がいた可能性もある。他よりも大きな住居や儀式用の建物がないことから、いまだ平等主義の社会だったと思われる。副葬品から女性も男性と同等の地位を得ていたことがわかる。全体として、チャタル・ヒュユクの人々は、屋内で集団生活をすることを選んだ狩猟採集民の子孫のようである。

紀元前六〇〇〇年から四〇〇〇年頃、いわゆる「初期作物」の栽培がはじまり、ヤギ、ヒツジ、ブタ、ウシの飼育が行なわれた。だが、チャタル・ヒュユクのように、「原始都市」の形成はほとんど見られなかった。例外はユーフラテス川下流の湿地帯、シュメールだ。のちにギリシャ人にメソポタミアとして知られる現在のイラクである。メソポタミアは、ティグリス川とユーフラテス川によって形成されたこれといった特徴のない平原で、肥沃な三日月地帯の高地の大部分は二本の川のおかげで水はけがよかった。土壌は過去の洪水で運ばれてきた混じり気のない沈泥で、驚くほど肥沃だった。この地では容易に二毛作ができたが、シュメールで暮らす人々は、まだ農業だけをしていたわけではなかった。

ユーフラテス川下流の河口近くは、狩猟採集民にとっての天国だった。言うなればエデンの園だ。当時は多様な食物資源に満ちていた。人々は、狩猟採集民の水準からすれば、密集して暮らしつつ、昔ながらに魚や軟体動物を獲り、渡り鳥やシカを狩り、野生植物を集め、そのかたわらユーフラテス川から氾濫によって水があふれる場所に種をばら撒き、水が引けたあとに残る肥沃な沈泥のなかで作物が育つのを待つだけといった、負担の少ない農業も行なった。

早くにシュメールに住み着いた人々は、たいがい同じ言語を話したが、少なくとも一二の共同社会に分かれていた。それらは、紀元前四〇〇〇年代のはじめまでにすでに小さな都市国家に成長した。戦争はほとんど起こらないか、起こっても深刻にはならなかった。シュメール人は紛争解決の手段として、軍事ではなく宗教的な権力を使ったからだ。王や長期にわたる非宗教的な統率者はいなかったが、司祭がいた。彼らは、神々を喜ばせるだけでなく、集団内の住人同士に加え、近隣の共同体との紛争を鎮める役割を担った。たまに起こる戦いも、伝統的な狩猟採集民のやり方で行なわれた。城壁があれば、戦いを起こそうという気を削ぐこともできただろう（とはいえ、城壁が存在した証拠はない）。実際の大規模な城壁が

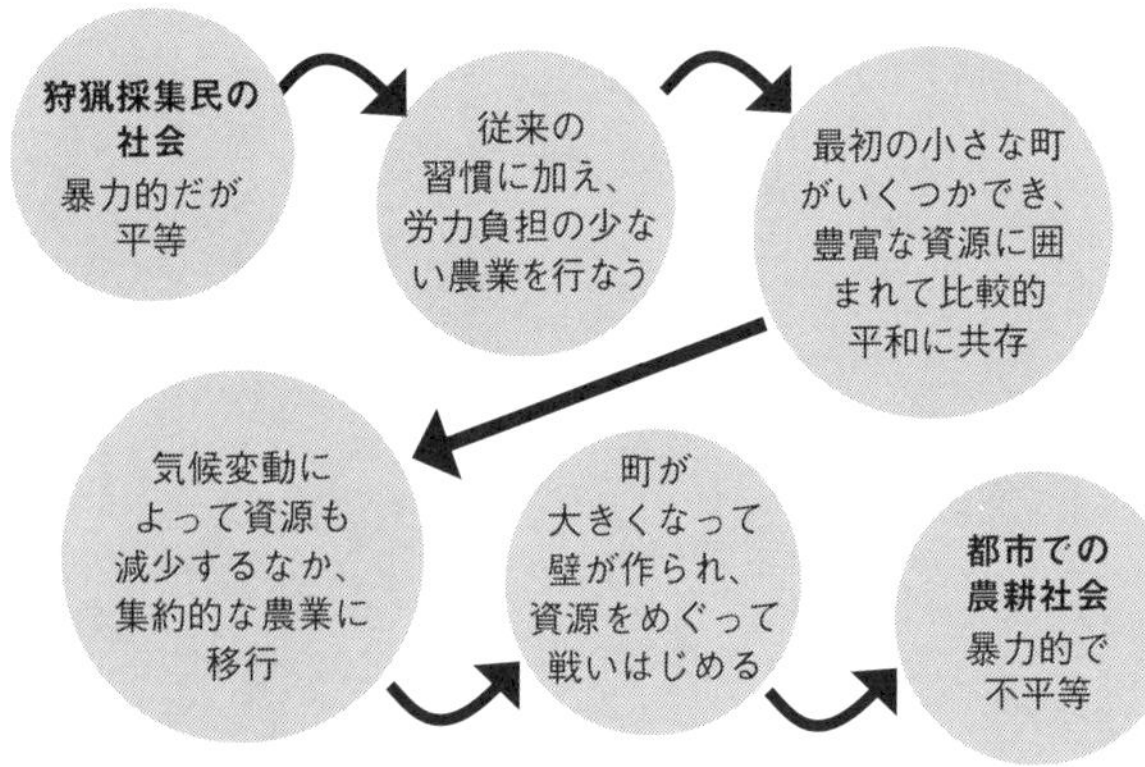

建造されはじめるのは、もっとあとになってからだ[1]。

司祭たちのおかげで、シュメールは五世紀、あるいはおそらく一〇世紀にわたり平和だったと考えられるが、人口が増加するにつれ、都市間の衝突が避けられなくなった。こうした新しい移住地では、女性が子どもをひとり産んで育て、四年後にもうひとりを産むという制約（遊牧民の場合、母親は小さい子どもをふたり連れて移動はできない）がなくなり、人口が急増した。紀元前三五〇〇年頃、気候はふたたび乾燥化に向かい、野生の食物資源が減少し、人々は農業をはじめなければならなくなった。だが、河川の洪水の水量が減ったり、期間が短くなったりしたため、農業に適した土地は少なくなっていった。徒歩で二、三日の距離の都市のあいだで、農地をめぐる戦いがはじまった。紀元前三二〇〇年頃には、世界最大の都市ウルク（人口二万五〇〇〇から五万人）の周りに壁が作られはじめた。まもなく、キシュ、ニップル、ラガシュ、エリドゥ、ウルといったシュメールの主要な都市にも城壁ができた。

この新しい都市の生活様式によって、賢い、あるいは幸運な人々には土地を含むさまざまな財産を蓄積する機会が多く与えられ、貧富の差が広がりはじめた。一部の人々が特権を有し、それ以外の者はただ耐えなければならなかった。

ところが、ある集団には別の選択肢があった。

新たな生活様式

最初にヒツジ、ヤギ、ウシを家畜化したのは定住した共同体であり、動物の家畜化は新しい生活様式の可能性を生み出した。牧畜である。家畜化した動物の世話をすることによって、その肉、皮、毛、乳、血を利用して完全に独立した生活様式を維持し、自立した暮らしを取り戻せるようになった。こうした生活様式に強く惹かれる者もある程度いたと思われる。農業社会では、人間の自由といった価値観や習慣が早々に失われていったからだ。

大半の人々が新しい規範を受け入れなければならなかった一方で、家畜を世話する人々には選択肢があった。彼らは、動物が農作物を食べたり、荒らしたりしないように、農村のはずれに暮らし、春には新鮮な牧草を求めて高地に移動した。ある時点で、元の場所に戻る必要はないと考えた者もいただろう。

遊牧民の暮らしは厳しい。屋根の下で眠ることはなく、モノを所有することもほとんどない。だが、定住の共同体で起こることを好まない人々にとっては魅力的だったにちがいない。紀元前四〇〇〇年から三〇〇〇年のあいだに、中東全域で遊牧社会が生まれはじめた。遊牧民たちは人数ではつねに農民におよばず、金属製の武器などのより高度な工業技術は定住社会に依存していた。それでも窮屈な農民の生活をせずにすんだし、遊牧民たちはそもそも定住民族をひどく蔑んでいた。

こうした遊牧民たちは、まもなく互いの群れを襲撃しはじめるようになったのかもしれない。だが、より心惹かれたのは、農民たちの家畜を盗むことだっただろう。また、盗むときは、他にも農民たちが持っていて自分たちは持っていない価値のあるものも奪った。それは魅力的で簡単なことだった。

遊牧民たちは、まだ馬を持っていなかったが、徒歩で農民たちよりも遠くまで移動した。動物を率いて動いたため、すべての戦闘力をすぐに狙った目標に集中させることができた。農民はそうはいかない。適切な日と場所を選べば、遊牧民たちは数のうえで農民たちに勝つことができた。奇襲攻撃をかけ、戦利品とともにすばやく高原に退散するのが遊牧民の手口だった。徒歩で動物を連れていてはそれほど速くは逃げられないので、追手をくじく対策も講じた。脅し、残虐行為、大殺戮などである。

遊牧民は冷酷か？

互いの人間性を認識している集団同士の争いは、たいていは風習や儀式で抑制されるが、同じ集団でも、野生動物を狩るときは無慈悲で割り切った姿勢で臨む。つまり、動物を騙して殺す。遊牧民と農民との心理的関係はこれに似ていた。遊牧民は定住民族を劣った存在と考え、完全な人間とはみなさなかった。情け容赦なく殺した。農民に対する遊牧民の襲撃の歴史は、無慈悲な残虐性と農民に対する蔑視に満ちている。

これも城壁が作られたことの説明のひとつだろう。恐ろしい襲撃を受けた農村は、まもなく次々と城壁を作り、軍事化を進めるようになった。実のところ、遊牧民による襲撃が、定住の共同体同士の武力衝突が激化した陰の要因だと指摘する歴史家もいる。農民たちは、自分たちの争いにも、徐々に遊牧民の無慈悲さを取り入れていった。[2]

遊牧民と戦って負ければ、ほぼすべてを失う。そのため、戦士一人ひとりに求められる規律や、指導者がくだす命令が徐々に増えていったのは想像にかたくない。そうすることが戦闘での勝率を高めるからだ。遊牧民の襲撃に対抗するには、このようなより効率の良い新しい戦い方が欠かせなかった。では、いったんそれに慣れた人々は、頻度を増す他の農村の人々との戦いにおいて、昔からの非効率な方法に戻れるだろうか。もちろん答えはノーだ。

このようにして、戦闘における死亡率が高くなりはじめた。

組織された大虐殺

その男をメーリオネースが、追い掛けてゆき追いついたとき、
右側の尻をぐさりと突けば、そのままずっぷり貫き（つらぬ）とおして、
まっすぐに膀胱の辺へ　骨をくぐって穂先が出たのに、
一声喚（わめ）いて膝を突（つ）くなり倒れた彼を、死がすっかり包んでしまった。
またメゲースはペーダイオスを殺した、（中略）
首の後ろの筋のところを　鋭い槍でぐさりとばかり突き刺したれば、
まっすぐに青銅（の刃）は舌の根を切りさいて歯の上へ出た。
　こうして彼は、砂塵の中へどっとうち倒れ、冷たい青銅（かね）をもろ歯に咬（か）んだ。
エウリュピロスは、貴いヒュセプーノールを――（中略）
自分の前を逃げて行くのを、後ろから追いつきざまに剣（つるぎ）をもって
跳びかかるなり肩を撃ち、重い手をすっぽりと切り落とした、
血にまみれた手が地面へ落ちれば、彼の眼（まなこ）をかたく

紫色の死と、否応（いやおう）もない運命とが　おっとり込めた。
このように皆が劇しいせり合いの中に働いていたが、

『イーリアス』(3)

引用したトロイの城壁のもとでの戦いは、実際には紀元前一二〇〇年頃に行なわれたが、叙事詩が書かれたのは紀元前八〇〇年頃である。ホメーロスは、文化的慣習に従って、有名な英雄同士の一騎打ちを描写しているものの、実際にそういったことがあったわけではない。トロイの戦争は、歩兵が集団となって攻撃する密集陣形（ファランクス）（最初の真の軍隊）によって行なわれた、壮大な交戦だった。

ファランクスを構成する歩兵たちは、それまで人間には求められなかったことをしている。槍と盾を持った何百、何千といった人々が横にずらりと三列、あるいはそれを超えて並び、地面に隆起やくぼみがあっても、敵に接触するまでその形を維持する。敵も同じように強固な隊列を組んでいる。敵にぶつかると、槍を突きながら進む。双方の集団の先端にいる者たちが倒されて徐々に陣形が崩れ、やがてどちらかが浮き足だって後退しようとする。だが、うしろの列の兵士たちは、まだ落ち着いて前進し続ける。すると、隊列が乱れる。そうなると終わりだ。逃げようとしても仲間たちが邪魔になり、背後から刺される。

ハゲワシの碑の断片　紀元前 2500 年頃

ホメーロスが描いているのは、戦闘のこの最後のもっとも醜い段階で、逃げ惑う「英雄たち」がうしろから切りつけられるところだ。「戦士」を称え、英雄のように語っているが、実際は、恐怖に慄（おのの）き、生き延びるために逃げようとするものの、それがかなわなかった青年のひとりを描いている。かつてない規模の、無慈悲で意図的な大虐殺だ。それがはじまったのは、ホメーロスが生きた時代でも、偉大な詩を書いたときでもなく、その一〇〇〇年以上前のメソポタミアのライバルである都市国家においてだった。

ハゲワシの碑に刻まれたファランクスは、紀元前二五〇〇年頃のメソポタミアの軍隊を表した最古のもので、ラガシュの支配者エアンナトゥムが、軍隊を指揮して戦場に向かうところである。うしろに兵士たちが続いている。兵士たちは肩を寄せ合い、盾を重ね合わせながら何重かの列を作り、槍を隊列の先に突き出している。歩調を合わせて前進したのだろう。近隣の都市ウンマからの隊列に出会うと、おそらく五分もかからない短い、残忍な正面衝突が行なわれ、最初に崩れたファランクスの兵士たちが大量殺戮された。ハゲワシの碑は、ウンマの軍隊の三〇〇〇人がこの戦いで命を落とし、捕虜にされた者は自分たちの城壁のもとまで行進させられて殺されたと記している。

より多くの人々、より多くの町、より多くの戦争

五分後に殺される確率がきわめて高いにもかかわらず、多くの男たちが進んで地面に立ち続けることは、人類や霊長類の、さらには哺乳類の長い歴史において前例がない。比較できるとすればアリの集団同士の争いぐらいだが、少なくともアリには共通の遺伝的遺産を守るという理由がある。遊牧民の襲撃は、戦争が全体的により無慈悲になっていく傾向の一因だったかもしれないが、都市国家のファランクスの驚くべき統制と勇敢さには結びつかない。

紀元前二七〇〇年頃に都市国家ウルクを統治した王の英雄譚『ギルガメシュ叙事詩』から、その過程が読みとれる。ここから有史時代に入り、文字資料が遺されるようになったため、ようやく人名や年代、物語を知ることができるようになる。当時の主役はウルクの支配者(ルガル)すなわち王となる英雄ギルガメシュ。この叙事詩は、ギルガメシュが永遠の命を求めるよくあ

る冒険物語で、はしばしから紀元前二七世紀におけるウルクの地方政治の様相がうかがえる。行間からは、ギルガメシュが、ウルクの古代からある参加民主主義の制度――年長者による上院のような議会と成人男性による一般的な議会――を廃して、自分の目的に合うように変えたことも推察される。キシュとの争いを利用したり、美辞麗句や脅迫を取り混ぜたりして、議会に自分が都市国家の支配者であることを納得させた。だが、権力を手に入れたあとも絶対君主にはならなかった。民衆を味方につけ、民衆の多くも自分たちは単なるギルガメシュの臣下ではなく、完全な権利を持つ市民だと考え続けていたようだ。ギルガメシュも一方的に命令をするわけにはいかなかったのだろう。

この叙事詩は転換期の一部分なのかもしれない。すでに財産や社会的な地位を有する一部の者がそうでない者を支配するようになっていたが、平等の神話はいまだ成人男性のあいだで生き残っていた。二〇〇〇年間のテクノロジーと文化の違いはあるものの、初期のシュメールの都市国家は、古典期初期のギリシャの都市国家と同じようなものだったと考えられる。最終的にはたいがい裕福で家柄の良い者がやりたいようにやるのだが、全員が武器を持つことができる市民で構成された集団においては、公の協議と意見の一致が適切になされなければならなかった。[4] この誰もが命の危険にさらされているという平等の価値観がファランクスを可能にしていたのかもしれない。成人男性の全員が、戦いに臨むという決定にみずからかかわったと感じているなら、彼らに命を賭して徹底的に戦うことを正当に要求できるからだ。

ファランクスはきわめて効果的な戦法であり、安あがりだった。兵士たちは週に一度、時間のある午後に、単純な造りの盾と槍を効果的に使ったり、一糸乱れず隊列を組んで動いたりする訓練を受けたのだろう。兵士の装備のうち、唯一高価なものは青銅の槍の穂先だが、裕福な者は、青銅のヘルメットや脛当てにも金をかけたにちがいない。ファランクスは史上まれに見るお買い得品だ。他のファランクスにしか実質的に防御できない、効率の良い軍事力がきわめて安価で維持できたのだから。

何世紀かが過ぎ、シュメールの都市において専制政治が進むにつれ、ファランクスによる戦争は廃れてなくなっていった。専制君主たちは、武装もせず、訓練もされていない、政治的に動きの鈍い一般市民ではなく、傭兵による常備軍を使って戦うのを好んだ。紀元前三千年紀の後半までに、ファランクスはメソポタミアの戦場から事実上なくなった。だが、戦争はなくならなかった。

古代シュメールの一三の都市国家は、近隣の都市と熱い戦争〔殺戮をともなう敵対〕や冷戦を繰り返しながら何世紀も存続した。意図せずに勢力均衡の体制に陥り、多くは生き残りはしたものの、莫大な負担が生じた。劣勢にある都市は、優勢な都市が強大になるのを恐れた他の都市が、みずからの力を維持しようと立場をひるがえすまで持ち堪えなければならなかった。ヤノマミ族の村人たちなら、何が起きていたかがわかるだろう。ただし、規模ははるかに大きかった。

勢力均衡の体制は、しばしば戦争を起こし、ときおりの中断はあるものの、五〇〇〇年も続いている。それはシュメールの都市国家間の小競り合いと同じように、二〇世紀初頭における大国同士の世界規模の対立における組織原理だ。同盟関係は変わるものの、戦争はつねに行なわれた。一八〇〇年以降、イギリスとフランス、フランスとドイツ、アメリカとイギリスが敵対したり、同盟を結んだりしている。キシュ、シュルッパク、ウル、ニップル、ラガシュといった都市は、地域における詳細はわからないものの、忠誠を誓う相手を頻繁に変えていたにちがいない。人々は戦いのたびに、スペイン継承戦争やジェンキンスの耳の戦争などのように、何らかの具体的な目的があると信じ込んでいただろうが、戦争を生み出していたのは、実際には勢力均衡の体制だった。

一八〇〇年から一九四五年のあいだ、近代国民国家は平均して一世代に一度は戦争に突入していた。この期間を通して五年のうちおよそ一年は戦争状態にあった。国家主権によりすべての国がみずからの存続に責任を持たねばならず、そのためには十分な軍事力が必要となり、他国との同盟が必須となった。だが、それは遅かれ早かれうまくいかなくなる。同盟国には裏切られ、軍隊は死地に追い込まれる。かつて存在した国家の少なくとも九〇パーセントが、戦争のために崩壊したのはそれが理由だ。

ところで、ハゲワシの碑に刻まれたラガシュとウンマの戦いはどうなったのだろうか。紀元前二五〇〇年頃にファランクス同士がぶつかり合い、ウンマの三〇〇〇人が死んだとある。どちらの都市国家もシュメール全体の実権を掌握しようとしていたが、戦争では互いに勝ったり負けたりして、それぞれが同盟を結ぶ都市も何度も変わり、一五〇年のあいだに、戦略的優位が入れ替わった。最後にはウンマが勝利し、ラガシュを占拠して神殿を略奪し、数年間はシュメールを支配した。だが、ウンマも新たな現象により征服されてしまった。世界にはじめて出現した軍事帝国によって。

最初の軍事帝国

われは偉大な王、アッカド王のサルゴンである。

四方を旅し続ける者〔サルゴンの自称〕

紀元前二三〇〇年代半ば頃には、セム語を話す新参者たちが、現在のシリア、レバノン、ヨルダン、イスラエルがある地中海東岸から肥沃なメソポタミア平原に南下して自分たちの

複合弓を放つスキタイ人。クリミア半島ケルチ。
紀元前４世紀

都市を築いた。サルゴンは出自がセム系ではあるものの、古代シュメールの都市キシュで育った。ウル・ザババ王の酒杯官となったのちクーデターで権力を握ったが、その詳細は明らかではない。その後、ウルクを掌握したのに続き、シュメールの他のすべての都市と、さらにはエラム、マリ、エブラといった高地の王国を征服した。新しく支配した国のそれぞれで統治者を指名し、常設の守備隊を置き、課税台帳を作り、中央集権による官僚制度を整えて、新しく建設した首都であるアッカドから指令を出した。それは史上初の多民族の帝国だった。

サルゴンの軍隊は大規模で、多民族の職業軍人によって構成された。王の碑文には、毎日五四〇〇人が王の前で食事をしたと記

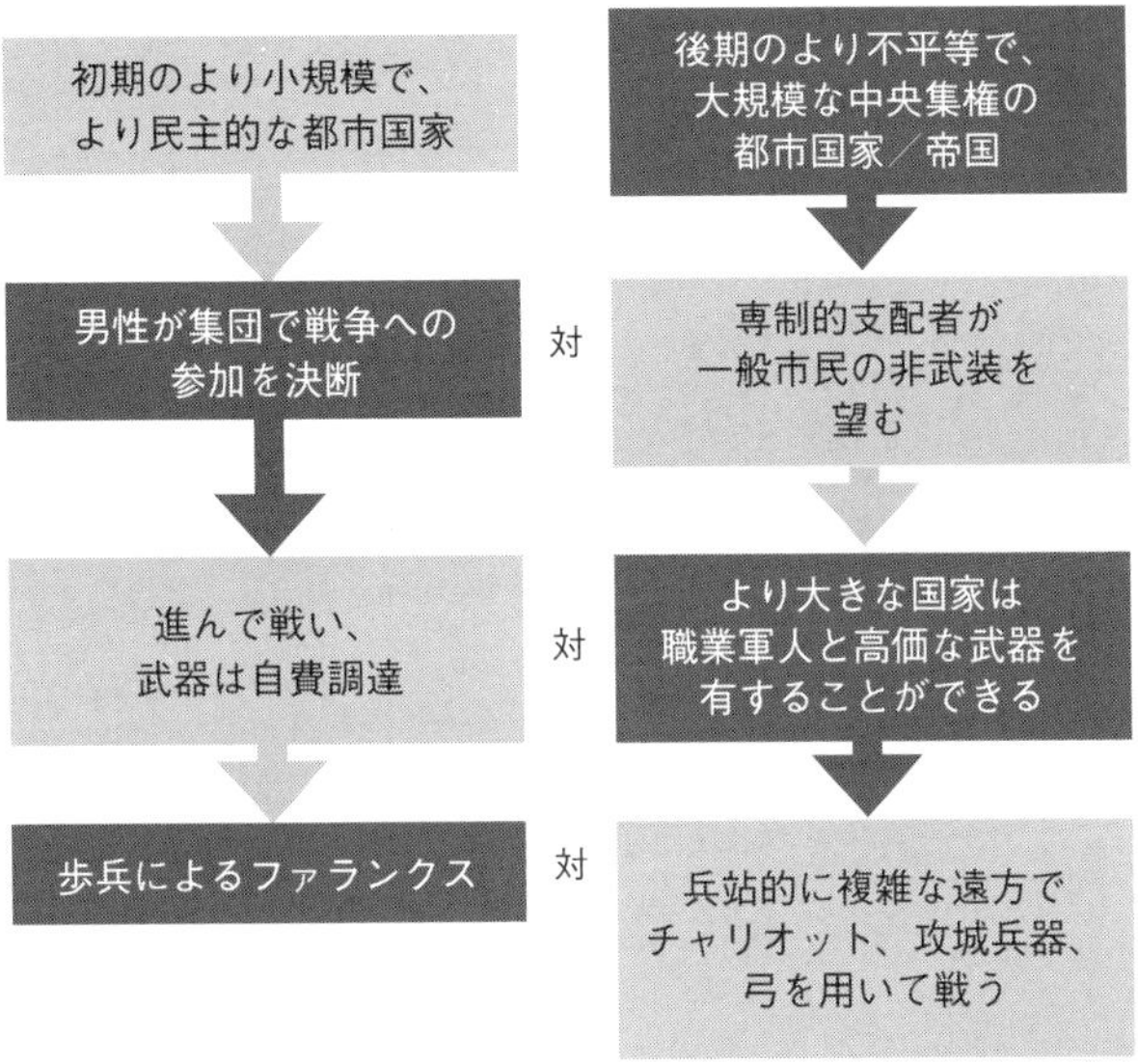

初期のより小規模で、より民主的な都市国家		後期のより不平等で、大規模な中央集権の都市国家／帝国
↓		↓
男性が集団で戦争への参加を決断	対	専制的支配者が一般市民の非武装を望む
↓		↓
進んで戦い、武器は自費調達	対	より大きな国家は職業軍人と高価な武器を有することができる
↓		↓
歩兵によるファランクス	対	兵站的に複雑な遠方でチャリオット、攻城兵器、弓を用いて戦う

されている。自国を遠く離れて遠征できた最初の軍隊でもあった。それが可能だったのは、補給品を前線へ運ぶ兵站線が背後にあったからだ。この軍隊は、城壁の土台を痛めつけたり、はしごを登って上から侵入したりして、強固に要塞化された都市を攻略した。

サルゴンの兵士たちは、伝統的なファランクスの隊列で戦うことはなかったと思われる。ファランクスでは彼らの特別な才能が無駄になっただろう。兵士たちは、槍だけでなく、複合弓の使い方を習得する時間とスキルがあった。複合弓は、当時生まれたばかりの発明で、その後、何千年にもわたり最良の射出武器であり続けることになる。チャリオット（戦闘用馬車）も使われたかもしれない。サルゴンの軍隊は、ほぼすべての戦闘で勝利を収めた。

サルゴンは、アレクサンドロス大王、ナポレオン、ヒトラーといった世界あるいは少なくともそれぞれの時代に重要だったと思われる地域の征服を試みた者の原型である。サルゴンの宣伝隊のひとりは、サルゴンの帝国が「浅い海から深い海まで」（湾岸地方から地中海地方にまで）におよぶと触れて回った。だが、軍事力以外に統一されたものはなかった。征服された都市や地方は、帝国の軍隊が他の地域に向けられると反乱を起こしたため、サルゴンの後継者たちは、帝国を維持するために絶え間ない努力を強いられ、ついに疲弊する。アッカドの都市は紀元前二一五九年に崩壊した。しかし、別の帝国が次々と興った。

アリ塚の社会

紀元前二〇〇〇年まで、人類の圧倒的大多数は農民で、ほぼすべての人々が半ば神格化された王を頂点とし、大勢の農奴や奴隷を底辺とする過度に不平等な国で暮らしていた。これは多くの人口を有する社会で生きるうえで、必然的な結果だったのだろうか。

答えはおそらくイエスだろう。数の問題は解決しがたく、その後も長く続くことになる。平等主義は、誰もが互いを知っている小さな社会では機能する。集団の支配者になりそうな者は、強大な力を得る前に見つけられ、抑えつけられる。意思決定は、合意にいたるまで面と向かって議論される。だが、生活様式が変わり、より大きな集団で生きなければならないとすると、こうしたことはまったく機能しない。大きな新しい社会を管理するには、文書、貨幣、官僚制度といった新しい手段が助けにはなるが、人間同士の伝統的な駆け引きは続けられなくなる。四〇人の社会ではうまくいったことも、四万人、ましてや四〇〇万人の世界では通用しない。多数の人間が一緒に意思決定をすることができる新しい手段が生まれない限り、昔からの政治システムは死に絶える。平等についても同じだ。

ただひとつ機能したのは、頂点にいる者の命令に、底辺にいる者が従う上意下達のシステムだ。古代帝国の社会構造は、たいがい過去の狩猟採集民の社会よりも、アリ塚に近かった。とはいえ、帝国はつねに不安定だった。人間は実際にアリになったわけではない。口を閉ざし、頭を下げても、人間であることをやめたわけではなかった。新たに飼い慣らされた狩猟採集民の子孫を抑え続けるには、物理的な力、あるいは少なくとも力による脅威を絶えず感じさせる必要があった。こうして、軍事化と専制政治がほぼ世界中で見られるようになった。

大規模な農耕社会の人々の大半は、貧しい食生活と終わりのない労働を強いられることにより抑圧された。とくに女性の社会的地位は貶められ、人生が子どもを産むことだけに限定された。しかし、男性も、昔からの狩猟民ではなく、農民として生きることを自由に選んだわけではなかった。文明化の実験は、何千年かのちには少なくとも彼らの子孫の一部にとって報われたものになるが、紀元前二〇〇〇年にあっては人災だった。状況は悪化した。

大草原地帯における変化――馬と車輪

暗黒の時代は何度か訪れている。もっとも古いものは、紀元前二〇〇〇年から一五〇〇年にかけて、チャリオットを有する遊牧民が、ユーラシア大陸の文明の中心地をすべて征服したときだ。有史時代の大部分において、旧世界の文明社会は、中国、インド北部、中東、ヨーロッパなど、農耕者が密集する比較的小さな領域に発生した。その北や東には、約八〇〇〇キロメートルにわたる「広大な草地」であるステップがロシア南部から中国北東部まで伸びていた。ステップで暮らす遊牧民たちは馬で移動し、たびたび自分たちの土地から離れて、こうした文明社会を破壊した。

彼らが約四〇〇万平方キロメートルの草原を支配できたのにはふたつの理由がある。ひとつは、紀元前四〇〇〇年より前にウクライナ南部で家畜化されるようになった馬だ。当時の馬は現代の馬よりもずっと小さく、弱かったものの、馬のおかげで遊牧民たちは草原の奥深くまで家畜の群れを移動させることができた。もうひとつは車輪だ。車輪は遅くとも紀元前三三〇〇年頃に発明され、遊牧民たちは、荷馬車に持ち物を積めるようになった。

その後三〇〇〇年にわたる遊牧民のステップ文化から次々と征服者が生まれたが、それぞ

「ブロノチツェの花瓶」に描かれたチャリオットの可能性があるもの
ポーランド、紀元前3500年頃

れの国家は二〇〇年ほどしか続かなかったようだ。だが、草原で暮らす人々の数が環境収容力（おそらく三〇〇万から五〇〇万人程度）を超えると、遊牧民たちはふたたび文明国を征服するようになった。

遊牧民たちは、武器として紀元前二三〇〇年に文明化された地で発明されたチャリオットと新しい複合弓を組み合わせて使うのを好んだ。この弓はより遠くの標的に、より速く当てることができ、何よりも小型だった（よってチャリオットから射るのに適していた）[5]。それ以前の遊牧民は襲撃によって一時的に数の力で優位に立つだけだったが、この頃になると文明化された軍隊と互角に戦い、勝利した。それは、初期の都市国家のきわめて士気の高い志願兵によるファランクスが、彼らがよりどころとした平等主義の価値観同様に消滅したときでもあった。遊牧民の強みは武器だけではなかった。彼らは動物の群れを管理することに精通していた。

遊牧民を定住農耕民との戦争で冷酷に対決できるようにさせたのは、群れの管理、殺害、肉の切り分けなどの経験だった……戦争形態はおそらく散漫で、規律は緩く、戦場での行動は群衆、もしくは家畜の群れのようなものだったろう。ところが群れの管理は、遊牧民の特技だった。どのようにして群れを扱いやすく分断するか。側面を囲んだ場合、どうしたら後退線を遮断できるか。ばらばらの群れを密集した集団にするにはどのように圧迫すればよいのか。群れのリーダーを孤立させるにはどうすればよいのか。大多数を刺激せずに、選ばれた少数を殺すにはどうすればよいのか。遊牧民はこの種のことを知り抜いていたのだった。

ジョン・キーガン(6)

遊牧民は、最初に見張りを弓矢の雨で襲い、相手が逃げはじめると決定的な攻撃に出た。

無防備な歩兵を百ヤードから二百ヤードも離れて包囲し、一人が駆り、他の一人が弓を射る戦車クルーは、一分間に六人も射抜くことができたのだった。戦車十台で十分間戦えば、五百以上もの敵兵を負傷させることができるのである。これは当時の小規模の軍団にしてみれば、ソンムの戦いに匹敵するほどの犠牲者の数だった。

ジョン・キーガン[7]

遊牧民は、初期の帝国の軍隊がほぼ敵わない相手だった。アムル人であるハンムラビ王の帝国は、首都バビロンからメソポタミアのほぼ全域を支配したが、紀元前一六世紀に今のクルディスタンに当たる高地からなだれ込んだカッシート人とフルリ人のチャリオット隊によって制圧された。フルリ人は、インド・ヨーロッパ語族の一言語を使った。紀元前一六〇〇年頃のアナトリア（今のトルコ）の中心部の大半と西部を支配したヒッタイトのチャリオットの兵士たちも同様だ。さらに西の、バルカン諸国からギリシャまで広がったミケーネ人は同じチャリオットを有していたが、別のインド・ヨーロッパ語族の言語を使った。

比較的軍事化されていなかった古代エジプトは、紀元前一八世紀にはじめてヒクソスに征服された。ヒクソスはアラビアの北西部からチャリオットで攻め入った遊牧民で、セム語族の言語を使った。はるか東方では、イラン高原から出たインド・ヨーロッパ語族の言語を話すアーリア人が、インダス川流域の初期の文明にとって代わり、インド北部のほぼ全域の支配を確立した。紀元前一七〇〇年頃、中国北部にあった王朝である殷の起源には諸説があるが、それまで車輪のついた輸送手段がなかった地域に突然チャリオットが現れたことから、その建国者は、インド・ヨーロッパ語族の言語を話す遊牧民だったのではないかと考えられる。[8]

遊牧民の征服者たちは、少数民族ながら、奴隷のなかから管理者を選び、その助けによって敵意を抱く集団を支配した（遊牧民たち自身は文字も官僚制度も有していなかった）。地域によっては、支配が一世紀と続かない場合もあった。エジプト人は紀元前一五六七年にヒクソスを追放し、フルリ人によるバビロンの支配は紀元前一三六五年にアッシリア王アッシュル・ウバリトによって覆された。殷の建国者たちは、より洗練された中国文化に素早く同化したため、殷は中華王朝として世界にその姿を現した。

侵略者の言語や文化が最終的にその地に広がる（ギリシャ、ヒッタイトに征服されたアナトリア、アーリア人に支配されたインドのように）かどうかに関係なく、こうした民族は数世代で本来の遊牧民ではなくなった。だが、現代のインドにおけるカースト制度は、侵略者が権力を維持するために用いた奴隷制や農奴制の名残だ。また、侵略者が支配を続けたかどうかにかかわらず、彼らの影響は絶大だった。この最初の暗黒時代以降、ほとんどすべての者が武装するようになった。

第4章

古典的戦争

（紀元前一五〇〇年——紀元一四〇〇年）

繰り返される変わらぬ戦争

黎明期の文明が、農園、都市、軍隊から成るすばらしき新世界を築きあげる一方で、戦争においては大きな革新が二世紀に一度という高頻度で起こった。大規模な要塞、ファランクス、複合弓、攻城兵器、チャリオット、騎馬隊などである。だが、「古典的」戦争のこれらの主要素がすべて完成すると、変化は遅くなった。

戦争はつねに起こったが、変化はほとんどなかった。紀元前一二〇〇年から一一五〇年の青銅器時代末期に、多くの中東文明が破壊された短い暗黒時代があったが、その後の鉄製武器への移行は軍事戦術に大きな変化をもたらさなかった。実際、紀元前五〇〇年の有能な指揮官を頂くよく訓練された軍隊は、紀元一四〇〇年の同様の軍隊と互角に戦いをする可能性があるという見方に、多くの歴史学者は同意するだろう。初期の軍隊が青銅ではなく、鉄の武器を持っていたとすれば、紀元前一五〇〇年前の軍隊でも同じ見方ができる。

メソポタミア北部を拠点としたアッシリア人は、練度の高い軍隊を持っていた。構造は近代的と言えるほどで、工兵、補給基地、輸送縦隊、架橋装備を備えていた。帝国内にめぐらされた王の道をすばやく移動し、本拠地から約四八〇キロメートル離れたところまで遠征できる。これは効果的な攻城兵器を取り入れた最初の軍隊であり、兵士に鉄製の鎧と武器を装備させ、騎馬隊によってチャリオットを補完した。そして、ほぼいつも、遠征を行なっていた。

アッシリアは何世紀にもわたって栄え、そして衰えた。自然による地理的な国境も、歴史的な国境も、民族的な国境もない帝国がよくたどる道である。シャルマネセル一世とその息子トゥクルティ・ニヌルタ一世（紀元前一二七四〜一二〇八年）の時代に、帝国はあらゆる方面に広がり、南はペルシャ湾にまでおよんだが、ふたりの死後は崩壊し、元の地域まで後退した。最後の三〇〇年には、真に軍事国となり、恒常的に戦争を起こして中東地域全体を恐怖に陥れ、戦利品と税を絶えることなく確保した。

アッシリア人は、すさまじい虐殺のあいだに全住民を追放し、反逆の罰として故郷から遠く離れた場所に再定住させた。このような運命に苦しんだのは、イスラエル人だけではなかった。アッシリアの陸軍は、一二万人という（当時としては）驚くべき規模にまで大きくなり、同時に複数の遠征を行ない、王や指揮官は非常に残虐なことが知られるようになった。アッシリア人が加虐に溺れていたことは、おもにアッシリア人自身の銘文から知ることができる。アッシリア人はそれを自慢していた。

エラム王の司令官は貴族と一緒に……わたしはやつらの喉を羊のようにかき切った……跳躍するわが駿馬は引き具につながれながら、川に飛び込むようにやつらの吹き出る血に飛び込んだ。わたしのチャリオットの車輪に血と汚物がはねかえった……（恐怖のあまり）やつらはチャリオットのなかで、煮えたぎる尿を漏らし、くそを垂れた。

紀元前六九一年、アッシリア王センナケリブ[1]

最終的に、アッシリア帝国は戦争によって消耗した。新たに現れた遊牧民のメディア人が紀元前七世紀に中東に侵略した際（このときは本格的な騎兵隊でチャリオットではなかった。品種改良によってついに、前傾姿勢を保った乗り手を運ぶことができる体力のある馬を生み出すことができたからだ）、アッシリアの文明化された敵国は、憎き帝国を崩壊させるために遊牧民と力を合わせた。紀元前六一二年、アッシリアの首都ニネヴェは徹底的に破壊され、後世に残ることなく消えた[2]。

包囲戦

長い年月世界に君臨した、古い都が倒れようとしていました。路上至るところ、殺された死体が横たわっていました……ダナイー（ギリシャ）勢は、建物を包囲して突撃の真っ最中でした。彼らは、亀甲形方陣(テストゥードー)を組み、入り口をほぼ確保していました。城壁には梯子(はしご)がかかっていました。戸口の両側の柱のところ、兵たちは、一段ずつ梯子(はしご)を上がっていました。左手で盾を前に支えて投槍を防ぎ、右手で破風(はふ)につかまっています。これに対してダルダヌスの強兵(つわもの)（トローヤ人）たちは、櫓(やぐら)の壁や家の屋根をこわして投げつけていました。彼らは、最後の時が来たことを知って、死の瞬間まで、敵の槍に抵抗する覚悟でした……宮殿の奥からは、混乱した悲痛な叫びが聞こえてきました。広々とした大広間が、女たちの阿鼻叫喚で満たされていったのです。

プーブリウス・ウェルギリウス・マロー、紀元前一九年頃(3)

これは古代都市トロイの話であり、その滅亡は紀元前一一八三年頃とされている。そのとき、歴史が伝説へと変わった。トロイの木馬の逸話は、最終的に都市の壁を破った攻城兵器の話が歪められて伝わったものかもしれない。トロイを攻撃したアカイアのギリシャ人は、東方の文明がより発達した国から工兵を容易に雇うことができた。当時、ヒッタイト帝国の

アッシリアの浅浮彫、ニムルドの北西宮殿、
紀元前865～860年頃

滅亡により、小アジア〔黒海と地中海のあいだの地域〕には失業した職業軍人が多くいた。ヒッタイトの傭兵が攻撃のための攻城塔（木製の数階建ての高さの構造物で車輪がついており、皮張りの屋根と、先端に金属をつけ、吊るされた破城槌を内部に備えていた）を作り、それをアカイア人が木馬と呼んで後世において話に尾ひれがついたのかもしれない（ほぼ同時代のアッシリアの浅浮彫に描かれた攻城塔は、確かに巨大な馬のように見える）。

　トロイは実際、長期の包囲戦によって破壊されたが、ホメーロスがこれを叙事詩で詠んだのは四世紀がたってからだった。さらに八世紀を経て、ウェルギリウスがトロイの破壊について、実際に当時を生き延びた人々にはなかった個人の視点からあざやかに書き記した。語りの詳細部分はフィクションだが、ウェルギリウスは、記憶をたどれる限り、不運な都市が数年ごとにこのように終焉を迎えるという世界に生きていたため、何が起こったはずなのかをわかっていた。

たとえば、カルタゴは紀元前一四六年に第三次ポエニ戦争において、三年におよぶ包囲戦ののちにローマ軍に滅ぼされた。半飢餓状態のカルタゴ人が六日間の市街戦をいかに絶望のなかで耐えたかについて、目撃者が語っている。

市場から要塞へ伸びる三本の道は、両側に六階建ての家が並び、そこからローマ人に石が投げられた。最初の家々を占拠し、屋根から板や梁を渡して、隣まで橋をかけた。屋根の上でひとつの戦いが起こっているあいだにも、下の道では来る者すべてに対してまた別の戦いが行なわれていた。筆舌に尽くしがたいうめき、悲鳴、叫び、怒声であふれていた。即死した者もいれば、生きたまま屋根から道に投げ落とされた者もおり、そのなかには突き立つ槍にとらえられた者も……

アッピアノス（ポリュビオスの目撃証言にもとづく）[4]

都市（人口およそ三〇万人）の略奪を生き延びた比較的少数のカルタゴ人は、奴隷として売られ、破壊された地は勝利を収めたローマの将軍によって呪詛の儀式を挙行され、塩をまかれた。その地は荒廃し、一〇〇年以上たってローマの植民地が設立されるまで、誰も住むことはなかった。これらすべてが激しい暴力と常軌を逸した復讐という印象を後世に残したが、それこそが勝利を遂げたローマ人の狙いだった。

ファランクスの再来

戦線では各人が横幅〇・九メートルのスペースが必要であり、横列のあいだは一・八メートルである。すなわち、一万人を一・三七キロメートル×一一メートルの長方形に並べることができる。

ローマの戦略について、ウェゲティウス(5)

戦いによってわたしたち現代人の祖先の人生は左右されたが、祖先もわたしたちと同じくらいには賢かった。何千年ものあいだ、肩を寄せ合うファランクスよりも良い方法を考案できなかったのだとしたら、それなりの理由があったはずだ。過去の無数の戦場では、何も失うものがない必死の男たちが十分にいたため、遅かれ早かれほぼすべてのことが試された。

だが、火器が普及するまでは、アレクサンドロス大王時代以前にすでにおおむね標準となっていた隊形と戦略以上にうまくいくものはなかった。

ウェゲティウスがローマ版のファランクスについて記したのは、紀元前一〇〇〇年紀中頃までに、この隊形がふたたび一般的になっていたからだ。ファランクスは「オリエントの帝国の数々」の勃興により時代遅れになっていたが、富と権力の中心地が、肥沃な三日月地帯から西方のギリシャやローマの新興都市国家に移動すると、市民的愛国心が強く、高い意欲を持つ男たちを集めることができるようになり、立ちあがって戦おうとする他の文明国家の部隊に対しては、歩兵を投入し、ファランクスで戦うのがもっとも効果的だった。

現代の軍隊では形勢が有利であるとか、不利であるとかという議論をするが、ファランクスにとっては、形勢とは隊形が動くステージでしかない。重要なのは隊形自体だ。列にすきまができたり、地形（もしくは恐怖）によって兵士が密集してしまい、武器を振ったり、投げたり、突いたりできなくなると、隊形の強みは消滅する。演習の大半は、およそ一メートルの間隔を維持するよう延々と兵士を訓練することに費やされるが、よく訓練された兵士たちは恐ろしい戦闘機械となる。

紀元前五世紀のギリシャのファランクスは、盾と剣と槍で武装した何千人もの歩兵がみっしりと横に並び、正面に大きな盾を掲げ、銅の脛当てを装着してほぼ完全な防御をしたうえ

紀元前５世紀頃の壺に描かれた戦う重装歩兵

で、およそ五メートルの槍を並んだ盾の後ろから突き出した。敵と対峙する戦場でこのような巨大な隊形を作るには時間も労力もかかり、敵のファランクスの指揮官の協力がなければ、戦闘を交えることもできなかった。だが、たいがいは両軍ともすぐに決着をつけたがった。歩兵は財産を所有する市民であり、武器や鎧も自費で調達する。また大多数は農民であるため、作戦に時間がかかりすぎると、作物が収穫されずに畑で腐ってしまう。そのため、通常はすぐに結果が出た。

戦術は事前に決めなければならなかった。ファランクスを破られないようにできるだけ深くするか、あるいは、浅く、敵のファランクスの末端を超えるほど長くして、側面から包囲するか。いったん双方のファランクスがぶつかれば、指揮官ができることはもうほとんどなかった。

しばらく最前列の兵士同士が戦い、彼らが倒れれば後方の兵士に代わる。どちらか一方が優勢を確信するまでそれが続く。優勢を確信した側のすべての列の兵士が一斉に敵の列を襲う。成功すれば勝利だ。敵の隊形は崩れ、兵士たちは背中を向けて逃げ、虐殺がはじまる。ギリシャ人同士の戦争ではたいてい、しばらくすれば追撃の勢いは弱まり、敗者側の死者は軍全体の一五パーセント程度におさまる。しかし、ギリシャ人以外との戦争では、追手は情け容赦なく、勢いを弱めることはなかった。

アテナイ軍は戦線の幅をペルシア陣と等しく張ったのであるが、その中央部は僅か数列の厚みしかなく、アテナイ軍の最大の弱点がここにあった。ただし両翼は十分の兵力を具えて強力であった……アテナイ軍は進撃の合図とともに駈け足でペルシア軍に向って突撃した。両軍の間隔は八スタディオン〔約一・六キロメートル〕を下らなかった……実際われわれの知る限り、駈け足で敵に攻撃を試みたのはアテナイ人をもって嚆矢(こうし)とし……戦線の中央部においては……ペルシア軍は敵を撃破し……両翼においてはアテナイ軍とプラタイア軍が勝利をおさめた。しかし……中央を突破した敵軍を攻撃し、かくて勝利はアテナイ軍の制するところとなった。敗走するペルシア兵を撃破しつつ追撃して遂に海辺に達し……。

こうした巨大な連隊によるアメリカンフットボールの試合の風刺画のような、無骨で血みどろの戦いは、四〇ヘクタールもの広さの土地で数時間にわたって行なわれた。人々の行く末がかかっていることもあった。騎兵もいたが、よく訓練された歩兵を突破することはできなかった。歩兵は多数の騎兵に抵抗できないように思えるかもしれないが、馬は立ち並ぶ槍の穂先に向かっていくことはない。ぎりぎりのところで止まったり、脇にそれたりするので、歩兵隊がパニックに陥らない限り、突撃されることはあまりない。騎兵隊のおもな役割は、斥候、小競り合い、そしてなによりも敵が敗走をはじめたら、馬で追って殺戮することだった。

古典期(紀元前五五〇年~紀元三五〇年頃)の戦場の主役となったのは重装歩兵であり、一般的には歩兵の人数は規律や士気ほど重要ではなかった。アレクサンドロス大王が紀元前三三三年、イッソスでダレイオス三世のペルシャ軍と戦ったときは、敵軍一〇万に対して、アレクサンドロス大王には四万の兵士しかいなかった。だが、歴戦の重装歩兵が戦場を突っ切って、ペルシャ軍の中心に突撃した。ここから先は物理学の問題である。重装備の四万人が密に隊列を組んで(ゆっくりと)走り、ペルシャ軍にぶつかる。これは、二五〇〇トンの重さのものが時速一〇〜一一キロで動いているのと同等の力を数秒間のうちに生み出すことになる。さらに、先頭は槍の先の生垣のようなものだ。その衝撃によってアレクサンドロス大王のファランクスの最初の二列の兵の多くは生き延びることができなかったかもしれない（歴戦兵は後方に並んでいただろう）が、わずか一、二分でダレイオス三世軍の中心は崩壊した。ペルシャ軍の結集が解けると、散り散りになって逃げ惑う敵の兵士はアレクサンドロス大王軍にとってたやすい獲物だった。二時間以内にペルシャ軍のおそらく半数が殺された。

その後の数世紀で、おもにローマ人によって、この軍編成を成功させるための基本公式にさまざまな改良がほどこされた。ローマはイタリアの他の都市国家すべてを支配下に置いたのち、当時の大国カルタゴを支配するまでの二世紀のあいだ、ほぼ絶え間なく戦争を続けながら、ファランクスをきわめて柔軟性の高いものへ改良した。ローマの軍団（レギオン）は、三列からなる約一五〇〇人の小規模なファランクス（歩兵中隊（マニプルス））に分割され、三重戦列を格子状に配置し、起伏の多い土地における戦術的機動力を大きく高めた。ザマの戦い（紀元前二〇二年）では、カルタゴ軍が巨象による襲撃でローマの軍団（レギオン）を破ろうとしたが、スキピオ・アフリカヌスは、自軍中央列のマニプルスを横に動かし、象が隊形の三列を通り過ぎる道を作り、ハンニバルの象の群れを被害をほとんど出さずに追い込んだ。

武器も変わった。おもに心理的効果を狙ってのことだ。ローマの軍団（レギオン）では、およそ五メー

紀元前 202 年、ザマの戦いでローマ軍の歩兵は
カルタゴ軍の兵器に立ち向かった

トルの長さの扱いにくい槍に代わって、二本の投槍が用いられた。一本がもう一本に比べて軽く、飛距離が長く、兵士たちは前進とともにそれを次々と投げる。さらに、敵と実際に相対するときは、接近戦用の短刀も使われた。短刀を使って、相手の懐に入り込み、殺す。これが敵を恐怖に陥れることになった。

ローマの全盛期には、戦いはもみ合いではなくなり、あらゆる戦術策略が発達したが、戦場の基本的な論理は同じだった。みずからの筋肉で動かす刃物武器のみで武装した兵が効果的に戦闘を行なうには限られた選択肢しかなく、紀元前二三世紀同様、紀元三世紀の戦闘で堂々と活躍するのは歩兵だった。

海軍

たちまちに船が船に赤銅(あかがね)のへさきをばぶちつけました。攻撃をはじめにしかけたのはヘラス側の船で、フェニキア船の船尾をばけずりとってしまい、各船もそれぞれ別々の船をめがけてまっすぐにへさきを進めました。はじめのうちはペルシア軍の流れもよく持ちこたえておりました。しかし大船団がせまいところに集まってしまい、どの船も助け合うこともできず、味方の船が味方の船にぶつかっては赤銅のへさきを打ちつけて、漕ぎ具の櫂をば全部こわしてしまったのです。ヘラスの船はこの機を見逃がさず、ぐるっととりまいて八方から襲いかかり、わが船隊はひっくり返って腹を出し、海面は破船の残骸と死体に覆われて見えるところもない有様。浜辺にも、磯の岩にも死屍累々……。

アイスキュロスによる『ペルシア人』からサラミスの海戦の記述、紀元前四七二年(7)

穀物、ワイン、鉱物、木材のような大量に貿易をする価値のある商品が製造されるようになるまで、海軍は必要とされなかった。こうした貿易の大部分は海洋で行なわれ(現在もそうである)、豊かな国の商船を攻撃することは、戦争においては当然で、利益の大きい戦略である。地中海では、ふたつの地点を結ぶ最短ルートは一般的には海上であり、軍全体を海上で動かすことも魅力的な軍事上の選択肢だった。まもなく軍艦の大船隊が地中海で戦いを支配するようになった。船隊の第一の目的はまず相手の海軍を壊滅することだ。そうすれば、無防備になった商船をやすやすと略奪できた。

古代世界が生んだ多くのものと同様に、ガレー戦艦も急速に成熟して標準的なデザインができあがり、その後の数千年間は技術上ほとんど変化がなかった。商船は帆と櫂を組み合わせて航行したが、海軍船は風向きにかかわらずどの方向へもすばやく動く必要があったため、おもに人間の筋力に頼った。数百もの漕ぎ手によって、水面を高速度で移動したのである。

船は機械の一種であり、大量の大型機械を作るには、産業社会のような組織化と製造技術が必要とされた。紀元前五世紀初頭に、ギリシャがペルシャ帝国の侵略を受けたとき、アテネの造船所は大量生産方式を用いて、二年間、毎月六から八隻の三段櫂船（三段オールのガレー船）を製造した。建造費の支払いは国家が備蓄していた銀で行なわれた。紀元前四八〇年までにおよそ二五〇隻のガレー船が建造され、四万人を超える乗員が必要となった。アテネの軍人はすべて艦隊に配備され、他の都市国家が半島防衛のための陸軍を提供した。サラミスでペルシャ艦隊を破り、クセルクセス王をギリシャから撤退させたのは、おもにアテネ人からなるギリシャ艦隊だった。

古典期の海戦は単純だった。何百隻にもおよぶ双方のガレー船艦隊が海岸線から少し離れたところで向き合い、激突する。ガレー船は互いに真正面から銅製の衝角で敵の船に穴を開

画家の解釈による紀元前4世紀の三段櫂船

けるか、さもなければ敵の船の片側の櫂をなぎ払い（その過程で漕ぎ手の大多数が押しつぶされる）、その後、向きを変えて、動けなくなった敵艦に船尾から激突する。だが、多くの場合は、互いの船を横づけし、兵士たちがどちらかの甲板で戦った。紀元前四一三年のシラクサ港の戦いでは、二〇〇隻近い船が密集する戦闘になった。

狭い水面に多数の船が投入された……そのために衝角攻撃はほとんどおこなわれることなく……いったん舷と舷が触れあうや、搭乗戦闘員はいっせいに手と手の渡りあう白兵戦を演じ、たがいに相手の船に躍りこもうとして争った。こうして、水面狭隘のために……それ以上の数の船が、動きがとれぬままにからみ合う状態となり、舵取りたちは一方にたいして警戒を怠りなく努めながら、他方にたいして攻撃のすきをねらい……多数の船体が所せましと激突しあう、耳を聾(ろう)するばかりの轟音(ごうおん)は心を動転させたのみか、水夫長が叫ぶ号令をも消してしまった。

トゥキュディデス『戦史』(8)

古典期における最大の海戦は、紀元前二六四年のポエニ戦争開戦当時はほぼ陸軍国だったローマと、海軍国でスペイン、サルデーニャ、シチリア、イタリア南部に同盟国や属国を持つカルタゴのあいだで行なわれた。（現代のチュニスの近くの）カルタゴの海軍港は全周一キロほどの円形の人工の港湾で、中央に島と一度に二〇〇隻のガレー船の作業ができる格納庫があった。ここでは一カ月に六〇隻ものガレー船を建造することができた。

紀元前二六四年から一四六年のあいだ、地中海西部を揺るがした数々の戦争で、ローマ人もまた、海軍を創設し、戦うことを学んだ。脆いガレー船の艦隊は海戦において、あるいはより頻繁には突然の嵐によって開水域で急襲され、膨大な数の死者を出した。

紀元前二五六年、三三〇隻のガレー船からなるローマ軍の艦隊は、北アフリカ沿岸沖エクノモスで同規模のカルタゴの艦隊の行く手を阻み、三〇隻を沈め、六四隻を拿捕した。カルタゴ軍の犠牲は三万から四万人となった。ローマ軍の艦隊はイタリアに戻る途中、シチリアの西岸沖でひどい嵐に遭い、ガレー船の二七〇隻は沈没するか暗礁に乗りあげ、何十万人もが溺死した。これは現在まで最大の死者を出した海戦として記録されている。

エクノモスの戦いから約一八〇〇年後、紀元一五七一年に、西ヨーロッパの連合海軍がレパントでトルコ海軍と戦った。双方とも二〇〇隻を超えるガレー船が艦隊を組んだ。古代カルタゴの造船所で使われたとしてもおかしくないような設計で建造された船だった。戦略も同じように昔ながらのものだっただろう。可能なら衝角で激突し、無理なら相手の船に乗り込んだ。その日の午後だけで、三万人が溺死した。

総力戦とは言えない

カルタゴ滅ぶべし。

大カト

一〇万もの兵を海戦に派遣することのできる社会は、こんにちの大国間競争においても手ごわい相手となり得る。ローマとカルタゴは巨大な艦隊を構築しただけではなかった。当時、三もしくは四つの前線で陸軍も同時に維持し、地中海西部全域において拡大を続けた。紀元前二一三年の第二次ポエニ戦争の最中は、ローマの男性市民の二九パーセントが陸軍に従軍した。(9) 二〇世紀の世界大戦中でさえ、めったに超えなかった水準である。ローマは最終的に勝利を収めたものの、戦争の最後の二〇年間で全男性人口の一〇パーセントを戦闘で失った。(10) カルタゴ側では、実質的に全員が死んだ。言語さえ残らなかった。それでも両国は、現代の意味での「総力戦」を戦っていたわけではなかった。

ローマは複雑で洗練された文明国だったが、技術革新への関心は低く（西洋文明は、レパントの海戦と最初の月面着陸が行なわれた三九八年の間に、ガレー船から宇宙船の建設までの発展を遂げた。エクノモスの戦いと、ローマ海軍が最後に戦ったおもな海戦であるヘレスポントスの海戦のあいだの五八〇年間では、ローマのガレー船の設計はほとんど変わらなかった）、真の総力戦に必要な富も不足していた。完全な市民権を持つ市民がそれぞれ一〇〇万人にも満たなかったローマとカルタゴは、自国人口の大多数を動員したものの、帝国支配下の他国においては、あまり多くを動員しなかった。前近代時代の基本的な軍事の公式は正しかった。自給自足農業を経済的基盤とする社会では、戦争に農業従事者の三パーセントを超えて動員することはできないのである。

数世紀後、地中海を制し、スコットランドやスーダンのような遠方に国境防衛の軍団（レギオン）を配置したローマ軍の規模が、前近代の農業社会が——実際は商業も高度に発達していたが——

ローマ帝国

ローマ帝国の人口は多かったが、飢饉を起こさないためには、農民のうちおよそ3パーセント以下しか従軍させることはできなかった。都市住民の動員率は高かったが、総力戦は不可能だった。

長期にわたって維持できる最大水準の軍隊規模だと言えるだろう。帝国の人口が一億人に達し、辺境における異国人の圧力が深刻化していた紀元三世紀末でさえ、ローマ軍の兵は七五万人を超えることはなかった[11]。

ローマ軍はすぐれていて、多くの点で近代的だった。兵は妥当な給金を支払われ、よく訓練され、退役するほど長生きした場合はまっとうな額の年金を受け取ることさえできた。百人隊長は最初のプロの指揮官だった。他の文明の軍隊にも、最終的には勝つことが決まっていた。騎馬遊牧民とはほとんど戦わずにすんだ。ヨーロッパと中東の文明世界は一〇〇〇年近くものあいだ、蛮族の大規模な侵略がなかったためだ。だが、中央アジアの草原地帯における気候や人口の変化によって遊牧民が移動を再開し、その影響が二、三世代後にはローマ帝国の国境にまでおよびはじめた。最終的に帝国は没落し、大多数のヨーロッパの文明も同じ運命をたどった。その状況が一〇〇〇年近く続いた。

西の闇、東の光

古代世界はゆっくりと滅亡へ向かった。西ヨーロッパは四世紀と五世紀にゲルマン人に侵略されたが、東ローマ帝国は、ほぼ全土がその後も二〇〇年のあいだ無傷のまま存続した。新興のイスラム教によって団結したアラブ人が七世紀と八世紀に北アフリカと肥沃な三日月地帯を征服したが、ギリシャ語を話し、キリスト教が広まったローマ文明（ビザンティオン）はバルカン半島と小アジアで生き延びたものの、一〇七一年にマンジケルトの戦いで、トルコの遊牧民によって主要軍を滅ぼされた。しかし、アラブ人とトルコ人は自分たちよりも大きく洗練された国を支配する比較的小規模な征服者集団だったため、その支配下で生まれたのはイスラム化された古代ローマ文明であり、その文化の都会的で教養ある商業的特徴は維持され、さらに磨きあげられた。

一方、西ヨーロッパを征服したのは、文化度の高い国民の認識や価値観をほとんど共有しない移動民族だった。彼らは精鋭の騎馬戦士たちとともにやって来たが、大多数はローマ帝国の国境外にいた零細農民であり、なかば戦利品目当て、なかばフン族のような草原の遊牧

ヨーロッパ
古代ローマ没落後

西

ラテン語話者の
ローマ・カトリック

ゲルマンの
諸民族によって
占領される

ゲルマン族はキリスト教と後期ラテン語を身につけたが古代文化とは異なる自分たちの文化を維持

東

ギリシャ語話者の
ギリシャ正教徒

少数のアラブ人もしくは
トルコ人の精鋭部隊に
よって征服される

征服者は既存の古代文化を
イスラム化した。
ギリシャ人は最終的には
アラブ人やトルコ人に
取って代わられた

騎馬民族から逃げてきた者たちだった。現在のフランス、スペイン、イタリアに到達したのちは、多くがふたたび農民として定住した。帝国の西側では、征服者は生き延びたローマ市民を数で上回ることはなく、また、まもなくキリスト教徒になったために、自言語であるゲルマン諸語ではなく、征服した民の言語であるラテン語が多くの場所で共通語となった。だが、新参の征服者は人数が多かったために、中東や地中海世界で三〇〇〇年続いた帝国支配のあいだに発展した従来のやり方ではなく、自分たちのやり方を貫いた。よって、西ヨーロッパでは、古代文明が死に絶えた。

騎馬の復興

数世紀のあいだほぼ完全な崩壊状態にあった西ヨーロッパが安定した社会構造を取り戻したのは、政治力や軍事力が極度に分散されていたからだ。封建制の時代の真の権力基盤は国家（そもそもほとんど実在していなかった）ではなく、領主に与えられた、もしくは領主が占拠した数十から数百平方マイルの土地だった。王国の中央政権とされていたものが使える唯一の戦争手段は、そういった領土を持つ騎士たちの集まりだった（ただし、騎士たちが参集する決意をした場合のみ、また、戦場にとどまる気があるあいだのみ）。よって、東でも西でも、騎士が戦場の中心となった。

東のイスラム教圏の戦争では、一五世紀までの遊牧民の伝統が完全に引き継がれた。武器も鎧も軽装備の動きの速い多数の騎兵が安全な距離から複合弓を使って攪乱攻撃をし、また、まれに敵に接近した際には剣と軽い槍を用いた。一方、西では騎士による戦争は徐々に、重騎兵が重い物を乗せる能力を高めるよう育てられた馬にまたがって、体当たりをしたときの物理的な衝撃に頼るという独自の形態に変化していった。

一二世紀の十字軍の時代までには、キリスト教世界の騎兵は、騎馬のファランクスのよう

ギヨーム・ド・ティールの『海の彼方でなされた事蹟の歴史』より、
第二次十字軍での騎士激突の14世紀細密画

に戦った。二メートル半ほどの高さの重装備の密集方陣が時速四〇キロで動いた。ぶつかれば一巻の終わりだが、文化的にこのような戦いをする必要がなければ、十字軍の突撃を逃れるのは簡単だった（これが、十字軍が最終的にはヨーロッパの本国に戻らなければならなかった理由だ）。西ヨーロッパの人口、繁栄、組織力が古代ローマ時代の水準に再度近づいた中世末期頃には、武器技術には大きな変化がなかったにもかかわらず、歩兵がまた戦場において中心的な力として再浮上した。

第5章

絶対君主と限定戦争

（一四〇〇年——一七九〇年）

歩兵の復活

百年戦争の終盤（一五世紀初期）に入ると、歩兵たちの武器が復活しはじめた。イギリスの長弓兵（ロングボウ）は、杭を外側に向けて地面に打ち、突進してくる馬から身を守りながら、フランスの重装備の騎兵隊に繰り返し打撃を与えた。

長弓（およびクロスボウ）から放たれる矢は、遠くから鎖帷子を貫通することができたので、騎乗の騎士は、突起と曲面で矢がそれるように注意深く設計された板金鎧を使用した。だが、馬をそういった鎧で守ることはできなかった。とにかく重すぎたからだ。一四一五年のアジャンクールの戦いなど、百年戦争が終わろうとしている頃の戦場においては、三〇キロ近い板金鎧を身につけたフランスの騎士は、馬から下りて徒歩で突撃した。いやむしろ、そうしようとして死んだ。

そこから学んだのは、本当に必要とされているのは真の歩兵であり、金属の服を着て馬から下りた騎兵ではないということだ。一六世紀までには、戦闘はふたたび重装備の歩兵同士の衝突が中心となり、アレクサンドロス大王がよく知っていたであろうやり方で戦われた。一五四四年、イタリア戦争の終わりにトリノから遠くないセリゾールで起こった戦いで、大王はどちらかの軍の指揮を執ることさえできただろう。王が適切な言語を学び、銃器の使い方を短期コースで学んだとしたならば。

銃の携行

歩兵の密集方陣（ファランクス）は本質的に変わらず、ちょっと見映えのよい槍にすぎない矛（パイク）を担いだ。フランス軍は、一列目の槍兵のうしろに火縄銃（アーキバス）を撃つ兵士（一五グラム弱の銃弾を発射するマスケット銃で武装した兵士）を配置した。ブレーズ・ドゥ・モンリュック大尉は次のように説明している。

　このようにして、われわれは敵の前列にいる指揮官全員を殺せるはずだ。しかし、彼らはわれわれ同様に巧妙だった。矛列のうしろに銃兵を配置していた。どちらも接触するまで発砲せず、その後は大虐殺になった。百発百中、どちらの隊も前列の兵士が倒れた。第二、第三列は、前列の戦友の死体越しに戦いながら、後列の兵士によって前に押し出された。われわれが突き進むと、敵は崩壊した。(1)

16 世紀のイタリア戦争中にマスケット銃を持って行進する歩兵

銃器を携行してはいるものの、それは基本的には相も変わらぬ白兵戦で、一六世紀の人々に「プッシュ・オブ・パイク」と呼ばれた。フランスとスイスの傭兵による同盟は、敵を上から突くことができる有利な位置にあった。フランスの騎兵隊が敵であるドイツの傭兵(ランツクネヒト)から成る歩兵部隊を側面攻撃すると、ドイツの隊列は崩れ、追い込まれてひとかたまりになり、矛を使う余地さえ奪われた。七〇〇〇人の傭兵のうち約五〇〇〇人が虐殺された。戦列の左翼にいたイタリアの歩兵は、早々に戦場を去って生き延びた。しかし、帝国〔神聖ローマ帝国〕の戦列右翼のスペインの古参の兵は、背後の小さな森を抜けて退却しようとしたが、すぐにフランスの騎兵隊に行く手を遮られると同時に、背後から来たフランスの歩兵に挟み撃ちにされた。

彼らは四〇〇歩離れたわれわれに気づいた。騎兵隊が突撃しようとすると、矛を投げ捨てて降伏した。騎兵ひとりの周りに一五人とか二〇人とかが群がり、全員の喉を掻き切りたがっている歩兵を恐れて命乞いをする。だが、彼らの多く――おそらく半分ほど――が殺され、残りは捕虜となった。

ブレーズ・ドゥ・モンリュック(2)

歴史は繰り返す。セリゾールで起こったことは、細部をのぞけば、四〇〇〇年前にウンマの城壁のもとで起こったこと、あるいは、その後イッソスの戦いで起こったこととほとんど変わらなかった。

傭兵の時代

ああ、大砲という魔の武器の恐るべき忿怒を知らなかったためでたい時代こそたたえらるべきじゃ！　たしかに、大砲の発明家は、地獄にあって、悪魔そこのけの工案に褒賞を授けられとること、それがしの疑わぬところでござる。かやつの工案は、恥知らぬ臆病者の腕に大剛のもののふの命を奪わしめる因をなした……

一六世紀の世界において、もっとも強力な武器である大型の攻城砲は、数百メートル離れたところから、（もし一緒に立っていれば）おそらく六人を殺すことができた。それからわずか五世紀もたたないこんにち、こうした武器の現代版である大陸間弾道ミサイルは、一万一〇〇〇ないし二〇〇〇〇キロ離れた数百万の人々を殺害することが可能だ。それが実現するまでの過程の最後の段階を支配したのはテクノロジーだった。

一五〇〇年前まで、西洋で使用された武器は、特別なものではなかった。実際、オスマン帝国、サファヴィー朝（ペルシャ）、ムガル帝国といったイスラム世界のいわゆる「火薬帝国」はいち早く銃器を取り入れ、火縄銃と大砲を戦闘戦術の中核とした。銃器を装備した世界最初の歩兵の常備軍は、一四四〇年代の、メフメト二世統治下のオスマン帝国軍のイェニチェリ〔オスマン帝国に征服された地で徴兵されたキリスト教徒による新軍団〕だった。[3]

一五世紀と一六世紀のヨーロッパでは、絶対権力を求める野心的な君主たちにより、近代中央集権国家が作られようとしていた。そのためには、古い封建貴族が有する軍事力を破壊しなければならなかった。貴族の軍事力とは、基本的には王国に騎兵を提供することを意味する。そこで君主たちのとった解決策として、古代の古典的な軍隊が復活した。それは、戦

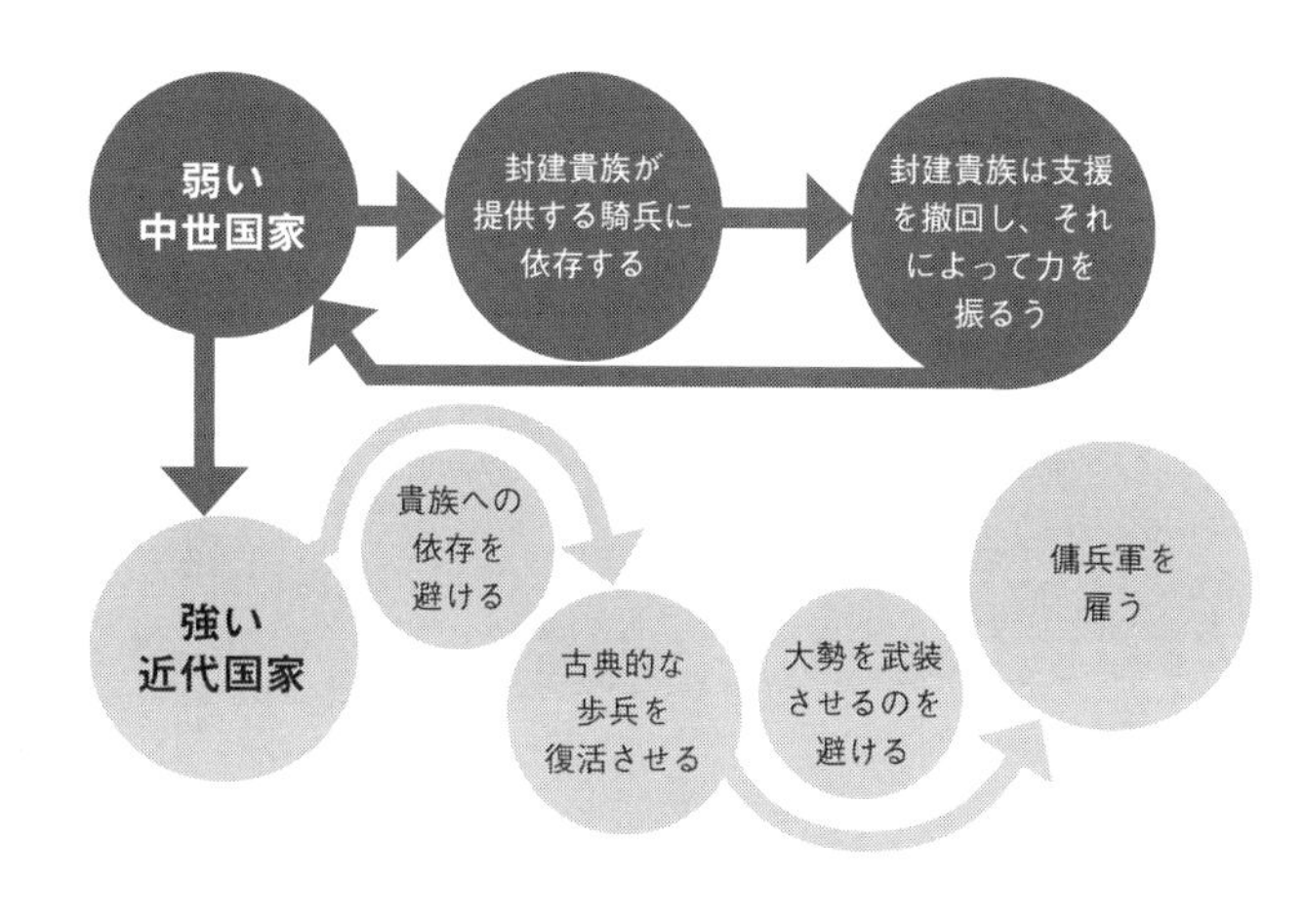

闘においてより効果的だった。さらに重要なのは、戦闘に参加しない、あるいは騎兵を提供しないと言って貴族たちが王を脅し、王が力を振るう手段を失わせたことだ。歩兵への転換は、君主の政治的利益にかなった。

その一方で、君主たちは臣民を武装させ、軍事訓練を施すことには関心がなかった。彼らに訓練を施せば、新しいスキルと数の多さを利用して、君主の絶対権力に挑もうとするかもしれない。そのため、国王と女王は傭兵を選択した。傭兵たちは、金を払ってくれるなら、どの国家にも忠誠心を売った。スイスのようなヨーロッパの貧しい地域では、訓練された傭兵団の輸出が国家の産業になった[4]。もっとも傭兵は費用がかかったので、大きな軍隊は作れなかった。一六世紀の平均的な戦闘では、おのおのの側で戦う兵士はおよそ一万人程度だった。

ヨーロッパ中の軍隊が、一七世紀初期にいたるまで、当時もっとも成功した軍隊であるスペインが採用したモデルに従った。一六列ないし二〇列、ときには三〇列から成る槍兵による強固なテルシオ〔スペイン方陣とも呼ばれる軍事編成〕（ファランクス）の角にマスケット銃兵が、さらに最前列の前に重くてほとんど動かない野砲が配置されたが、火薬兵器が果たす役割はあくまで二次的なものだった。

だが、これらの扱いにくい銃器さえ、中国のものよりも効果的だった。中国では、硝石、硫黄、木炭を混ぜて爆発させる効果が最初に発見された。早くも一二三二年に、モンゴルから洛陽を守る中国軍が、火薬を詰めた鉄の容器「震天雷」を投石機（カタパルト）から射出している〔日本では「てつはう」として知られる〕。その後二五年以内に、竹筒に火薬を詰めた原始的な銃である「火槍」を用いて、小球を約二〇〇メートル以上先まで放つようになった。おそらくモンゴル軍が中国の武器を模造し、それをヨーロッパに持ち込んだ結果、一三二〇年代に、最初の本格的な金属製の銃が鋳造されたのだろう。[5]

中国がなぜそれ以上銃器を発達させなかったかは、歴史上の大きな謎だ。印刷から海洋船舶まで、他の技術は一五〇〇年にはヨーロッパの技術と同等か、先行する水準にあったからだ。中国の主要な敵であるモンゴルや他の遊牧民族が、その技術をみずから推し進めることがなかったことが理由かもしれない（遊牧民族にはそういう傾向がある）。いずれにしても、

震天雷を放つ――知られている最古の中国の火槍

中国が「火槍」以上のものを独自に発明することはなかった。一方、ヨーロッパとイスラム帝国において、銃器は、二世紀以内に五〇〇キロ以上の重量がある弾丸を城壁に撃ち込むことが可能な巨砲や、およそ一〇〇メートルの有効射程距離まで一五グラム程度の銃弾を射出できる携帯可能な火縄銃（初期のマスケット銃）へと発展した。

これらの新しい銃器は、戦闘よりも包囲戦において、また陸上よりも海上において、より大きな役割を担った。一四五三年に、それまでの一〇〇〇年間を通じて世界最大の都市として栄えたコンスタンティノープルの城壁を破ったのは、トルコ軍の集中砲火だった。トルコ軍は城壁の基部に深く、より深くと続けざまに弾丸を撃ち込み、ついに城壁がみずからの重みで崩れ落ちた。海上では、西欧の船幅の広い外洋航行船が、大砲の理想的な砲座となった。一五〇〇年代初期までに、近接で片舷斉射ができるよう、二層、さらには三層の甲板に配置された大砲同士の撃ち合いが、次の三〇〇年間の大半の海戦の勝敗を決した。だが、戦場において火薬兵器が真価を発揮するには、さらに時間を要した。

火縄銃のような初期の銃器はクロスボウと変わらぬ射程距離を持ち、それほど訓練をせずとも使用可能で、十分な興奮を与えてくれた。それでも、一七世紀までは戦闘の脇役にすぎなかった。軍隊の中核は、依然として訓練されたファランクスで、彼らは自分自身（および火縄銃兵）を騎兵の突撃から守り、同様のファランクスと衝突して勝負を決した。

しかし、この不自由で動きの鈍い古典的戦争の型は、三十年戦争として知られる大変動において変化することになった。

三〇年間に八〇〇〇万人が死んだ

ヨーロッパでは一六世紀半ばから宗教改革によって、次々と破裂する爆竹のように、各地で宗教戦争が引き起こされた。とくにフランスでは、一五六二年から一五九八年のあいだに、一〇件の内乱が起こり、推定三〇〇万人が殺された。オランダでは、スペインの支配に抵抗する八〇年にわたる反乱が一五六八年にはじまった。だが、一六一八年以降、こうした地方の争いは、すべてのヨーロッパ強国が巻き込まれた最初の戦争へと統合された。一六四八年に三十年戦争が終わる頃には、戦闘は現代より一世紀少し前まで維持された形式になり、八〇〇万の人々が死んだ。

宗教上の情熱は本物だったが、戦争を行なったのは教会でなく政府だった。意図せずとも必然的に、大陸中の誰もが同じゲームをするという、ヨーロッパ諸国の統一体制が生まれた。すなわち勢力均衡だ。ある国が軍事力を増強すれば、他のすべての国がおのずと安全を脅かされることになった。スウェーデンとスペインのように遠く離れた国が、戦う具体的な理由もなくドイツの戦場で互いの軍の兵士を殺し合った。とどのつまり、宗教は権力のゼロサムゲームほど重要ではなかった。そのため、戦争末期にカトリックのハプスブルク朝（スペインとオーストリア）が強くなりすぎたように思われると、カトリック国のフランスが弱体化するプロテスタント勢力と同盟を組み、勢力均衡が回復するまで戦争を長引かせた。ドイツは、三十年戦争のおもな戦場になり、この政策の代償を払った。

勝利に酔って、兵士たちは、自分たちを統制しようとするあらゆる試みを無視した。（…）日中にいたって、突然、炎が市内二〇箇所からほとんど一斉に燃え上がった。ティリー、パッペンハイムにとって、火元がどこなのか、たずねている暇などはなかった。びっくり仰天して総毛立った彼らは、火を消すために、酔っ払って、身体の自由がきか

1631年5月25日、
ティリーが破壊されたマグデブルク市に入る

ず、疲れ果てた兵士たちを呼び集めた。しかし、風はあまりにも強く、数分のうちに、町は溶鉱炉と化し、木造家屋は、炎と煙の立ちのぼるなかで、土台から崩れていった。いまや、軍隊を救え、という叫び声がおこり、皇帝軍の将校たちは、兵士たちを広場へ誘導しようと奮闘したが、無駄であった。見る間に、各市区全体が煙の壁で遮断され、強奪品のためにぐずぐずしていたり、酔っ払って意識を失い、酒倉の床に伸びた連中は、死んだも同然であった。

C・ヴェロニカ・ウェッジウッド『ドイツ三十年戦争』[6]

終わりの見えない戦争が続くなか、一六三一年のマグデブルクの略奪と破壊では、約四万人の住民が死亡した。季節が何度めぐっても、傭兵団は

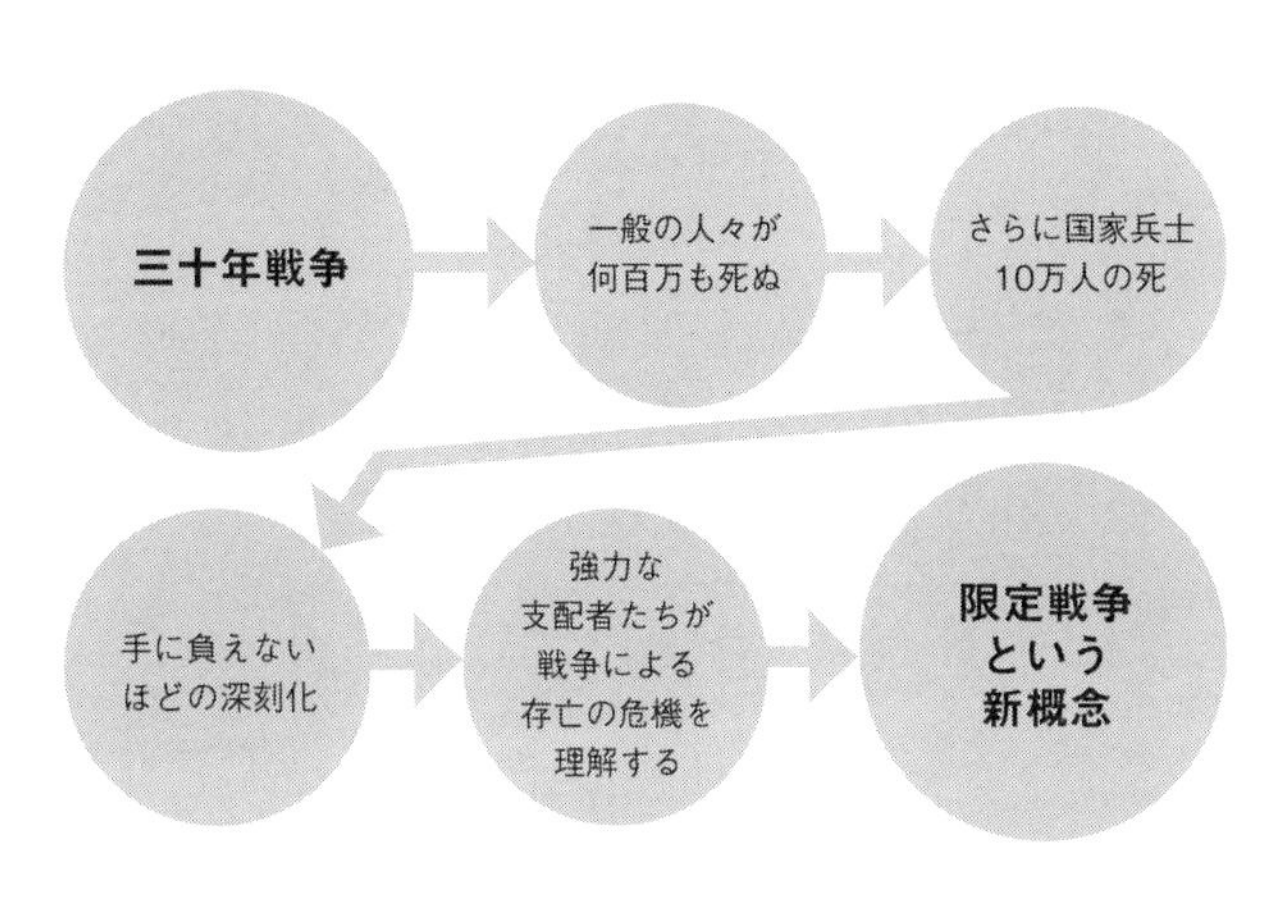

ドイツ中を練り歩き、病気を蔓延させた。飢えた難民の集団と不逞な脱走兵の群れが地方をうろつき、まだ農業を続けていた農民から食糧を盗んだ。人食いの事件もあった。一六四八年にウェストファリア条約によって殺戮が終わるまでに、ドイツの人口は、二一〇〇万からわずか一三〇〇万へと三分の一以上減少した。

その後、突然、ヨーロッパにおける戦争の着実な拡大が止まった。一九世紀初期まで、その後のヨーロッパの戦争は、同じような規模の死者をもたらさなかったし、二〇世紀半ばまで、一般市民の犠牲がふたたび軍人の死傷者を上回ることはなかった。だが、一六四八年以降にヨーロッパの支配者たちが示した新しい抑制は、莫大な死者を出したことに応じたものではない。戦争の犠牲者の圧倒的多数はドイツの農民であり、権力者の誰も彼らのことを本気で気にかけることはなかった。戦死した三五万の兵士のほうがより大きな関心事だった。兵士たちは費用をかけて訓練され、維持されていたからだ。だが、生き残ろうとする支配者が未来の戦争に制限を課すべきだと納得したのは、もし戦争が手に負えないほど深刻化すれば、国や王朝全体が消滅するかもしれないという教訓を身をもって学んだからだった（三十年戦争のあいだに多くの国や王朝がそうなった）。

王朝にとってもっとも重要なのは存続である。三十年戦争は、生き残った君主たちに、少なくともある程度は協力し合わなければならないことを教えた。戦争は思う存分やっていい。国境地帯や海外植民地を侵略することも、関係が悪化したり、裏切られたりすることもあるだろう。だが、支配者たちの仲間が、ゲームから完全に消えてしまうほどひどく負けるようなことは二度とあってはならない（ポーランドは例外で、強力な隣国のすべての合意で分割された）。戦争をより限定的なものにする時代がやって来ようとしていた。

スウェーデンの革新

三十年戦争のあいだに、ようやく銃器が戦場の中心となった。武器が改良されたからではない。変化したのは戦術で、その立役者となったのはスウェーデンのグスタフ・アドルフ王だった。彼の王国は人口がわずか一五〇万しかなく、周囲の強国に対してつねに劣勢にあった。王は、それを武器の使い方を変えることによって補おうとした。そうするにあたって、アレクサンドロス大王が指揮する方法を知らなかったであろう、最初の軍隊を作った。肩を並べて立つ槍兵の堅固な隊列が依然ヨーロッパの戦場を支配したが、アドルフ王は、もし狙いを十分に集中すれば、それが砲撃のうってつけの標的になることに気づいた。他にも同じようなことを考えた者はいただろうが、おそらく、それを活かすために必要とされる革新的な戦術変更を行なう勇気、あるいは権限がなかったのだろう。

アドルフ王には勇気も権限もあった。そのため、槍兵の三分の二をマスケット銃兵に変えた。銃兵はわずか三列に並べられ、一斉射撃（一列は立ち、一列はかがみ、一列はひざまずいて）の訓練を施された。また、移動に二四頭の馬を必要とする扱いにくい野戦砲を廃止し、一頭あるいは二頭の馬だけで引くことができる軽砲に替え、弾薬筒を準備して用いた。それを砲火を浴びながらも、戦場のあらゆる場所に迅速に移動させ、より頻繁に砲撃を行なった。

アドルフ王の軍隊は、物理的な接触をすることなく、およそ一〇〇メートル先からマスケット銃の一斉射撃と大砲の砲撃によって、敵の槍兵の隊列を散り散りにさせた。弾丸と大砲の玉が敵の隊列に十分な穴を開けたあとは王の騎兵隊が突撃し、混乱を壊滅へと促した。

一六三〇年、弱体化したプロテスタント運動を救うためにドイツに到着したスウェーデン軍は、「帝国」（すなわちスペインとオーストリア）の旧式の軍隊をわけなく破った。アドルフ王自身は、一六三二年に戦死したため、スウェーデンの介入は決定的な結果をもたらさなかったが、ヨーロッパの他のすべての軍隊はアドルフ王が編み出した革命的な戦術をすぐさま採用した。

訓練

いまや冷たい鉄の武器ではなく、火器が雌雄を決する。

J・F・ピュイセギュール(7)

一七〇〇年までには槍兵は姿を消し、すべての歩兵は火打石式のマスケット銃を携行するようになった。この銃は一分間に二回の装塡と発砲が可能な改良された銃器だった。マスケット銃は一〇〇メートル足らずの距離でさえ正確に撃てなかったが、敵を一人ひとり狙うつもりではないので問題はない。歩兵大隊の仕事は、ただ一斉射撃をすることだった。まるで数百の動く部品(兵士)によって、三〇秒ごとに集中射撃をする人間機関銃(マシンガン)のように。

一七四五年のフォントノワの戦いで、イギリス近衛旅団は、沈下した道路から上へあがったとき、フランス歩兵連隊の大軍がわずか数百メートルのところにいるのに気づいた。フランスの将校は、イギリスの司令官チャールズ・ヘイ卿に口火を切れと促したが、卿は答えた。

歩兵のための戦争技術からマスケット銃の教練
フォン・ヴァルハウゼン　1630年

「いや、結構です。われわれは決して先に発砲はしません。どうぞお先に」イギリス軍は前進を続け、フランス軍は一斉射撃をはじめた。フランス軍がふたたび弾丸を込めるあいだ、生き残ったイギリス部隊はわずか三〇歩の距離まで進み、一斉射撃で応じた。一瞬のうちにフランス連隊の将校一九人と兵士六〇〇人が死亡、あるいは負傷した。残りは散り散りになって逃走した。「敵の白目が見えるまで発砲するな」と、バンカーヒルでアメリカ独立軍に与えられた有名な命令は、虚勢ではなかった。当時は標準的な戦術上の方針だった。

一八世紀における兵卒は、本質的にマスケット銃を装填し、照準を合わせるのに必要な何十もの複雑な動作を行なう一方で、銃殺隊の様相を呈す部隊とわずか数百メートルの距離で対峙するのが仕事だった。兵士にこれを実行させるには、何年もの訓練ときわめて無慈悲な規律が必要だった。プロイセン陸軍の軍規に述べられていたとおり、「もし戦闘中に兵卒が逃亡する恐れがあるか、または、隊列の外に出たならば、背後に位置する下士官はただちに銃剣をもって彼をその場で刺し殺しても差し支えない[8]」

「わたしたちが戦争をしていることは頭に浮かばなかった」

一八世紀の戦争の死傷者は、古代の戦争と同じように多かった。一七〇四年のブレンハイムの戦いではわずか一日、しかも五時間の戦闘の結果、勝者側は一万二五〇〇人（軍勢の二四パーセント）を失い、敗者側は二万の死傷者（軍勢の四〇パーセント）を出した。七年戦争（一七五六から六三年）のあいだ、プロイセン軍では、開始時の兵士の三倍となる一八万人が死んだ[9]。それでも三十年戦争とフランス革命のあいだの一世紀半（一六四八から一七八九年）は、実際には限定戦争の時代だった。

とはいえ、戦闘はより大規模になっていた。三十年戦争では双方の兵士の数は平均一万人から三万人へと膨らみ、一八世紀最大の戦闘では一〇万人台に到達した。それでも、市民社会に対する政治的や経済的な影響は非常に小さかった。遠くの領地の所有者が変わっても、どこかで誰かが王位を奪われても、ヨーロッパの大部分において人口は増え、繁栄は続き、産業が発展し続けたため、戦争は平均的市民の意識にほとんど残らなかった。七年戦争のまっただなかで、アングロ・アイリッシュの小説家ローレンス・スターンは、敵国に旅行するのに必要な旅券を取得せずに、パリに向けてロンドンを発った（「わたしたちがフランスと戦争をしていることは頭に浮かばなかった」）が、フランスの海岸で誰も彼を止めなかった。それどころか、フランスの外務大臣はヴェルサイユに到着したスターンに、丁重に旅券を送った。[10]

貴族と浮浪者

一七〇〇年までに、ヨーロッパのほとんどすべての王国は、政府が直接雇う常設の「正規」軍を創設した。正規軍は、傭兵とは異なり、平時にも給与を支払わなければならなかったが、より信頼ができたし、君主たちも危機に際して一般市民に軍事的援助を頼る必要がなくなった。その代わり、ヨーロッパの軍隊はどこも「貴族と浮浪者」から構成されることになった。

新たな支配体制において、君主たちは古い貴族階級を、新しい正規軍の将校の地位を独占させることによって買収した。富の源泉が土地から貿易へ着実に移るにつれて、実権を失いつつあった古い貴族たちは、それによってなんとか威信を保つことができた。貴族将校にとって部下の兵士たちは、正反対の社会階層の者ばかりだった。もっともまともなのは土地を所有しない農民で、もっとも悪いのは酔っ払いと犯罪者だ。このような男たちを統制するには、鞭と絞首刑の縄を習慣的に使うことが必要だと考えられた。「一般的に、兵卒は敵よりも自分の将校を恐れなければならない」とフリードリヒ二世は述べている。[11] また、ウェリントン公爵は、彼の部隊について「彼らが敵を怖がらせるかどうかはわからないが、彼らはわたしを怖がらせる！」と言った。だが、訓練された兵士は、個人としては軽蔑されても、高価な商品であり、国は戦闘でその命を無駄にしたがらなかった。

制限

　国は、戦争のはじめは集められた兵士たちを使って戦った。というのも、兵士たちを戦闘でうまく働かせるには、ささいな失敗にも暴力による罰を与えながら繰り返し鍛え、数年かけて複雑な訓練を重ね、即席の絶対服従を教え込む必要があったからだ。つまり、平時においても最大限の力を維持しなければならず、費用がかさんだ。それでも、兵士たちは、とくに戦闘が目前に迫ると脱走することがよくあった。

　この時代のヨーロッパの軍隊は、「その土地のものを食べて暮らす」ことができなかった。

1704年、シェレンベルクの戦いにおける
マールバラ公爵の包囲攻撃隊

兵士たちに自分で食糧を探し回ることを許したら、軍隊は消滅しかねない。そこで、作戦地域の近くに莫大な量の食糧を貯蔵する中央倉庫を、派遣される部隊のために前もって作っておかなければならなかった。パンを焼く野外用オーブンは、倉庫から一〇〇キロ近く先まで動かすことが可能で、パンを運ぶ荷馬車は、それをさらに六〇キロ運ぶことができた。しかし、それが限界だった。理論的に、中間倉庫を設置せずに、敵の陣地で一六〇キロ以上前進できる軍隊はなかった。厳しい統制（および細やかな食事の手配）にもかかわらず、七年戦争のあいだ、ロシア軍から八万人、フランス軍から七万人が脱走した[12]。

さらに、軍隊は、草原に草が生えているとき（五月から一〇月）だけしか遠征できなかった。一〇万人の軍隊は、たいがい四万頭の動物をともなったからだ。四万頭の動物は、一日に三〇〇ヘクタール以上の草を平らげたので、軍隊は、新しい牧草地に移動するだけでも多くの時間を費やした。[13] したがって、戦争は、たいてい要塞の多い、はっきりと国境が定められた周辺で、包囲戦を中心に行なわれた。一七〇八年、マールバラ公爵が率いる重砲一八門と攻城迫撃砲二〇門の包囲部隊は、移動に荷馬車三〇〇〇台と馬一万六〇〇〇頭を必要とし、五〇キロにわたって道を占領した。軍隊は互いの補給線を脅かし、撤退させるための策略を講じたものの、実際の戦闘はあまり行なわれなかった。兵士の費用が高くて、消耗できなかったためだ。一七三二年にフランスのサクス元帥がこう述べている。「わたしは会戦を好まない……熟練した将軍は生涯を通じて会戦にいたらない戦い方ができると信じている[14]」

戦争に関するこうした現実的な制限は、主要国が勢力均衡の体制のなかにあるという事実によって強化された。どの大国も完全に敗北することはなかった。強大な勝利者がすべてを掌握することがないよう、他の国々が参戦したからだ。この体制のマイナス面は、大国がかかわる戦争に、すべての主要国が巻き込まれることである。

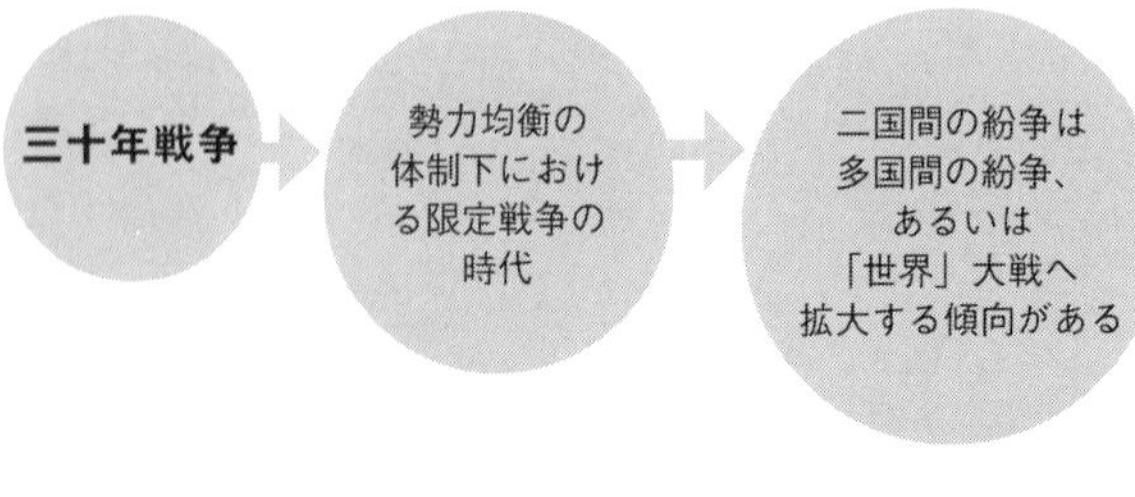

三十年戦争 → 勢力均衡の体制下における限定戦争の時代 → 二国間の紛争は多国間の紛争、あるいは「世界」大戦へ拡大する傾向がある

つまり、「世界大戦」につながる。この用語は比較的新しいものだが、概念はそうではなかった。三十年戦争以降の三五〇年にわたって、ヨーロッパの主要な戦争のほとんどすべてが、その発端が何であれ、当時のすべての大国を巻き込んで急速に拡大した。

一八世紀までに、ヨーロッパの帝国は地球の残りの大半も支配した。それらも純粋に地理的な意味で世界大戦だった。たとえば七年戦争では、フランス、オーストリア、スウェーデン、ロシアといったヨーロッパの大国がイギリス、プロイセン、ハノーファーに敵対しただけでなく、オーストラリアをのぞくあらゆる大陸でも戦いが行なわれた。和平調停では、最大の勝者イギリスが、カナダ、セネガル、西インド諸島の一部を獲得した。インドでもクライヴ〔ロバート・クライヴ男爵。プラッシーの戦いでベンガル軍とフランス軍を破る〕が収めた軍事的勝利の成果の大半を手に入れたが、スペインにキューバ、フィリピン、アルゼンチンを返還しなければならなかった。七年戦争が現代の世界大戦の定義に合わない唯一の点は、殺戮システムの致死率と死傷者の規模だった。

世界を征服

ヨーロッパはいわば「世界を征服」したが、それはふたつの異なる段階で起こった。最初の段階はきわめて容易だった。一六世紀と一七世紀にヨーロッパ人がアメリカ大陸の石器時代の人々を征服するには、それほど高いテクノロジーと組織を必要としなかった。ユーラシア大陸の密集した都市で一万年にわたって進化した数々の致命的な伝染病が、銃を発砲する以前に先住民に大きな打撃を与えた。一五〇〇年代にアメリカ大陸の人口は、伝染病のために少なくとも九〇パーセント減少した。荒廃した農地が木々で覆われ(先住民はほとんどが農耕民だった)、新しい木々が大気から大量の二酸化炭素を取りのぞいたので、それが「小氷期」を引き起こす一因にもなった。[15]

実際の征服には、当然ながら、暴力的な軍事行動が必要だった。先住民はヨーロッパの馬と鉄の武器に威圧され、侵略者のユーラシア的な整然とした冷酷さを前に抵抗さえできなかった。だが、他のどの文明圏——中東のオスマン帝国、インドのムガル帝国、あるいは中華帝国——であっても、外洋航行船と商業的野望があったなら、アメリカ大陸の人々を同じように服従させることができただろう。陸上ではイスラム世界が強く、その軍隊はキリスト教ヨーロッパの軍隊に匹敵し、オスマン帝国は、イスタンブールからパリまでの中間点よりも遠くにあるウィーンを一六八三年に包囲しようとするほどだったからだ。

この時点では、ヨーロッパの力が、ユーラシア大陸の他の地域やさらにアフリカにおいてさえ、砲弾の射程距離を超えて拡大することはめったになかった。ヨーロッパの船は無敵だったが、陸軍はそれほどでもなかった。一方、イギリスがインドの大部分を征服した第二段階（一七〇〇年〜一九〇〇年）では、オスマン帝国の国境線がオーストリアとロシアの圧力で後退しはじめた。また、アフリカがついに植民地化された。軍事的要求も高まり、その時代のまさに最後になってはじめて、ヨーロッパの武器の技術が大きく進歩した。だが、急速に増大する富を背景に、こうした武器の使用に関する厳格な規律と冷酷なまでの効率的な統制は、ヨーロッパが他の地域の敵より抜きんでていた。

したがって、フランス革命前の、最後の世代のヨーロッパの人々にとって、戦争は、最悪の場合でも耐えられる悪魔だったのだろう。旧世界の他の地域が次々とヨーロッパの支配に屈する一方で、ヨーロッパ内では都市が略奪されたり、市民が重い税金を課されたり、息子を徴兵されたりという耐え難い要求に直面することはなかった。さらに戦争の結果、国全体が消滅したり、大混乱に陥ったりすることもなかった。戦争という制度は管理され、制限され、合理化されていた（極端に合理的なその時代であれば、そう表現しただろう）。

しかし、一八世紀には、こうした制限すべてがいかに脆弱かを認識する人はほとんどいなかった。

第6章
大規模な戦争
（一七九〇年――一九〇〇年）

革命

各国間の力の均衡は今後も変動し続けるだろうし、われわれ自身を含めて近隣諸国の繁栄はそれぞれ隆替を繰返すであろう。しかしながらそういう局部的現象は今日の総体的な幸福な状況を……本質的に損なうことは有り得ない。……平和時にはこれだけ多数の活発な競敵との競争で知識と工業の進歩が加速され、戦時にはヨーロッパ各国の軍隊が決定的とまでは行かぬ適度の対抗意識で訓練される。

一七八一年　エドワード・ギボン(1)

この瞬間から敵がわれわれの共和国の領土から追い出されるまで、すべてのフランス人は、永久に軍に徴用される。若い男たちは戦い、既婚の男たちは武器を作り、物資を運ぶ。女たちはテントや衣服を縫い、病院で奉仕する……公共の建物は兵舎に、公共の広場は軍需工場になる……適切な口径の銃器は、すべて軍に引き渡される……すべての乗用馬は騎兵のために押収されるものとする。農作業に使用されないすべての荷馬は、大砲と補給貨車を牽引する。

一七九三年、パリ、フランス国民公会の布告(2)

ギボンが描いた牧歌的な世界は、この言葉を書いたときから数えて一〇年と続かなかった。また、大多数の人々にとってはそれほど牧歌的でもなかった。ヨーロッパの専制君主たちは、社会の「下層階級」が大きな恨み、あるいは怒りさえ抱いていて、王国の戦争費用のために彼らから搾り取れるだけ搾り取るのはやめたほうがいいことをある程度理解していた。そんなことをすれば、王位を脅かす社会的、政治的な勢力が生まれかねない。戦争は限定的にとどめるに越したことはなかった。だが、平等や民主主義は一八世紀後半に多くの人が受け入れた思想であり、ギボンでさえ述べたように、こうした思想にもとづく最初の革命が、新しいアメリカで勝利を収めつつあった。

大規模な軍隊

一七八九年、当時ヨーロッパでもっとも豊かで、もっとも人口の多い国だったフランスで革命が起こった。ヨーロッパの他国の君主たちはこれを重大な脅威として、フランスに軍勢を向け、革命を鎮圧しようとした。フランスでは国民公会によって徴兵制が宣言され、一七九四年一月一日にフランス軍は七七万人を数える規模に拡大された[3]。その後二〇年にわたって、巨大な軍による戦争はヨーロッパを荒廃させた。

フランス革命は自由と平等を理念とし、徴兵制を容認する熱烈なナショナリズムをはじめにかき立て、次にそれを利用した。「武装した国家」の熱狂的な兵士たちは忠誠心と自発性を発揮して、より開放的で機動的な陣形で戦った。その数は非常に多く、旧体制の正規軍を圧倒するほどだった。

新しいフランス軍は脱走する可能性が低かったため、食物を現地調達することが許された。パンがなければ、畑を掘ってイモを食べた。そのおかげでかつてのような倉庫や補給部隊がなくても、より速く、より遠くまで移動できるようになった。もはや、一六〇キロという制限はなくなった。また、全員が脱走するという心配がないので、退却する敵を自由に追撃することができた。そのため、戦いが引き分けになることがほとんどなくなった。一七九三年に一二歳ではじめて革命軍との対戦を目にしたプロイセンの将校、カール・フォン・クラウゼヴィッツは言った。「政治的熱狂によって錯乱したフランス国民全体のすさまじい重みが、われわれに襲いかかった[4]」

フランス皇帝ナポレオン１世の近衛擲弾兵閲兵
1811年６月１日パリ

一八〇四年にナポレオンが皇帝になったあとは、革命の民主的理念についてはあまり語られることはなかった。ナポレオンによって、戦争の目的はフランスによる全ヨーロッパの支配へと変わった。ナポレオンはさらに一〇年間、ほぼ絶え間なく戦争を続け、フランスのナショナリズムに軍事的勝利という餌を与え、必要ならいつでも強制という手段を用いた。一八〇四年から一八一三年までに二四〇万人が徴兵されたが、帝政末期に帰還できたのはその半分に満たなかった。「軍隊は死ぬためにある」と、かつてナポレオンは述べている。だが、ときがたつにつれ、徴兵に応じるものが少なくなっていった。一八一〇年には、召集を命じられたフランス人の八〇パーセントが自主的には志願しなかった。[5]

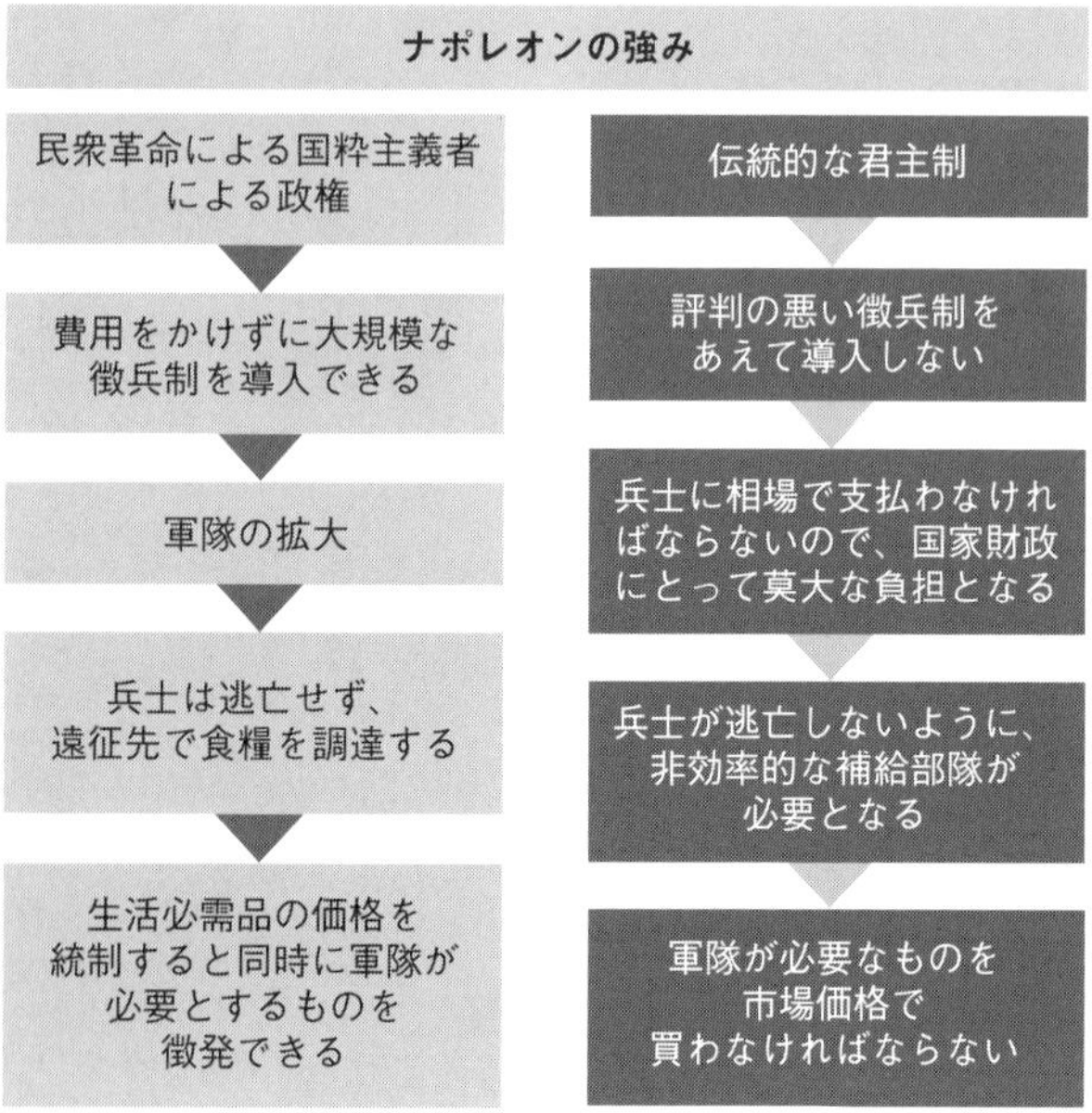

ナポレオンの強み

民衆革命による国粋主義者による政権	伝統的な君主制
▼	▼
費用をかけずに大規模な徴兵制を導入できる	評判の悪い徴兵制をあえて導入しない
▼	▼
軍隊の拡大	兵士に相場で支払わなければならないので、国家財政にとって莫大な負担となる
▼	▼
兵士は逃亡せず、遠征先で食糧を調達する	兵士が逃亡しないように、非効率的な補給部隊が必要となる
▼	▼
生活必需品の価格を統制すると同時に軍隊が必要とするものを徴発できる	軍隊が必要なものを市場価格で買わなければならない

戦争は依然として巨額の費用がかかった。だが、革命政権によって作られた高度に中央集権化した政府は、君主制時代のフランスが要求した以上のものを経済から引き出すことができた。国有化された新たな兵器工場は、価格や賃金を厳しく統制することによって利益を得た。装備や食料や馬は徴発され、のちに政府の設定した価格で支払われるか、あるいはまったく支払われなかった。また、初期には、遠征と征服を重ねることによって、海外から多くの資金が入ってくるようになり、しばらくは元が取れるほどだった。

フランスと戦っていた君主制国家

はより困難な状況にあった。革命軍の規模に対抗しなければならないにもかかわらず、国民皆兵制を導入しなかったからだ。すべての部隊に正規兵の給与を支払わなければならなかったことは、財政的に大きな負担だった。実際、他の多くの国を支援しなければならなかったイギリスは、一七九九年に世界初の所得税を導入せざるを得なくなっていた。

それでも十分ではなかった。ナポレオンとその元帥たちは、ほとんどの戦いで勝ち続けていた。彼が有能な指揮者であったのも理由のひとつだが、砲弾の餌食となる兵士が無尽蔵にいたからでもある。さらに、各国の王、王子、公爵がナポレオンに協力して王位を守れなかったこともある。フランス革命軍は当初から、征服した国を君主制から共和制に（親フランスになるように慎重に選択しつつ）置き換えた。ナポレオンはさらに、王国全体を併合したり、自分の親族かフランスの陸軍元帥に統治をさせて衛星国にしたりした。王位を守りたい君主は、自国の民を武装させるという危険を冒さなければならなかった。結局、そうした君主もいた。

マスメディア

一八世紀後半から一九世紀はじめにかけて、大きなテクノロジーの変化は起こらず、新しい富が急に増えることもなかった。歩兵が持つ滑腔砲のマスケット銃も、戦列艦も、数世代前と変わらなかった。変わったのは、軍事ではなく、政治だった。大衆社会が、歴史上はじめて独裁者を追放し、平等という人間の古くからの原則を復活させた。

一五年足らずのあいだに、民衆革命は君主を倒した。まずイギリスの植民地であったアメリカ（人口三〇〇万人）、次はヨーロッパ最大の国家フランスだった（人口三〇〇〇万人）。これらの国は、アリ塚の階級制よりも狩猟採集民であったわたしたちの祖先に近い価値観を公に認めた最初の大国だ。だが、なぜ当時そうしたことが起こったのか。また、なぜイスラム帝国や中国ではなく、ヨーロッパだったのだろうか。

最初のマスメディア、すなわち印刷機の発明が答えであることは、ほぼまちがいないだろう。印刷機は中国が組み換え可能な活字のものを考案したのが最初だが、その技術はいくつかの理由で西洋の国々により大きな影響を与えた。おもには読み書き能力の水準が異なったためだ。西洋では、宗教改革によって、個人と神の関係や、聖書に書かれた神の言葉を読んで理解することが重視されたため、識字能力が強く求められるようになった。しかし、オスマン帝国や中国では、読み書きはずっと以前から特定の階級のものだった。一九〇〇年時点でさえ、中国の識字率は人口のわずか一〇パーセントで、一九三五年には、字が読めるトルコ人はわずか一五パーセントだった。潜在的な読者がいなかったせいもある。一七〇〇年のイングランドの男性の識字率は四〇パーセントだった一方で、ニューイングランドでは七〇

パーセントだった。[5a]

新聞はほとんどなかったが、書籍や小冊子はどこにでもあった。一五世紀にヨーロッパで印刷された書籍は一〇〇〇万冊、一六世紀には二億冊、一七世紀には五億冊、一八世紀は一〇億冊となった。[6] 一七七六年にフィラデルフィアで出版されたトマス・ペインの四九ページの小冊子「コモン・センス」は、平等主義にもとづく独立した民主的な共和制をアメリカで確立することを提唱した。「われわれには、世界をもう一度はじめる力がある」小冊子は一三植民地で三カ月のうちに一二万部売れ、人口の半分が読んだと考えられる。もちろん、重要なのは、彼らが読めたということだ。

コモン・センス

識字率が上がり、印刷された本が普及するようになったため、目的や手段に関して対等な立場で議論するという狩猟採集社会の意思決定の基本が、西洋の大衆社会の、遠い子孫たちのあいだで復活した。何百万もの人々が同じ場所に集まって良識ある議論を行なうのは難しかったが、書籍は検討すべき思想を提案したり、論じたりした。そうした思想によって、大衆社会は活気づいた。クリストファー・ボームの「順位制の逆転」が新しい形で普及し、平等主義の価値観を大衆社会のなかに生みだした。

それが識字率向上の結果として起こったことだ。大衆社会が数の問題を解決し、集団で問題を議論し、意思決定する能力を取り戻すと、大半の人から好ましく思われていなかった文明国家における権力と特権のピラミッド構造は、もはや不可避的に必要なものではなくなった。社会がみずから進む方向を決めるように——別の言葉で言えば民主的に——なるとすぐに、人々は階層よりも平等をつねに好んでいたことを思い出した。革命の勃発が、多くはつぶされながらも、次から次へと続いた。こんにち、世界の人口の大半はおおむね民主的な社会に生きているし、他のほとんどの社会も民主的であるかのように装っている。

平等の原則の復活によって、その受益者が必ずしも平和に暮らせるわけではないことは、革命期のフランスの例で明らかである。とはいうものの、わたしたちの祖先である狩猟採集民も決して平和には暮らしていなかった。民主主義が地球上で支配的な政治形態になると、興味深い新しい可能性が広がる。だが、それはまだ先の話だ。残念なことに、当時の民衆革命の大きな効果は、疑似的な平等主義、すなわちナショナリズムを利用して国民全体を戦争に巻き込むにはどうすればいいかを、ヨーロッパの国々に示したことだった。

ナショナリズムの台頭

ナポレオンがフランス皇帝に即位すると、他国にとっては国民を武装させるほうが安全になった。革命後のフランス軍はもはや解放者ではなく、母国を攻撃する外国人にすぎない。王たちは生き残りをかけ、国民を動かしてフランスに抵抗するには、彼らのあいだに生まれつつあった愛国心を利用できることを徐々に理解していた。たとえば五年にわたってフランス部隊に占領されたスペインでは、市民であるレジスタンス兵士が亡命中の元国王の名において国家主義的なゲリラ戦（スペイン語で「小戦争」の意味）を行なった。彼らはポルトガルからイギリス軍を率いて参戦したウェリントン〔アーサー・ウェルズリー。のちのウェリントン公爵〕の支援を得て、長年のあいだに、ナポレオンのロシア遠征における死者に匹敵する数のフランス兵を殺害した。

ヨーロッパ大陸の他のすべての国を一時的に征服したナポレオンが、一八一二年に四四万の大軍を率いてロシアに侵攻したとき、ロシアもナショナリズムを結集させた。この戦争は、ロシアの歴史では「一八一二年の祖国戦争」と呼ばれ、限定戦争や職業的軍隊の時代には存在しなかった国粋主義的な敵意をかき立てた。そのためより過酷な戦闘になった。ナポレオンがモスクワに入る前にロシア軍が最後の抵抗を行なったボロジノの戦いでは、ロシアが三万五〇〇〇、フランスが三万の兵士を失った。

渓谷を見下ろす山頂に着くと、（前方の）砲台やその周辺からぶどう弾を撃ち込まれたが、わたしたちは止まらなかった。わたしは脚を負傷していたが、部下と同じように、飛んでくる弾丸から身をかわした。全隊列、いや小隊の半分が敵の砲火に倒れ、大きな穴が開いた……ロシア軍に止められそうになったが、三〇メートルくらいのところで一斉砲撃をして、突破した。それから要塞に向かって走り、すき間からなかに入った。わたしが入ったのは、一発撃ち込まれた直後だった。ロシアの射撃兵たちは棒や石鎚（いしづち）を振り回したので、つかみ合いの戦いになった。恐るべき相手である。おびただしい数のフランス兵が射撃壕に倒れ込み、すでにいっぱいになっていたロシア兵の上に重なった。

第三〇連隊 シャルル・フランソワ大尉(7)

弾丸でハチの巣にされた無数の兵士たちの身の毛もよだつような光景が広がっていた。フランスの兵士もロシアの兵士も一緒くたにされ、負傷した者の多くは動くこともできず、荒々しい混沌のなかで、馬の死体や粉々になったたくつわとともに横たわっていた。

ミハイル・バルクライ・ド・トーリ陸軍元帥　ロシアの陸軍大臣兼総司令官（一八一〇～一八一五年）(8)

ナポレオンはボロジノの戦いを含めたすべての戦闘で勝利し、さらにモスクワを占拠したが、ロシア側は敗北を認めなかった。ド・トーリの命令によって、ロシア軍は農作物や食料の備蓄を廃棄してフランス軍に残さなかったため、ナポレオンは、厳冬のロシアで食べるものもなく、結局、退却せざるを得なかった。生きてロシアを脱出できたフランス兵は、わずか数千人だった。

プロイセンに入る

　召集を一年早め、徴兵の免除をすべて取り消すことで、ナポレオンは一八一三年の春になんとか最後の大軍を編成した。しかし、フランスもいまや人員不足に陥っていた。新兵のなかには、わずか一週間の訓練後に戦場に送られた者もいた。さらに深刻なことに、プロイセンでついに徴兵制が導入された。ヨーロッパでプロイセンほど独裁的で、階級的特権と不平等が蔓延している王国はなく、一八一三年の法律によって、プロイセンの男子はすべて二〇歳になると正規軍における三年間の兵役、その後二年間の予備役、さらに一四年間の地方守備軍（ラントヴェーア）の役務が義務づけられた[9]。

　プロイセン陸軍の改革派は、ナポレオンに対する戦争が新たにはじまると、自国の社会のあらゆる規則を破り、農民、ブルジョアジー、貴族に平等に開かれた新しい勇者のための勲章である鉄十字章を創設した。法令には次のように述べられている。

1812年にナポレオンの大軍がロシアから撤退する様子
ヨハン・クライン作

国家のすべてが危機に瀕している現在の大惨事において、国家を高みへと導く活力ある精神は、特別の記念となるものによって称えられ、記憶にとどめるにふさわしい価値がある。国民が臆病にならず、鉄の時代の抗しがたい悪に耐えたことは、今、すべての人の胸を熱くし、信仰と国王ならびに国への真の忠誠心にもとづいてのみ貫かれた大いなる勇気によって示される[10]。

改革派は、愛国心と強制力によって、すべての市民が平等であるという革命的な理想がなくても、徴兵制が機能することに賭けた。戦場では、ふだんの生活で否定されている平等が約束されているからだ。改革派は正しかった。

「国民軍が必要だ」とブリュッヘル元帥はプロ

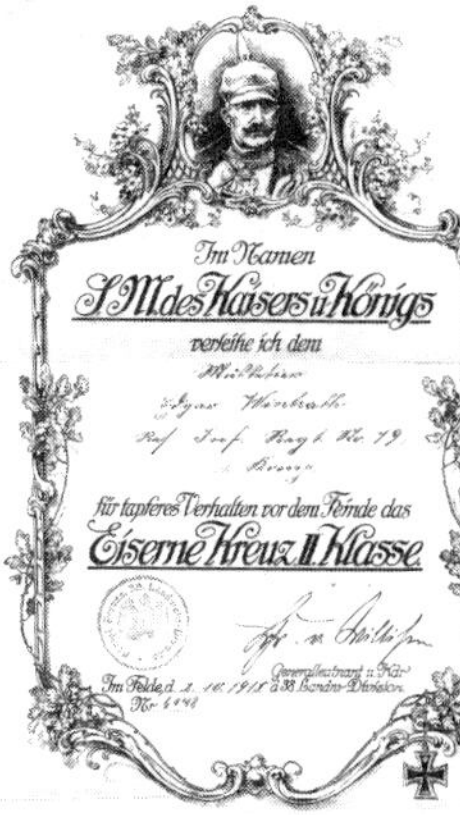
Im Namen
S.M. des Kaisers u. Königs
verleihe ich dem
für tapferes Verhalten vor dem Feinde das
Eiserne Kreuz II. Klasse

エドガー・ウィントラスに与えられた二級鉄十字章
1918年10月

イセンの改革派に懇願し、一八一三年、それを実現した。徴兵による「ラントヴェーア」の大隊は、プロイセン軍の規模を三倍に拡大し、一八一三年の諸国民の戦いとも呼ばれるライプツィヒの戦いと一八一五年のワーテルローの戦いで大きな役割を果たし、ナポレオンに決定的な敗北を与えた。

ラントヴェーア大隊は、はじめは良くも悪くもないものだったが、火薬をたっぷり味わったあと、正規軍と同じように活躍した。

ブリュッヘル元帥[11]

革命戦争やナポレオン戦争での戦闘は、平均すると一八世紀にくらべて規模は大きかったが、本質的な面では変わりなく、武器もほとんど同じだった。大きく変化したのは戦闘の「回数」だ。古典期や三十年戦争の時代には、一年に三ないし四回の戦闘があったと思われ

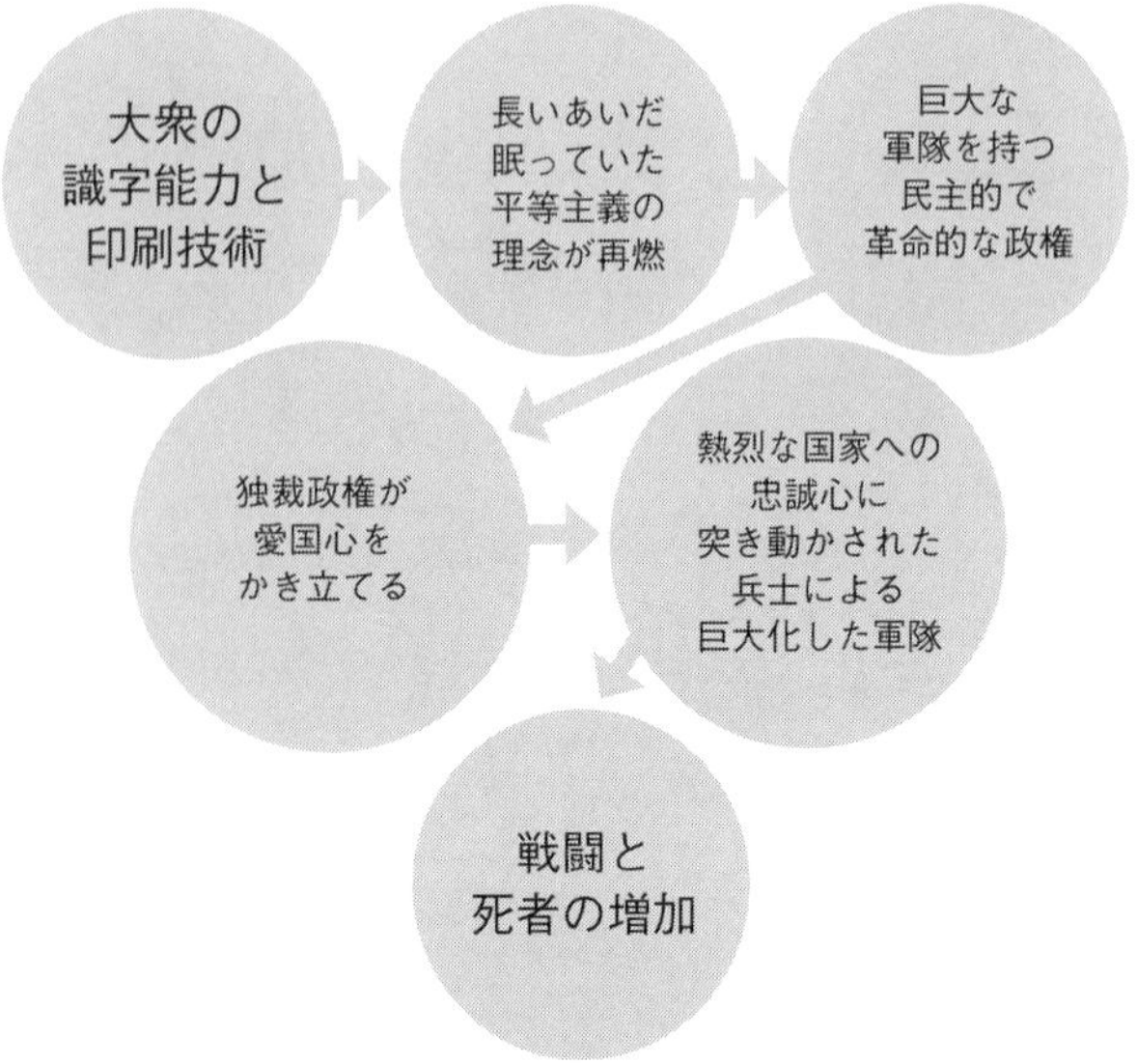

大衆の
識字能力と
印刷技術

長いあいだ
眠っていた
平等主義の
理念が再燃

巨大な
軍隊を持つ
民主的で
革命的な政権

独裁政権が
愛国心を
かき立てる

熱烈な国家への
忠誠心に
突き動かされた
兵士による
巨大化した軍隊

戦闘と
死者の増加

るものの、敵対する軍勢が合わせて一〇万人を超えるような対戦はめずらしかった。だが、一七九二年から一八一四年の期間には、そのような戦闘が四九回もあった。また、より小規模ながら、主要な戦闘が平均して週に一回以上、作戦進行中のいくつかの戦線のどこかで行なわれた[12]。それにより、少なくとも四〇〇万人が殺された。その大多数が兵士だった。史上に例のない数だった。それでも、ヨーロッパ社会がその重圧で押しつぶされることはなかった。ヨーロッパの国々は、富や組織化の技術や動機づけの手法を発展させ、ある程度の民衆を参加させて大規模な戦争を行なうことができたからだ。それは、これまでの他の文明社会ではなし得なかったことだった。

嵐の前の静けさ

流血を顧みず武力を惜しみなく行使する者は、敵が力の行使を弱めれば、優位に立つことができる……戦争の哲学に節度という原則を持ち込むのは馬鹿げている。戦争は、暴力が極限まで押し進められた行為である。

カール・フォン・クラウゼヴィッツ　一八一九年[13]

カール・フォン・クラウゼヴィッツはナポレオン戦争当時のプロイセンの退役軍人で、戦争についての彼の著作は後世の兵士にとっての福音となった。しかし、暴力の規模を制限するひとつの形態は、一九世紀の大半にわたって存続し、一般市民は概して戦争の最悪の恐怖を免れた。

それには三つの理由があった。まず、武器や装備生産の重要性が、大量の兵士が果たす役割に比べて小さかったこと。また、いずれにしても、軍には敵の生産拠点に届くような武器がなかったこと。さらに、兵士たちが市民に武器を向けたくなかったことである。残念ながら、はじめのふたつの条件が変わったとき、三つ目の理由は障害ではなくなった。

一八一五年にナポレオンがワーテルローの戦いで復活を試みながらも敗退してから四〇年間、ヨーロッパの大国のあいだでは平和が続いた。フランス革命の行き過ぎに対して、保守派の大きな反動が起こり、徴兵制による大規模な軍隊も、他の危険な革新とともにおおかた消滅した。ヨーロッパのほとんどの国において、軍隊は小規模な専門的集団に戻った。しかし、一八五四年から一八七〇年までの世紀半ばに戦争が相次いで起こる頃には、海軍に守られたイギリス以外のヨーロッパの大国はすべて徴兵制を再開した。また、この頃までに、新しいテクノロジーが戦争に浸透しはじめていた。

アメリカ南北戦争

世紀半ばの最大の戦争が行なわれたのはヨーロッパではなかった。アメリカの南北戦争だ。この戦争では、ふたつの世界大戦、朝鮮戦争、ベトナム戦争、アフガン戦争、イラク戦争での戦死者より多い六二万二〇〇〇のアメリカ兵が死んでいる。しかも当時は人口が現在の一〇分の一しかなかった。南北の両軍ともすぐに徴兵制を施行したため、軍隊は巨大になった。北軍は四年にわたる戦争のあいだに二〇〇万人近く、南軍は全人口わずか三一〇〇万人のなかから一〇〇万人が入隊した。そのうち五分の一が戦死している。

それ以前の一〇年のあいだにライフル・マスケットが普及し、平均的歩兵が敵に命中させることのできる射程距離が五倍に伸びた。まもなく守備につく歩兵たちは可能なときはいつでも自然の障害物の陰に隠れるようになった。実際には、歩兵が発砲する距離は滑腔式マスケット銃を使っていた時代とそれほど変わらず、交戦の平均距離はおよそ一二〇メートル程度だった。だが、精度は大幅に改善され、大半の兵士が狙い撃ちをし、多くが標的に命中した。(14)

可能なときはいつでも身を潜めるという歩兵たちの新たな習慣は、一八六二年八月の第二次マナサスの戦いのような戦闘の方向を決めた。ストーンウォール・ジャクソン〔本名はトーマス・ジョナサン・ジャクソン〕が率いる南軍のヴァージニア隊が、鉄道の切り通しの陰に並んで、三倍もの数の北軍歩兵の攻撃を受けたときのことだ。攻撃の真っ最中に、ある北軍の将校が黒色火薬の煙のなかを馬に乗って部隊に先駆けて前進し、奇跡的に無傷のまま切り通しのへりに着いたが、剣を手に、二、三秒立ち止まった。その将校は勇敢ではあったが、役立たずだった。真下にいた南軍の兵士たちが叫びはじめた。「殺すな！　殺すな！」だが、数秒後、彼も馬も、ロマンのない兵士たちに撃たれて死んだ。(15)

わたしはふたつの大きな戦争に従軍し、両方で銃弾がヒュッと音をたてるのを聞いた。

だが、南軍兵士は死者、負傷者、捕虜をのぞいてはほとんど見たことがない。チャンセラーズヴィルの戦いでは指揮官でさえこう言った。「まったく、南軍の兵士などどこにもいないじゃないか。煙と茂みと味方の兵士が大勢転げまわっているだけだ」今ならその意味がよくわかる……穴のなかに隠れ、背後の丘に性能の良い砲台を置けば、腕のたつ兵士でなくても、三倍の人数を撃退できる。

セオドア・ライマン中佐[16]

アメリカの南北戦争では、第二次マナサスの戦いで大破壊をもたらした先込め式の単発ライフル銃に加え、あらゆる近代兵器の先駆けとなるものが使われた。七連発ヘンリーリピーターのような元込めの弾倉式ライフル、ガトリング機関銃のような初期の手回しマシンガン、施条した元込め式大砲、潜水艦、装甲艦などだ。さらに、熱気球による原始的な航空偵察も行なわれた。広範囲におよぶアメリカの鉄道網によって、部隊は長距離でもすばやく移動できた。南北戦争は、歴史上はじめて歩兵が全行程を徒歩で移動しなかった戦闘となった。また、司令官たちは電報を使って、広範囲に配置された大規模部隊の動きを調整した。

ある意味、南北戦争はぎりぎりのときに起こった。一〇年や一五年あとであれば、こうした新しい武器の多くは、信頼性の高いものが大量に利用されただろう。その結果、第一次世

ヴァージニア州ピーターズバーグの塹壕。戦闘前の兵士たち
1865年

界大戦のようになっていたはずだ。南北戦争当時は、ほとんどの武器が希少で、当てにならないものだった。大砲はとくに役に立たず、歩兵のライフル・マスケットと射程距離が変わらなかった。死因がわかっている一四万四〇〇〇の兵士のうち一〇万八〇〇〇人はライフル銃で殺されている。砲弾の破片で殺されたのはわずか一万二五〇〇人、剣や銃剣による死者は七〇〇〇人だった。

二〇年後、野砲は二キロ程度まで正確に着弾できるようになったうえ、砲弾の炸裂によって半径六メートルの範囲に殺傷能力を持つ破片を一〇〇〇個も飛散させた。そうなれば、死者の数は大きく変わっていただろう。南北戦争の戦場は、最後には不吉なまでに近代戦争の様相を呈していた。一八六五年、ピーターズバーグの周りの前線では、野戦用の塹壕は横穴、鉄条網、聴音哨を備えた巧妙なものになり、第一次世界大戦の塹壕の原型となった。

さらに、南北戦争によって未来の戦いでは相手が比較的弱くても、決定的勝利を収めることがいかに難しくなるかが示された。北軍は事実上、南軍の四倍の規模の兵力（南軍は膨大な数の黒人奴隷を兵力にしなかったため）と、少なくとも六倍の工業資源を有し、南部が分離独立する前年には国の鉄鋼の九四パーセント、石炭の九七パーセント、銃器の九七パーセントを生産していた。[17]それでも南部を屈服させるのに、四年間の全面戦争が必要だった。

北部は無慈悲な経済戦争も行なった。当初から、南部が海外取引をできないようにするため、厳しい封鎖を実行した。ウィリアム・テカムセ・シャーマン将軍（南部連合のジェファーソン・デイヴィス大統領に「アメリカ大陸のアッティラ（フン族）」と呼ばれた）は、最後には、意図的に深南部（ディープサウス）の広大な土地を破壊した。シャーマンはこう述べた。「われわれは敵の軍とだけでなく、敵対する人々とも戦っている。老いも若きも、富める者も貧しい者も、戦争の厳しさを感じなければならない」[18]

こうした「焦土化」は倫理に反すると抗議する人々に対し、シャーマンはこう答えた。「わたしの蛮行や残酷さに抗議する人々に対して、こう答えよう。戦争は戦争だ……平和を

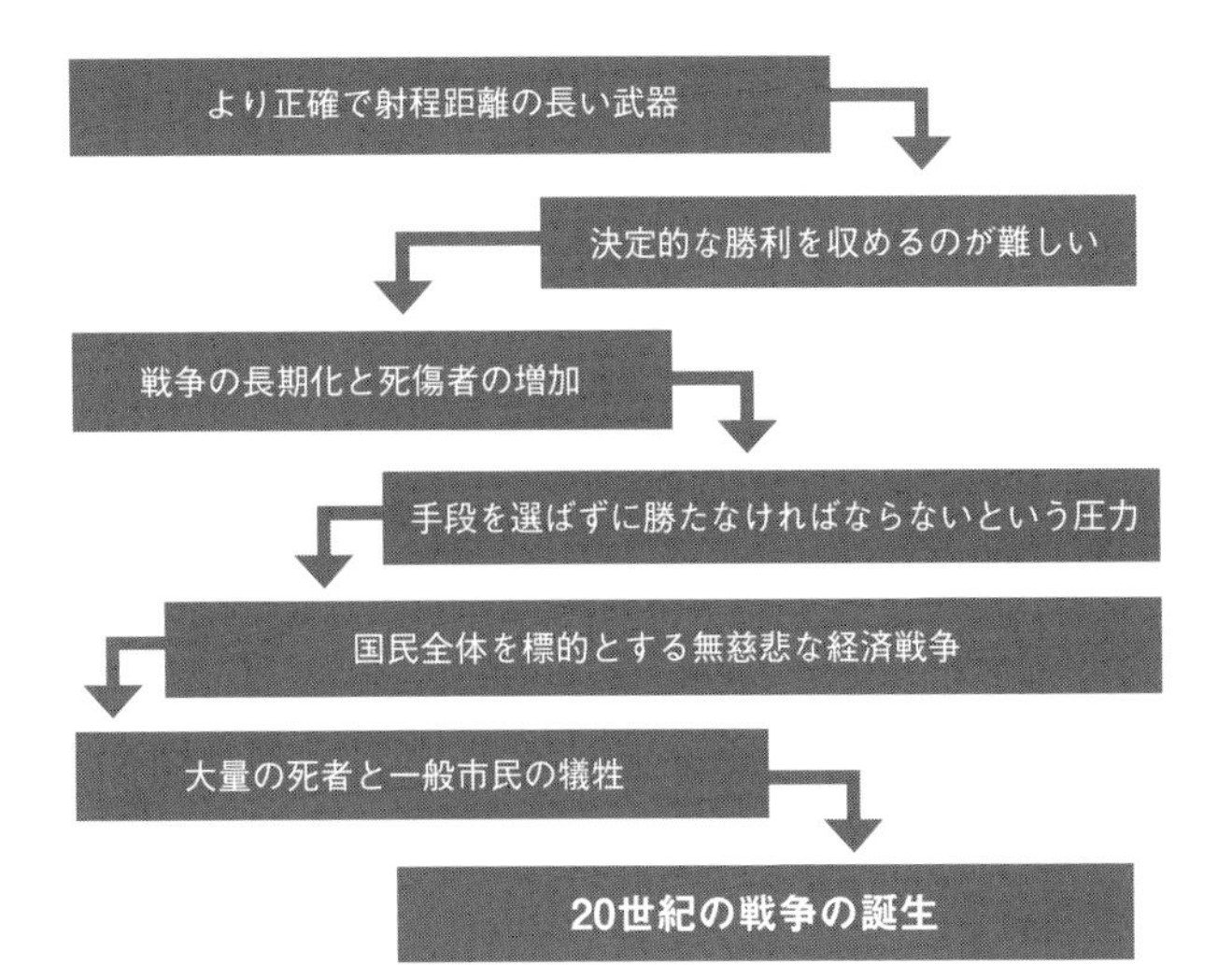

望むなら、彼らが親戚縁者とともに戦争を止めなければならない[19]」シャーマンは生まれるのが早すぎた。

第7章
全面戦争

連続的な前線

まず、虐殺が増えるだろう――あまりに恐ろしい規模であるため軍隊を決定的な決着へと押し進めるのが不可能となる。軍隊は昔の条件のまま戦っているのだと考えて決着を試みるが、その試みを永久に捨てなければならないという教訓にたどり着く。そして……戦闘のための資源がますます逼迫する長い時代に入る。次の戦争では誰もが塹壕のなかに放り込まれるだろう。

I・S・ブロッホ、一八九七年[1]

一八九七年、ワルシャワの銀行家で熱烈な平和主義者イヴァン・ブロッホがロシアで発表した次の大きな戦争についての予測には、当然ながら議論の余地がなかった。戦争となれば、列強は何百万もの兵士を召集し、列車で最前線に送り込む。いまやどの兵士も射撃能力を備えているため、最終的に膠着状態に陥るのは避けられなかった。戦争では攻撃するよりも守るほうがはるかに容易だからだ。しかし、職業軍人たちはブロッホの研究を深刻にはとらえず、どの国の軍隊も決め手となる戦いを早く仕掛ければ、六カ月以内に決着できると確信し、一九一四年、一斉に戦争に突入した。

第一次世界大戦は、貿易や海外植民地をめぐる争いでも、征服者と名乗る者を止める戦いでもなかった。一九一四年に戦争を起こそうとは誰も望んでいなかったし、計画してもいなかった。隣接する国同士の戦争では、たいがい具体的で、多少なりとも合理的な理由がある。だが、多くが参加する同盟のシステムでは、ヤノマミの村であろうと、二〇世紀のヨーロッパ列強であろうと、システム全体がまったく意図せずに戦争になだれ込む可能性がある。

フランスは、人口も産業も急拡大しているドイツを恐れ、ドイツの向こう側のロシアと同盟を結んだ。ドイツは包囲されたと感じ、オーストリア＝ハンガリー帝国と組んだ。オーストリア＝ハンガリー帝国も、バルカン半島の領地をめぐってロシアと争っていたため、ドイツの後ろ盾がほしかった。イギリスは、やはりドイツの台頭を恐れてフランス、ロシアとのあいだに「協商」（同盟とほぼ同じ）を結んだ。これらはすべて、万が一の不測の事態を恐れてのことであり、激しい敵意によるものではなかった。だが、もしどこかの国が戦いを仕掛ければ、それが同盟のシステムからはずれた国であっても（一九一四年、オーストリア＝

ハンガリー帝国がセルビアに宣戦布告したように）、双方の同盟の加盟国すべてが、大戦争に容易に引き込まれるかもしれなかった。

そして、わずかひと月でそうなった。システム全体が一触即発の状況だったからだ。そうなるはずではなかったが、戦争に行き着く決定的な戦いが今にも起こり（それは誤解だったものの）、最初に動いて攻撃した国が有利だという考え方に支配されたせいだった。事実、機動戦を終わらせ、第一次世界大戦の兵士たちにヨーロッパで塹壕を作らせたボルトアクション式の連発銃、空冷あるいは水冷式機関銃、速射の長距離迫撃砲、有刺鉄線などはアメリカ南北戦争の初期に誕生し、一九〇四年から一九〇五年の日露戦争では十分な性能を持つまでに発達していた。しかし、このふたつの戦争はヨーロッパ以外で起きたため、広くは知られていなかった。ブロッホの警告にもかかわらず、一九一四年、戦争に突入する時点で自分がどこに向かおうとしているのかをわかっている兵士はほとんどいなかった。

大きな鉄のハンマーが、われわれの塹壕の上を終わることなく叩くのが聞こえる。激震、そして時間が止まる。一〇五、一五〇、二一〇――あらゆる大きさの弾丸が飛んでくる。崩壊の大混乱のなかで、塹壕の骨組みが覆いかぶさってくるのが瞬時にわかる。ヒューヒューと恐ろしい音がしたとたん、苦しさに耐えながら互いを見る。全員が背を丸め、恐怖で縮みあがり、その息の重みの下で身を屈める。ヘルメットがぶつかり合って音を立てる。われわれは、酔っぱらいのようによろよろ歩き回る。梁が揺れ、むせかえるような煙が塹壕を埋め尽くし、蠟燭が消える。

フランスの退役軍人(2)

ドイツ軍は予備役を連隊に加え、一九一四年八月の最初の二週間のうちに規模を六倍に拡大した。八月半ばまでに、一四八万五〇〇〇のドイツ兵が列車でフランスとベルギーの国境に運ばれた。フランス、オーストリア、ロシアの軍もなんとか同様の体制を築いたが、一〇月にはすべての軍が動きを止めた。

速射迫撃砲や一分間に六〇〇発を射出する機関銃などの機械兵器が、死を招く鋼鉄のみぞれを降らした。地上に出ようとする者は、ほぼまちがいなく撃たれた。殺人が機械化され、人間は次々と作られる地下の塹壕にとらえられ、機械の囚人となった。

一九一五年はじめには、軍当局はまったく新しい戦略上の問題に直面したことに気づいた。戦線に途切れがない。敵陣に回り込める側面はなく、英仏海峡から中立国のスイスまで、双方の塹壕が約七六〇キロメートルにわたって延々と続いた。互いの最前線はたいてい二、三〇〇メートルしか離れておらず、一〇〇メートル未満のところさえあった。

連続的な前線は単純な数学の結果だった。一九世紀の後半に射撃能力が飛躍的に高まったため、歩兵たちはより広い範囲を制圧できるようになり、もう肩を並べて敵に向かう必要はなくなった。一八九九年のボーア戦争のときには、約九〇〇メートル先まで一分間に一〇発の弾丸を射出できる銃があれば、約三メートルおきにひとりのライフル銃兵を配置することでイギリス軍の正面攻撃を止められるとボーア人はわかっていた[3]。

ひとりの歩兵が維持できる幅を、召集される何百万もの男たちでつないでいけば、前線は当然ながら途切れなく続いていく。軍はいまや拡大できる限り拡大するのが可能になり、実際にそうした。フランス国内だけでなく、遠く離れたロシアまで、また、のちにはイタリア北部、ギリシャ北部、トルコ北東部、メソポタミア（現在のイラク）、パレスチナまで前線が伸びた。

前線の兵士たちにとって、はじめて経験する形の戦争だった。それ以前は、包囲戦のあいだをのぞけば、敵と接触するのは年に数日だけだった。いまや、つねに敵の怒鳴り声が近くに聞こえる前線にいて、日々、殺される危険と向き合い、塹壕のなかで過ごす惨めさに耐えていた。

この粥のような泥沼に足が浸かったままでいるため、「塹壕足」と呼ばれる症状が出た。連隊では、何人もが足を切断しなければならなかった。
イギリスの退役軍人

ネズミには悩まされる。負傷して誰にも手当してもらえないと、ネズミに食われる。そこは生きるには惨めで汚い場所で、人間が知るすべての腐敗が存在する。
イギリスの退役軍人

砲兵隊の戦争

戦線に切れ目がないということは、正面の敵陣を突破するまでは動きがとれないばかりか、どんな攻撃も正面攻撃とならざるを得なかった。歩兵は、援護なしに前進すれば虐殺される。突破するには、攻撃前に敵の塹壕と銃座を砲撃によって破壊して、射撃能力を弱めるしかない。そのため、塹壕戦は砲兵隊の戦争となった。

いまや犠牲者の半分以上が砲弾によるものとなり、砲弾の製造が需要に追いつかなかった。フランスは戦争勃発前には七五ミリメートルの砲弾を一日に一万発使用する計画でいたが、一九一五年には一日二〇万発を製造しても足りなかった。一九一七年、第三次イーペル会戦

（パッシェンデールの戦い）のはじまりとなった一九日間のイギリス軍による爆撃では、四三〇万発の砲弾が使われた。重さにして一〇万七〇〇〇トン。五万五〇〇〇人の労働者が一年間かけて製造する量である。[4]

それでも敵の前線を突破することはできなかった。砲撃によって敵の最前列の塹壕の機銃のほとんどを破壊したものの、生き残った兵士たちに前進を妨害され、大きな犠牲を払うことを余儀なくされた。たとえ、わずか一日で敵の最前線の塹壕を占領できたとしても、敵の予備隊に新しい塹壕へ人員を配置する十分な時間を与えるだけだった。三年以上のあいだ、どちらの側も西部戦線を一〇マイル（約一六キロ）さえ動かすことができなかった。

……昼間は砲撃を受けた地域に煉瓦くずの赤い煙が立ち込め、夜は東の地平線がうなり声をあげ、閃光を放つ。こうした荒れ果てた場所のいたるところに囚われた男たちの顔や姿が見える。みな泥だらけで、汗にまみれた服は白く粉をふき、真珠色の列を成している。銃を抱え、重い足取りで月夜に炸裂する砲火の光のなかを進む隊列。出発点にひかれた線の上に無言のまま青ざめた表情で身を低くしている突撃部隊の「波」。

彼らとともに身をかがめると、頭上を勢いよく飛んでいく鋼の氷河が、耳に響く怒号のひと言ひと言、一音一音を削り取る……彼らとともに前進する……破壊された大きな蜂の巣のような地面を登ったり、くだったりする。わたしの波が散り散りになると、次の波が現れ、さらにそれも消えると、崩れたひとつ目とふたつ目のあいだに第三の波が現れる。しばらくして、四番目の波がその他の残った者たちのなかへまごつきながら混ざる。わたしたちは喘ぎ、汗をかきながら、一斉射撃に加わるために、ひとかたまりになって走り出す。どういうわけか、何カ月も訓練や演習で学んだことをすべて忘れている。

切断されていない鉄条網のところまで来ると、向こうに、灰色の石炭バケツのヘルメットが細かく上下に動くのが見える……機関銃の大きな音が、一〇〇台の大砲から噴き出る蒸気の甲高い音に変わり、すぐに立っている者はいなくなる。一時間後、わたしたちの大砲が「ふたたび第一の標的」になり、旅団は希望と信念を抱きながらも、ソンムの戦場の北の斜面が墓場となることを知った。

ヘンリー・ウィリアムソン『湿ったフランドルの平原』(5)

毒ガスのような新しい兵器も膠着状態を破ることができず、ひたすら犠牲者を増やし、戦争は単に兵士や装備の消耗の問題となった。一九一六年ソンムの戦いでは、イギリス軍は五カ月かけて四五平方マイル(約四二〇平方メートル)を占領し、四一万五〇〇〇人の犠牲者

人員消耗の冷酷な比較

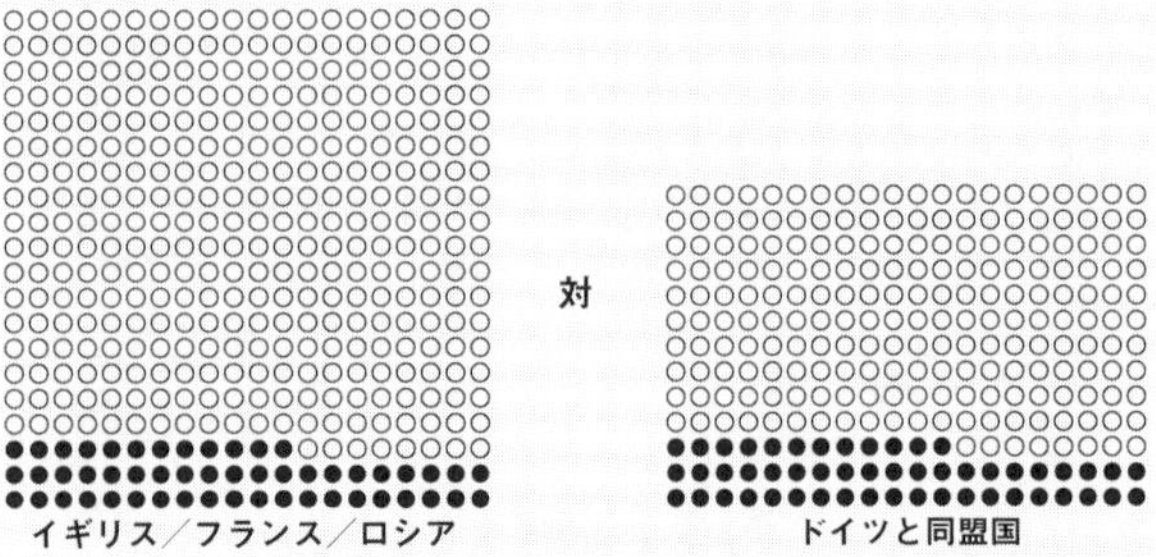

イギリス／フランス／ロシア　対　ドイツと同盟国

○＝8000人の召集可能な部隊（概数）
●＝8000人の確認された犠牲者と不明者（概数）

を出したが――一平方マイルあたり八〇〇〇人以上（一平方メートルあたり一〇〇〇人近く）――ドイツ軍も同様の割合で兵士と装備の犠牲を余儀なくされた。イギリス、フランス、ロシアの人口の総計は、ドイツとその同盟国の人口の総計の二倍であるため、この規模の戦いを十分に行なえば、最終的にはこれら三カ国が優勢になると思われた（誰も声高には言わなかったが）。

一般市民

消耗戦は、兵士だけでなく一般市民にもおよんだ。健康な若い男性は軍隊へと消えたため――フランスでは国民全体の二〇パーセントが、ドイツでは一八パーセントが軍服を着た――民間の経済も事実上徴発された。労働力と原材料は市場ではなく政府の命令で分配され、食料と希少な消費財には配給が義務づけられた。

イギリスの砲弾工場に動員され旋盤を扱う女性

何百万もの女性が、戦場に行った男性の代わりにはじめて工場労働者となった。「国内戦線」という新しい言葉が使われ出した。戦争に勝つには、軍需物資を製造する労働者やその他広く一般のものを生産する役割が、前線にいる兵士と同じくらい重要だったからだ。しかし、すべての「戦線」は攻撃され得る。そして、実際に攻撃された。

経済戦争の舞台はほとんどが海上だった。双方とも、即座に敵の海上貿易の封鎖を行なった。イギリスはドイツの港に向かう船をすべて止め、ドイツでは戦争の最後の二年間で、平時の死亡率を上回る八〇万人以上が栄養失調によって死んだ[6]。ドイツは、海軍の規模がより小さく、イギリスの海路による食料と必需品の供給を妨害するのに潜水艦を使った。ドイツの潜水艦Uボートは戦争のあいだ、一五〇〇万トンの船を沈めたが、供給の流れを止めることはできず、一九一七年一月に「無差別」潜水艦戦争を宣言した。これに対して、アメリカが反発して参戦した。アメリカの参戦はこの年の後半にロシアが革命を理由に戦線から離脱する連合国側の損失を補ってあまりあるものだった。さらにイギリス海軍が一九一七年九月に伝統的な護送船団方式を復活させて以来、イギリスに向かう船の損失も激減した。

だが、敵の経済を攻撃する別の方法があった。工場や戦時労働者への直接攻撃である。ライト兄弟が動力飛行機を発明してからわずか一二年後、ドイツにはすでに何百キロメートルも飛行し、都市に爆弾を投下できる航空機があった。それがツェッペリン型飛行船である。当然のことながら、ドイツはこれを使った。

一二ないし二〇機のツェッペリン型飛行船を配備し、乗組員を組織的な特別部隊として機能するよう訓練するという考え方だった。それぞれの飛行船に約三〇〇発の爆弾を搭載して、夜間に同時に爆撃を行なう。その結果、六〇〇〇発もの爆弾が一瞬にして（ロンドンに）降り注ぐ……わたしは、技術面での意見を求められたとき、倫理面は別として、まちがいなく可能であることに同意した。

ドイツ軍　ツェッペリン型飛行船船長　エルンスト・レーマン(7)

家で爆弾に殺されるより、銃弾へ向かうほうがずっといい

すぐに入隊し空襲を止めよう

国王陛下　万歳

ツェッペリンで新兵志願を促す不謹慎なポスター。1915年

エセックスに落ちたツェッペリンL33の残骸
2機のうち1機が1916年9月23日から24日の夜に墜落

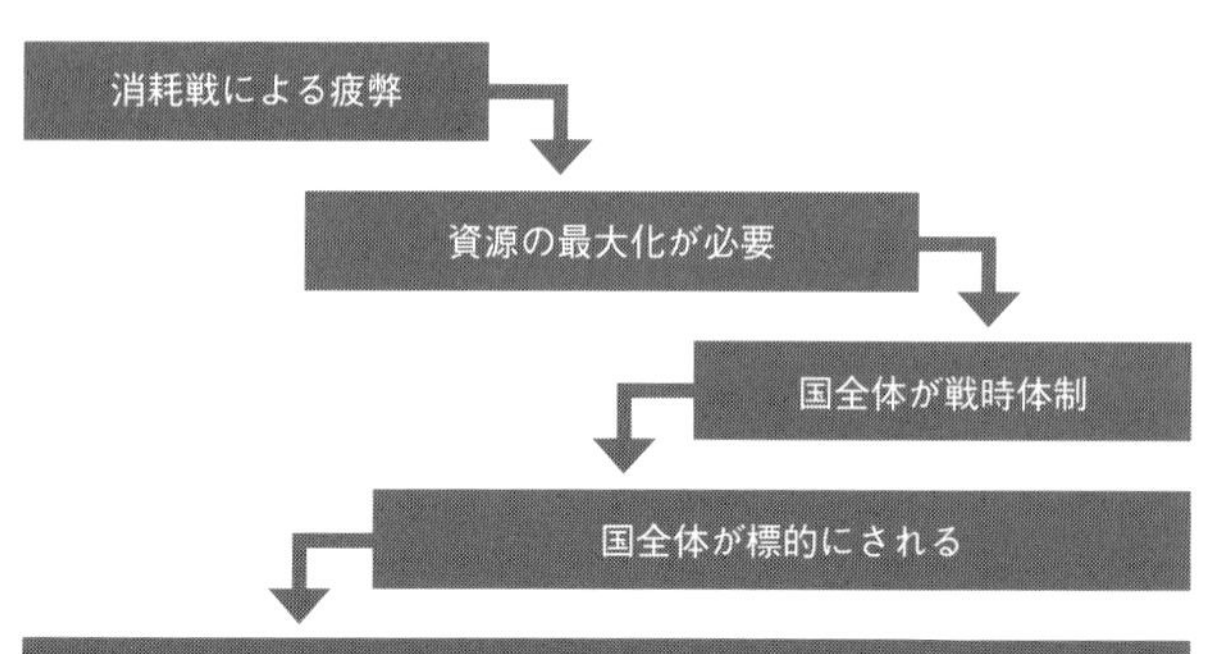

ロンドンの最初の大空襲は一九一五年九月の夜だった。ツェッペリンL15が一五発の爆弾と五〇発あまりの焼夷弾を落とし、一七人が死んだ。その後の襲撃では、より多くの飛行船や、双発あるいは三発爆撃機も投入されたが、大戦終結までにイギリスが出した一般市民の死者や負傷者は四〇〇〇人足らずだった。にもかかわらず、この空襲はロッテルダム、ドレスデン、広島など、二〇世紀に空中から破壊されたすべての都市、さらには核抑止政策にとって前例となった。一九一五年以降は、誰が戦争の標的にされてもおかしくなくなった。

ランドシップ

パニックが、電流のように塹壕の兵士たちに次から次へと広がった。頭上に履帯が揺れるのが見えると、もっとも勇敢な兵士たちは、自滅を覚悟で反撃しようと地上に出て、戦車の屋根に手榴弾を力いっぱい投げつけたり、届く限りの覘視孔めがけて発砲したり、銃剣を突き刺したりした。彼らは撃たれるか、押しつぶされるかし、それ以外の者は恐れ慄き、両手を挙げて降伏するか、交通壕にもぐり込んで控えの部隊のほうに向かった。

はじめて戦車に遭遇したドイツの歩兵の言葉　一九一六年(8)

一九一四年の後半、塹壕が登場したわずか一、二カ月後に、イギリスの参謀将校E・D・スウィントン大佐は、塹壕の問題に対する解決策を思いついた。機関銃攻撃に耐えられ、みずからも銃を備えた車両だ。漏斗孔〔砲弾の破裂でできたくぼみ〕、有刺鉄線、塹壕の上をキャタピラで踏み進んでいけるようにする必要もある。初期に製造された型は「ランドシップ」と呼ばれ、一九一六年後半に西部戦線に現れた。だが、実際に多くの車両が戦闘に出たのは一九一七年一一月のカンブレーの戦いであり、そのときは四七六台が使われた。

また、カンブレーの戦いでは、砲兵隊が同時に遠くの予備陣地にいる守備隊と交戦するという徹底した攻撃計画がはじめて立てられ、一五〇門の大砲が援軍として作戦区域へひそかに動かされた。完璧な奇襲攻撃を遂行するため、これらの予備の大砲の射撃では、「目標に狙いを定める」のを通常の方法（数発発射してから正しい位置に着弾しているかを確認す

出動する戦車のはじめての公式写真
1916年フルース・クルスレットの戦いにて　戦車はマークI

る）で行なわなかった。代わりに、すべてを空からの偵察、正確な地図、弾道計算にゆだね、攻撃の朝、一〇〇〇門の大砲が斉射を開始した。これは、「予測射撃」がはじめて大規模に使われた戦闘で、戦車、砲兵観測をする二八九機の航空機、対地爆撃機の支援により、イギリス軍はもう少しでドイツ軍の戦線を完全に突破できるところだった。だが、ドイツ軍の反撃はすばやく熾烈だった。

戦車と予測射撃により、イギリス軍はカンブレーの戦いで四〇〇〇人の死傷者を出しつつも、六時間で九キロメートル近くの進軍を果たすことができた。同年早くに行なわれた第三次イーペル会戦では、同じ距離を進むのに三カ月かかり、二五万もの兵士を失っている。第三次イーペル会戦以降、塹壕での膠着状態は終わった。ドイツも、戦車への依存は少ないものの同様の方法で膠着問題を打開したからだ。

ドイツのゲオルク・ブルフミューラーという砲兵将校が、奇襲と迅速な侵攻のために同様の方法を独自に考案し、一九一七年九月にリガでロシア戦線を攻撃した。事前の警告なしに、間接的で予測にもとづいた大量の砲撃を行ない、歩兵による「突撃隊」が敵の守りの堅いところを迂回しながら敵陣の奥深くまで侵入し、混乱と動揺を広めて、最後には大規模な撤退を余儀なくさせた。

ドイツの戦車は、台数や性能の面でイギリスのものには太刀打ちできなかったが、一九一八年春、(三年間の守勢ののち)攻勢に出たのはドイツ軍だった。ドイツ軍は、アメリカの大規模部隊がフランスに上陸する前に勝ちを決めようと、総力戦の賭けに出た。一九一八年三月、ドイツ軍は、アラスにおいて、攻撃初日に六六〇八門の大砲から三二〇万発を発射し、二週間のうちに、連合国が第一次世界大戦終了までに得たよりも広い領土を占拠した。さらに動きの速い攻撃が続き、連合国は一九一八年春に敗北を迎えそうになったものの、ドイツ軍はパリにもイギリス海峡沿岸にも到達できず、さらに一九一八年三月から七月のあいだに一〇〇万もの犠牲者を出した。(9)

その後、連合国は攻勢に出て、おもにイギリス、カナダ、オーストラリアの軍隊を最前線に置き、ドイツ同様に領土を占拠する力を発揮した。一九一九年の計画では、戦争が続けば、何千台もの戦車を配備し、航空機の密接な支援によって敵の戦線を突破し、そのすぐあとを

第一次世界大戦のドイツ人青年兵

兵員輸送装甲車で歩兵隊が運ばれることになっていた。だが、すべて不要になった。一九一八年一一月までに、ドイツ陸軍が崩壊しかけ、海軍では暴動が起こったため、ドイツ政府は停戦を求めた。

すばらしい勝利、良くない平和？

その後の講和条約は、なぜ「戦争犯罪」条項、莫大な賠償金、帝国のすべての統治権の撤廃などを求めた極端なものになったのだろうか。なぜ平和は二〇年しか続かなかったのだろうか。

第一次世界大戦の原因となった、国同士のライバル関係や軍事的脅威や領土紛争は、せいぜい一五〇年前の七年戦争時代のそうしたものと同程度の重要性しかなかった。だが、その頃の戦争では、小規模な職業軍人による部隊同士が舞台裏で戦い、いたるところにいる一般市民の多くはそれに関与せずにいられた。最終的には、敗者が勝者にいくばくかの領土を渡して、ふたたび平和が訪れた。一〇万人もの兵士が命を落としたが、肝心の国民はそれほど気にせず、どこの政治体制も崩壊することはなかった。

ところが、一九一四年から一九一八年までの戦争は、はじめての全面戦争であり、残念なことにどちらかが完全な勝利を収め、どちらかが完全降伏をしなければ終えることができないというのがヨーロッパ諸国の政府の理解だった。六〇〇〇万の男性が徴兵され、そのおよそ半分が死亡（八〇〇万人）、あるいは負傷（二〇〇〇万人）した。この甚大な損失に耐えようとする国民の姿勢は、戦争を絶対悪に対する倫理的な聖戦に塗り替える憎悪のプロパガンダによって維持された。そのため、各国政府は、戦争のきっかけとなったバルカン半島での些細な争いを収拾し、一部の植民地を交換して、生き残った兵士を故国に返すことさえできなかった。

全面戦争では、勝利は完全でなければならなかった。政府だけでなく、それに依存する政治形態も生き残らなければならない。軍隊の崩壊や、社会革命の影が見えようとも、政府は和解和平を考えようとはしなかった。そして、崩壊と革命が起こった。

崩壊と革命

一九一七年はじめ、ロシア軍が最初に崩壊した。ロシア国民は半飢餓状態に陥り、同年三月にロシア革命が勃発した。四月にはフランス軍の半分の師団が、勝ち目のない突撃戦を命じられて反乱を起こした。秩序が回復されたのち二万五〇〇〇人近くが、軍法会議にかけられた。五月には、四〇万のイタリア人兵士がカポレットの戦場から逃走した。イギリスでも、政治の安定はもはや確実とは言えなくなった。同月のうちに、イギリス陸軍の参謀本部長が、フランスに派遣されたイギリス軍を率いるダグラス・ヘイグ将軍に手紙を書いた。「残念ながら、ロシア革命の結果として国内にいくらかの混乱があるという事実からは逃れられない」[10]

敗者側の帝国――ドイツ、ロシア、オーストリア、オスマン――はすべてこの戦争で崩壊し、とくに後者の三国は、一二以上の新しい国や地域に分割された。ヨーロッパ、中東、アフリカの約半分以上の人々が、それまでとはまったく違う体制のもとで暮らすか、違う国の国民として生きることになった。戦争のあいだ強いられていた全体主義支配が、新しく生まれたソビエト連邦では平時でも続き、イタリアやドイツでは、のちにファシスト政権によって復活した。また、和平調停に対する敗者側の不満はきわめて大きく、わずか二〇年後にふたたび戦争がはじまった。

電撃戦（ブリッツクリーク）

第一次世界大戦の兵士は経験したことのない軍事問題と直面しながらも、塹壕による膠着状態を解決し、各国の専門家は、戦車を利用して戦場における機動力をいかに取り戻すべきかを論じた。第二次世界大戦の初期（一九三九年から一九四一年）に、少なくともドイツ軍は正解にたどりついたようだった。

「ブリッツクリーク」（電撃戦）では、戦車、歩兵、履帯や車輪がついた大砲など高度な機動性を備えた部隊を使い、敵の狭い前線を突破する。対地上攻撃機（急降下爆撃機）が接近支援を行なう。作戦の要はスピードだった。難攻不落な地点で立ち往生するのではなく、敵を迂回し、動き続ける。そうすれば、数時間のうちに守りの厚い区域を抜けられる。機甲部隊が高速で前進し、敵の前線の背後を混乱に陥らせ、さらに後方にある上位の指揮所と通信手段を侵略する。理論上、また初期の電撃戦ではたいがいこの時点で敵の前線は崩壊し、前線を守っていた部隊は本部から孤立し、供給網が断たれたことに気づく。

一九三九年、ドイツは電撃戦により、全ポーランド軍を三週間で破った。ドイツ側の犠牲者はわずか八〇〇〇人だった。翌年春、フランスではこれを上回る成功を収めた。フランスとイギリスは台数や性能ではドイツを超える戦車を保有していたが、ドイツは作戦に長け、わずか六週間で低地地域（ネーデルラント）とフランスを征服した。消耗戦は過去のものになったかのようであるが、そう単純なことではない。戦車は連続的な前線を作り続け、戦線部隊ではなく、一般市民がおもな犠牲となった。

消耗戦の復活

大戦の中盤の、ドイツ軍がソビエト連邦の奥地で戦っている頃、ふたたび消耗戦が行なわれた。ロシアはドイツの電撃戦への対処として、機甲部隊の先鋒を減速させ、最終的に疲弊させるために、塹壕帯、地雷原、掩蔽壕、砲座、対戦車障害物を配置し、防衛地帯を何キロメートルにも厚くした。戦車は攻撃力を回復し、突破作戦を可能にして互角の戦いをしたが、途切れなく続く前線を撤廃するにはおよばなかった。ときおり前線を破ったとしても、敵はたいがい前線を何十キロ、あるいは何百キロと後退させて、ふたたび体制を整えた。

西側同盟国の軍隊の損失は軽く済んだ。一九四〇年五月から一九四四年六月までは、ヨーロッパ大陸では地上で戦う相手がほとんどいなかったからだ（大陸の大部分がドイツに占領されていたため）。一方、東部戦線における損失は甚大だった。たとえば、ロシアは、大戦中に約一〇万台の戦車、約一〇万の航空機、一七万五〇〇〇門の大砲を製造し、少なくともその三分の二が破壊された。だが、完全な動員体制下にある産業社会はこの巨大な損失を吸収し、製造を続けた。ドイツは一八歳から四五歳の全男子の三分の二を兵士として召集し、三五〇万の戦死者を記録したが[11]、一九四五年四月になっても戦闘を続けた。このとき、荒廃したドイツの中心部は、東からのソビエトと、西からのイギリスとアメリカのふたつの進軍

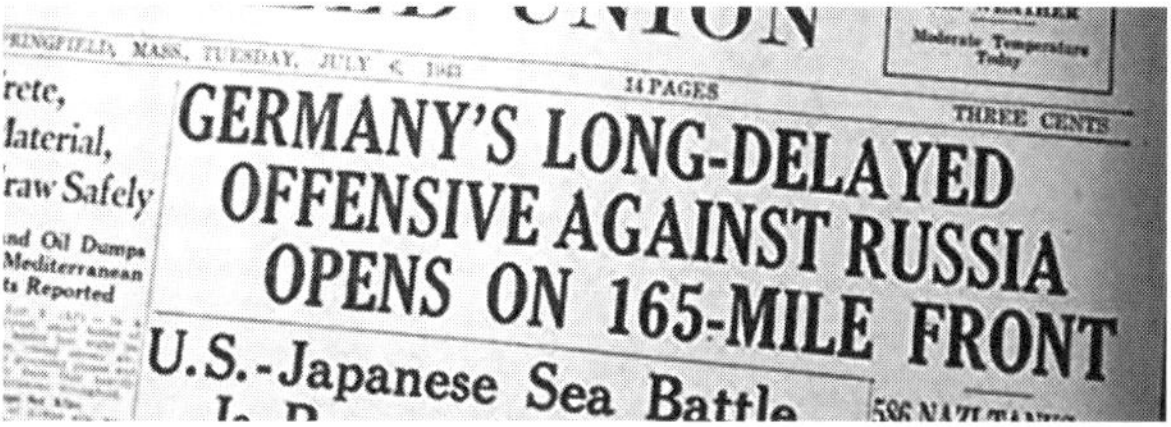
14 PAGES
THREE CENTS
Moderate Temperature Today
GERMANY'S LONG-DELAYED OFFENSIVE AGAINST RUSSIA OPENS ON 165-MILE FRONT
U.S.-Japanese Sea Battle

バルバロッサ作戦開始時の
スプリングフィールド・ユニオン紙のトップ記事

に、事実上挟み撃ちにされた。

一般市民と連続的な前線

兵士の死傷者は多かったが、一般市民の犠牲はさらに大きかった。前線が途切れなく国全体に広がっていたため、その進路にあるものはほとんどすべてが破壊された。

> 内臓が瓦礫に飛び散り、瀕死の男の体から別の瀕死の男に降りかかった。固く鋲留めされた機械が、切り裂かれたばかりのウシの腹のように、炎をあげ、うなりながら崩れ落ちる。木々は粉々になり、大きく割れた窓から粉塵がうねりつつ勢いよく流れ出す。心地良い居間を思わせるものはすべて忘却へと散っていく……班や隊を立て直そうとする将校や下士官の叫び声が響き渡る。こうしてわたしたちはドイツ軍の先遣部隊に加わった。騒音と埃のなかで命令され、ベルゴロドの北のはずれへと進む戦車のあとに舞いあがる土煙のなかを進

んだ……

二日目の夜、燃え尽きたベルゴロドの街は、（こちら側の残存している部隊の）手に落ちた……わたしたちは、確かデプトレオトカと呼ばれる郊外の焼け跡にある地下抵抗組織の拠点をつぶすよう命じられていた。掃討作戦が終わると、わたしたちは大きな漏斗孔の底にくずおれ、呆然としたまま無言で互いを見つめた。誰も口をきくことができなかった……空気はまだうめき声をあげて震え、何かが焼け焦げる匂いがした……四日目か五日目の夜までに、意識せぬまま、ベルゴロドを破壊し尽くした。

ギー・サジェール　ドイツ軍のアルザス地方の徴集兵[12]

侵攻がはじまってから三カ月後の一九四一年一〇月、ドイツ軍は最初にロシア南部にある人口三万四〇〇〇人の街ベルゴロドに到着した。このとき、街は幸運だった。戦闘は二日間におよんだが、建物や一般市民の多くは被害を受けなかった。ドイツ第六軍がスターリングラードで破れ、前線が西に後退したため、一九四三年三月に街はソビエト軍によって解放された。このときも実質無傷だった。ドイツ軍は街を破壊する間もなく、慌てて撤退していったからだ。

サジェールが語ったのは、一九四三年七月の三度目の侵攻についてである。ベルゴロドは、クルスクの戦いでグロースドイッチュラント師団にふたたび占領された。第二次世界大戦におけるドイツ最後の大規模な攻撃だった。六〇〇〇台の戦車、三万の銃砲、二〇〇万の兵士が、何百キロメートルにもおよぶ前線で戦った。ドイツ軍の機甲部隊は、最終的にロシア軍の厚い防衛によって阻止され、八月半ばにソビエトの反撃によってベルゴロドはふたたび解放された。このときはドイツ軍の抵抗によって、三〇〇〇人の兵士が市街戦で亡くなった。戦闘終了後、三万四〇〇〇のベルゴロド市民のうち、廃墟のなかで生き残っていたのはわずか一四〇人だった。残りは逃亡したり、徴兵されたり、命を落としたりした。

ベルゴロドは軍事的に重要ではなかったが、前線が四回も街を通過し、実質的に破壊された。同様のことがヨーロッパの何千という町や村で起こった。第二次世界大戦では、少なくとも第一次大戦の二倍の兵士が戦死し、兵士の二倍近くの一般市民が亡くなった。この一般市民のうち六〇〇万人はユダヤ人で、「人種的」理由からナチスに意図的に殺された。これはホロコーストとして知られている。こうした人々の死や、ナチスによって好ましくないとされたポーランド人、ロシア人、ロマ（ジプシー）、同性愛者の男性、身体障害者の四〇〇万人におよぶ死は、厳密に言えば戦争の一部ではないが、戦時の状況によってこうした行動のすべてが覆い隠された。第一次世界大戦時にも、アルメニア人の虐殺が隠蔽されている。

ドイツより東側にある、戦争がもっとも激しく、長く続いた国々では、第二次世界大戦で平均一〇パーセントの国民の命が奪われた。一九四五年以降は、大規模な常備軍が連続的な前線で戦うことはほとんどなくなった。だが、ときおり起こる人口密度の高い国々での連続的な前線が作られる戦争（朝鮮戦争など）の場合は、一般市民の犠牲者が多くなる。

戦略爆撃

先の戦争における国家の崩壊は、戦場での軍事行為によってもたらされた。（将来は）……空軍によって直接なされるだろう。戦争は、基本的に都市や大きな産業の中心地の非武装の人々に対して行なわれるようになる……こうした無慈悲な攻撃を受けた国は、社会秩序の完全な崩壊を免れない……非人道的で残忍だが、これらは事実だ。

ジュリオ・ドゥーエ少将　一九二一年(13)

第二次世界大戦で亡くなった七〇〇〇万人の少なくとも九七パーセントは、都市に対する空爆で死んだのではない。また、空爆はドイツに降伏をもたらしたわけでもなかった。だが、それは単に技術がそこまで追いついていなかっただけであり、そうしたいという意思は確実に存在した。

敵の本土を破壊するという「戦略爆撃」は、総力戦であれば当然の手段だ。そのもっとも影響力のある提唱者は、ジュリオ・ドゥーエというイタリアの将軍で、早くも一九一五年に、五〇〇の多発機で構成されるイタリア単独の空爆部隊を提案した。だが、ドゥーエの影響をもっとも強く受けたのはイギリスとアメリカだった。両国は技術を重んじ、戦争には、人命ではなく、資金を投入するほうを好んだ。第二次世界大戦でアメリカの主力となった爆撃機B-17は、一九三五年に試験飛行が行なわれている。イギリス空軍の四発爆撃機も、その年に設計された。

一九四〇年九月から一九四一年五月にドイツ軍が行なったイギリスの都市への爆撃は、四万人の一般市民の命を奪ったが、これはイギリスの全人口の一〇〇〇分の一にすぎなかった（イギリスではこの一四倍の犠牲者が出ると予測し、共同墓地の設立を計画していた）。ドイツの短距離双発爆撃機は戦場で使うために設計されたものだったので、それほどの性能がなかったからだ。

イギリスの爆撃機はより大きく、長距離を飛べたが、ドイツ空軍の防御が堅いために爆撃は夜間にしか行なえず、標的（工場や鉄道の線路など）に命中させることはほとんどできなかった。一九四二年はじめ、空軍中尉サー・アーサー・ハリスが爆撃機軍団司令官に着任し、爆撃の対象はドイツの一般市民であることを明確にするべきだと主張した。この新しい方針は、ドゥーエが最初に提唱した考えと同じだった。

ハリスの指揮のもと、一九四二年四月、一〇〇〇機の爆撃機がケルンを襲撃してはじまった「集中爆撃」戦略により、三年間で五九万三〇〇〇人のドイツ市民の命が奪われ、三三〇万戸の家屋が破壊された。しかし、効率はあまり良くなかった。戦争後期には、イギリスの人的資源と工業資源の三分の一が爆撃機軍団の維持に使われ、五万五〇〇〇のイギリスとカナダの乗組員が亡くなった。最悪の期間（一九四三年三月から一九四四年二月）では、三〇回の作戦飛行を生き延びた乗組員はわずか一六パーセントだった。[14] さらに、ほとんどの作戦はハリスが意図した効果を十分にあげられなかった。

一九四三年七月二八日、雲もなくからりとした夏の晩、ドイツ北部の都市ハンブルクで、労働者階級の人々が密集して暮らす地域にきわめて集中的な爆撃が行なわれ、新たな現象が起こった。火災旋風（ファイアストーム）である。約一〇平方キロメートルにわたって、中心部の温度が摂氏八〇〇度にもなる気流が、ハリケーン並みの勢いで内側に向かって吹いた。生存者のひとりは、「教会の古いオルガンの鍵盤を一斉に叩いたかのような音がした」と述べている。地下の防空壕にいた人々は誰も助からなかった。焼かれるか、一酸化炭素中毒で死亡した。地上に出た者は、旋風によって火災の中心部に巻き込まれた。

母が濡れたシーツでわたしをくるみ、キスをして言った。「走りなさい！」わたしはドアのところで躊躇した。目の前には炎しか見えない――何もかもが真っ赤で、炉に飛び込むかのようだった。異常な高熱が襲いかかった。燃えた梁が足もとに落ちた。うしろに下がり、それを飛び越えようとしたとき、幽霊の手か何かが梁を吹き飛ばした。体に巻かれたシーツが帆になって、わたしはまるで嵐に運ばれたようだった。五階建ての建物の前に着いた……建物は……以前の襲撃で爆破されて燃えてしまい、炎が燃え移るものはあまりなかった。誰かが出てきて、腕をつかんで、わたしをなかに引き入れた。

トラウテ・コッホ　一五歳　一九四三年(15)

ハンブルクで二時間のうちに二万人が亡くなった。もし、イギリス空軍が毎回こうした爆撃を行なっていたら、戦争は六カ月で終わっていただろう。だが、火災旋風が発生する条件がすべて揃って同様のことが起こったのは、もう一度だけだった。一九四五年のドレスデン爆撃である。通常の爆撃の結果は、これほどすさまじいものではなかった。七人の乗組員から成るイギリスの爆撃隊(ソーティ)は、平均して一隊で三人のドイツ人を殺し、そのうちのひとりはおそらく工場労働者だった。爆撃機の乗組員は、平均一四回の任務で死亡するか、運が良ければ捕虜になった。さらに、どの都市でも襲撃と襲撃のあいだに損害を修復する時間があったため、ドイツの軍需産業は実際には一九四四年の終わり頃まで拡大し続けた。戦略爆撃は理論上は手堅い作戦だったが、実際は塹壕戦に相当するほどの費用が生じた。

ドイツの軍需産業は昼間に集中的に産業地帯の標的を狙うアメリカの爆撃機によって大きな打撃を受けはしたが、アメリカの第八航空軍も多数の犠牲者を出した。一方、日本との戦いでは、アメリカ軍は、迎撃や対空砲火が乏しいなか、より「イギリス的」な戦術と大型のB‐29爆撃機を使い、アメリカ側の犠牲者を抑えてより多くの火災旋風を発生させた。ドレスデン爆撃のすぐあとの一九四五年三月九日、カーティス・E・ルメイ司令官は、焼夷弾を使った、東京への初の夜間低空大規模空襲を命じた。「攻撃した領域は……四マイル（六・四キロメートル）かける三マイル（四・八キロメートル）四方で……一平方マイル（約二・六平方キロメートル）に一〇万三〇〇〇人の住民がおり……二六万七一七一戸の建物が破壊され――東京全人口の四分の一にあたる――一〇〇万八〇〇〇人が家を失った。細い水路のいくつかでは水が実際に沸騰した」[16]

一九四五年までに、日本での戦略爆撃はかねてより予測されていた結果を出した。「（アメリカ）第二〇航空軍は、われわれの五〇倍の犠牲を日本に払わせて都市を破壊している」とアメリカ陸軍航空軍の司令官〝ハップ〟・アーノルド少将は伝えている。[17]だが、日本を降伏させるにはいたらなかった。魔法のようなアメリカの攻撃によってさえ、全面戦争という日本政府にかけられた呪文を解くことができないのであれば、さらに何百万人もの命を犠牲にして、日本の本土を全面的に侵略する必要があった。

「死、世界の崩壊」

くっきりとした街の輪郭と、その細部が視界に飛び込んできた。街の直径は約六キロメートル。われわれはすでに、爆撃高度約一万メートルにいた。航空士が来てわたしの肩越しに街を見て言った。「そう、あれが広島だ。まちがいない」われわれはまさに目標の真上にいて、爆撃手が言った。「何もできない。何もすることがない」さら

イギリスのゴモラ作戦後に崩壊した住居と商業ビル　1943年

「ただ座っているだけだ」

エノラ・ゲイ機長　ポール・ティベッツ大佐

に続けた。

原子爆弾を製造するアメリカのマンハッタン計画は、ドイツが原爆の開発を進めているという亡命科学者らの警告によって一九四二年六月にはじまった。実際には、そうした事実はなかったが、イギリスには構想があり（一九四二年以降、イギリスとカナダはマンハッタン計画に貢献した）、ロシアと日本は一九四四年までに基本的な核兵器計画を作った。[18]ドイツは核兵器ではないものの、巡航ミサイルの元祖（一九四四年、イギリスに向けて一万五〇〇発のV1「飛行爆弾」を発射した）と長距離弾道ミサイル（ロンドンに一一一五発のV2ロケット）を開発中だった。どちらも、こんにちの核兵器を実現させる中心となる手段だ。敵が最初にこうした兵器を手に入れることを恐れるあまり、各国の関係する科学者たちの多くが、個人的な疑念を抑えて、開発計画に取り組むことに合意した。

とはいえ、マンハッタン計画の科学者たちのなかには、ニューメキシコ州の砂漠に移って一九四五年七月に最初の原爆実験をする頃には、二の足を踏む者もいた。ドイツは戦争に敗れ、日本が自力で原子爆弾を製造できると考える者は、誰ひとりとしていなかったからだ。だが、やめるには遅すぎた。七月一六日午前五時五〇分、実験は見事に成功し、科学者たちは自分たちが何をやったのかを目にした。すべては計算通りだったが、それでも愕然とした。

世界が一変するだろうことがわかった。笑う者もいれば、泣く者もいた。だが、ほとんどが何も言わなかった。わたしは、ヒンドゥー教の聖典であるバガヴァッド・ギーターの一節を思い出した。ヴィシュヌは王子に、義務を果たすべきだと諭し、王子の心を動かそうとしている。いくつもの腕を持った神は言う。「今やわたしは死となり、世界を滅ぼす者となった」わたしたちは、なんらかの意味で、みなこう感じただろう。

主任科学者ロバート・オッペンハイマー　ロサンゼルスにて

当時、軍部は原爆を、まさに低コストで目的を果たせる方法だと考えていた。目的とは、すでに戦略の要になっていた都市の破壊だ。総費用二〇億ドル。爆撃機軍団や第八軍団より費用が大きく抑えられ、破壊力はより信頼できた。一九四五年八月六日、ティベッツ大佐の部隊が広島に核爆弾を投下した。たった一個の爆弾を積んだ、たった一機の飛行機によって、五分足らずで七万人が殺された。のちにティベッツは語った。「眼下に都市は見えなかった。目に映ったのは――あえてたとえるならば――煮えたぎった黒い塊に覆われた凄まじい一帯だった」

太陽が砕けて爆発したようだった。黄色い火の玉が降ってきた。（その後、川の土手には）怪我をした人があまりにたくさんいて、歩く場所さえなかった。爆弾が落ちたところから、わずか一・五キロメートルぐらいの場所だった。みんな服を吹き飛ばされ、体が熱で焼かれていた。まるでぼろ切れをぶら下げているようだった。水ぶくれになったところはすでに破れて、ぼろぼろの皮膚が垂れ下がっていた。内臓が体から飛び出している人を見かけた。目玉がない人や、背中の皮膚が剝けて、背骨があらわになっている人もいた。みんな水を欲しがった。

越智夫人

もし、当時と同じような状況で、この国が戦争をし、未来が危険にさらされ、わたしが同じ立場に置かれたら、一分の迷いもなくもう一度同じことをするだろう。

ポール・ティベッツ大佐

広島上空のキノコ雲　1945年8月6日現地正午頃

ティベッツ大佐の言葉とは裏腹に、大国同士の戦争は終わりを迎えようとしているようだ。小国や非国家の集団は、組織的暴力によって政治的目標を達成できるが、大国は同じことを続ければ、文字通り崩壊にいたる。

ささやかではあるが、ふたつの慰めがある。ひとつは、これまでにないほど長期間にわたって、大国同士の戦争が回避されていること。もうひとつは、ふたつの世界大戦の結果、どこの国でも、大多数の人々が戦争を名誉なことと考えるのをやめ、大問題だととらえるようになったことだ。

第8章

核戦争小史

（一九四五年――一九九九年）

文化的遅滞

多少のごたごたはないとは言いません。ですがね、大統領、一〇〇〇万か二〇〇〇〇万人ぐらいの犠牲ですむんですよ、運次第で。

スタンリー・キューブリック監督の一九六三年の映画『博士の異常な愛情 または私は如何にして心配するのを止めて水爆を愛するようになったか』のバック・タージドソン将軍

（ジョージ・C・スコット）

キューブリックは、アメリカ空軍戦略航空軍団（SA

C）司令官を長く務め、核戦争を心底やりたがっていたカーティス・E・ルメイ将軍の風刺としてタージドソン将軍を描いた。「ルメイはいずれ核兵器を持った人々と戦わなければならないと考えていた。だから優位にある今のうちにやるべきだと主張した」。二〇〇三年のドキュメンタリー映画『フォッグ・オブ・ウォー　マクナマラ元米国防長官の告白』で、元アメリカ国防長官ロバート・S・マクナマラはそう説明した。ルメイにしてみれば、核兵器によって基本的なことが変わったわけではなかった。アメリカがソビエト連邦に対して、核兵器の数では一七対一の「優位」にある（一九六〇年代初頭）ことは、有益な戦略的資産だと考えた。文化的遅滞にとらわれていたからだ。

冷戦がもっとも危険だったのは、ルメイのような男たちがまだ権力の座についていた初期の頃である。彼らは抑止力の基本的概念を把握した人々によって、徐々に取って代わられ、世界はいくぶん平和になった。だが、まだ非常に危険な状態であるのには変わりない。

核兵器は七五年にわたって大国の戦略的思考を支配してきたが、実際に戦争で多くの核兵器が使用されたらどうなるのかは、ほとんど何も知られていない。一九四五年にきわめて小さな二発の核爆弾が日本の都市に落とされて以来、核兵器は戦争で使用されてこなかった。つまり、戦略家が核戦争を議論するのは、セックスの経験のない者がセックスを議論するようなものである。核戦争に対する理論や主義さえあるとしても、一体どんなことが起こるのかはわかっていない。わかっているのは、大惨事になるということだけだ。同様に、心理的影響、電磁的影響、気候的影響についてもよくわかっていない。だが、冷戦として知られるアメリカとソ連の四五年にわたる対立（一九四五〜一九九〇年）から得られた有益な論拠はある。

著者は……原子爆弾が使われる次の戦争でどの国が勝つかについては、まったく案じていない。これまで、わが国の軍事制度の主目的は、戦争に勝利することだった。今後の主目的は、戦争を回避することでなくてはならない。他に有益な目的はほとんどない。

バーナード・ブローディ　一九四六年(1)

バーナード・ブローディは、最初の原子爆弾が広島に落とされたとき、イェール大学の国際関係研究所に移ったばかりだった。アメリカの学識者らのコミュニティは、核戦争を防止するために、「世界政府」を創設することを夢見ていた。だが、ブローディを含む少数の研究者たちのグループは、それが実現不可能だと理解した。そのため、干渉を頑固に拒み、核兵器で武装をする国民国家による世界において生存するためのルール作りをはじめた。一九四五年九月と一一月の二回の会議と無数の非公式な議論の結果、完璧で、決定的で、議論の余地がない核抑止理論ができあがった。

「原子爆弾についてのすべての議論は、原子爆弾の存在そのものと壊滅的な破壊力にかき消される」とブローディは述べている。原子爆弾に対する効果的な防衛手段は存在しない。航空戦における防衛はすべて消耗戦でしかないし、わずかな核爆弾を逃しただけでも、破壊力はとても容認できないものになる。一九四四年にロンドンを狙ったV1巡航ミサイルに対して、イギリス軍は、状況がもっとも良い日には一〇一発中九七発を撃ち落とすことができた。しかし、もし撃ち落とせなかった四発が原子爆弾だったならば、「ロンドンの生存者はその成功率を良いものだとは考えなかっただろう」とブローディは指摘した。

さらに、原子爆弾を使う価値のある標的はどんな国でも限られている。その多くは都市部で、こうした標的の破壊は、実質的には社会の破壊となる。よってある点を超えると、双方が保有する核兵器の数の比較は問題ではなくなる。「二〇〇〇発の原爆が相手側の経済を完全に破壊するのに十分であるなら、一方が六〇〇〇発、他方が二〇〇〇発を保有しているということは、相対的にそれほど重要ではない」[2]

つまり、良識ある唯一の軍事政策は核による抑止力を持つことだった。実際のところ、核武装している敵国を攻撃するために核兵器を使用するのは意味がない。双方が「報復を恐れなくてはならず、（さらに）敵国の都市を破壊してから数時間後、もしくは数日後であった

兵器が少ない
ほうが不利

従来の戦争

兵器が多いほうが
決定権を握る

核兵器は破壊力が非常に強いため、
双方が保有している数は重要ではない。
数発が到達するという脅威だけで十分

としても、自国の都市が破壊されるならほぼ益がない……」平時の軍備のおもな目標は、国の核兵器システムを分散させ、隠し、もしくはその備えを固めることによって、核攻撃に耐えられるようにすることであるべきだ。核攻撃に対する安全性の唯一の源は、核兵器による報復能力が保証されていることである[3]。

これ以上、加えるべき重要な点はなかった。一九四六年二月までに、バーナード・ブローディら研究者は、戦争を生み出す国際体系がいつか、どうにかして変わるまでのあいだ、核武装した世界において平和を維持し得る条件を定義づけた。しかし、軍事についてあえて政策提言をしようとする、この若い民間人の小グループの発言に、権力者は誰も耳を貸さなかった。

公平を期すために言えば、アメリカ政府は一九四六年の時点でブローディの助言を採用する必要はなかった。当時はまだ、核を保有しているのはアメリカだけという従来の軍備の世界であり、抑止は一方通行だった。実際のところ、アメリカ政府とヨーロッパの同盟国は、アメリカが核兵器を独占することが、西側の安全保障問題に対する安価な解決策と考えていた。アメリカとソビエト連邦が戦時の同盟関係から戦後の対立へと移行すると、ソビエト連邦が従来の軍備をヨーロッパに築く一方で、アメリカはさらに多くの原子爆弾を作った。一九四九年にソ連が自国で製造した原爆の実験を行なえば、アメリカはそれに負けじとさらに強力な水素爆弾（水爆）を開発した。一九五〇年代を通して、アメリカは核兵器においては少なくとも一〇対一の割合でソ連よりも優位にあり、ソ連による許されない行為に対しては、アメリカが先制して核兵器でソ連の都市を攻撃することを、何度も公に発言した。

> 基本的に、アメリカの核政策は、最初から核兵器を使って戦争を行なうことを明言した政策である。
>
> ロバート・マクナマラ　アメリカ国防長官　一九六一～一九六八年[4]

アメリカ国務長官ジョン・フォスター・ダレスは、一九五四年一月の演説で「大量報復」

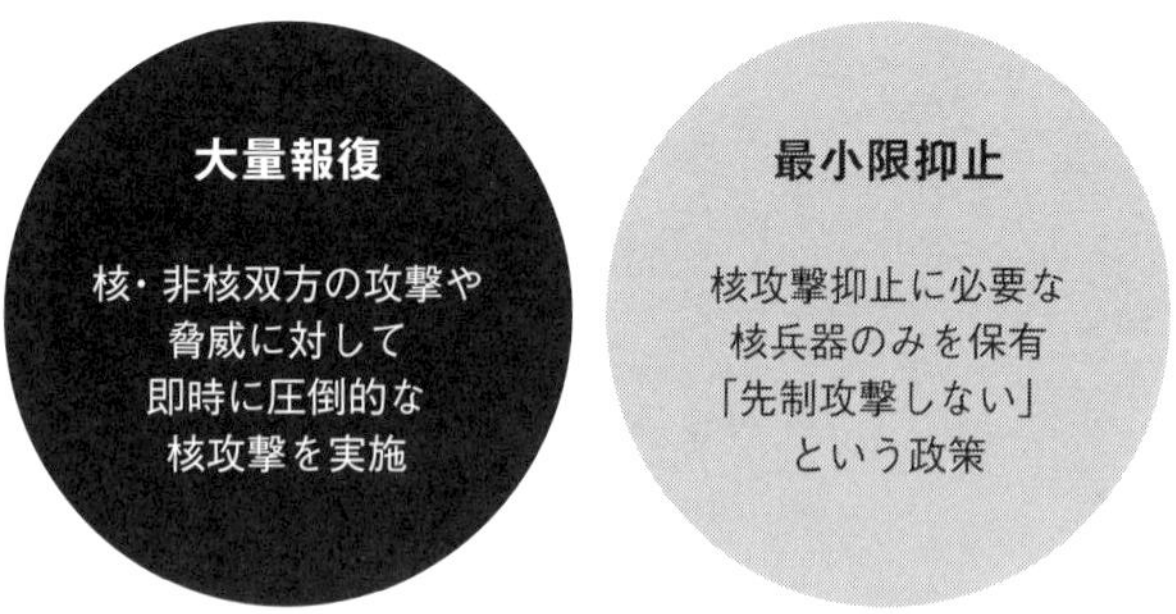

大量報復

核・非核双方の攻撃や
脅威に対して
即時に圧倒的な
核攻撃を実施

最小限抑止

核攻撃抑止に必要な
核兵器のみを保有
「先制攻撃しない」
という政策

戦略を正式なものとし、アメリカは「みずから選択した手段と場所で、即時に報復する強大な能力におもに依存する」と宣言した。ソビエト連邦の国土に対してアメリカの核兵器を大量に使用して報復すること、つまり、核攻撃以外であっても、世界のどこであれ、アメリカの利益を脅かすものであれば、いかなるソビエトの軍事行動にも核で反撃するとした。

これは、バーナード・ブローディら研究者が提唱した「最小限抑止」とは正反対の政策だった。提唱者の多くは当時、アメリカ空軍が創設し援助するカリフォルニア州サンタモニカのシンクタンク、ランド研究所で文民防衛アナリストとして働いていた。ソビエト連邦がアメリカの都市に対してごく限られた数であれ、水爆を落とす能力を持つようになれば、アメリカがそれよりずっと多くの水爆を保有しても意味がないことを研究者たちは正しく認識しており、一九五七年には、ソビエトがそのゴールに近づいていることを恐れていた。そこで上司を説得し、引き続きＳＡＣを統率していたルメイ将軍に、増加しつつあるソビエトの爆撃機がSACに地上で「真珠湾攻撃」を仕掛けるかもしれないと警告した。ルメイはまったく意に介さず、アメリカの偵察機がソビエトの領空を一日二四時間飛んでいる、とだけ返した。

　ソビエトが航空機を集結して攻撃準備をしているのを目にしたら、離陸する前に叩きのめす。（国の方針でなくても）気にはしない。わたしの方針だ。わたしはそうする。

カーティス・ルメイ将軍[5]

ルメイが徹底的に任務を果たすこと、また、同時にソビエト連邦の都市の多くを破壊してその仕事を片づけることを疑う理由はない。この種のことは禍根を残すし、後日、ソ連に報復されたくないからだ。もしルメイの諜報部隊がソビエトの動きの解釈を誤ったことがのちに明らかになり、ソ連は攻撃準備などしていなかった、もしくは全世界が冷たい暗闇に覆われるようなことになったとしたら、ルメイは謝罪をしただろうか。

　一九五〇年代が終わりに近づくと、ワシントンの文民当局はアメリカの戦略の影響について懸念を抱きはじめた。一九五七年にドワイト・アイゼンハワー大統領はこう言っている。「この種の戦争はできない。道路の死体を処理するブルドーザーが足りない[6]」一年後、ジョン・フォスター・ダレスは国防総省に赴き、大量報復政策を公式に撤廃すると統合参謀本部に告げた[7]。

アイゼンハワー政権は、大量報復によっても抑止できない戦争に備えてアメリカの従来の軍事力を高めるという提言もすべて却下した。ＳＡＣが諜報報告書を露骨に改ざんして、一九五五年から一九五七年にかけて、アメリカはソビエト連邦に後れをとるという「ボマー・ギャップ（爆撃機不足）」の拡大や、同様に根拠のない一九五七年から一九六〇年の「ミサイル・ギャップ」を予測しても、無視されるだけだった。アイゼンハワーは、元職業軍人で軍隊のやり方をよく知っていたため、ルメイがＳＡＣにもっと爆撃機とミサイルを寄越せと脅していることがわかっていた。大戦など起こりそうになかったし、軍事体制はどんな現実的な目的においても、ソビエト連邦を脅かすには十分だったので、さらなる軍備増強への突貫プログラムはどんなものも開始を拒否した。結局のところ、一九六〇年までにアメリカは六〇〇〇か七〇〇〇〇発の水素爆弾を保有した。そのすべてが広島に落とされた規模の爆弾よりも数十倍強力だった[8]。

拡散

原子爆弾を保有していない国は独立した国とは言えない。

フランス大統領シャルル・ドゴール　一九六八年(9)

ドイツに先を越される（当時はそう心配されていた）前に原子爆弾を開発するという戦時の熱狂のさなか、イギリスとカナダは自国の科学人材、技術力、ウラニウム鉱石の多くを、アメリカを拠点とするマンハッタン計画に自発的に提供した。だが、この計画から開発された原子爆弾の実物の共有については合意がなされていなかった。当然、アメリカ政府には共有するつもりなどなかった。これに対して、イギリスとカナダは大きく異なる反応を示した。カナダは戦争で重要な役割を果たしたにもかかわらず、実質的な議論もないまま、自国の安全保障に核兵器は無関係だと結論づけた。イギリスは六五〇キロ程度しか離れていないドイツの中心部にソビエト連邦軍が駐留しているのを見ているため、事態が悪化したときに備え、自国の核兵器が緊急に必要だと考えた。

フランスもまったく同じ結論に達し、独自の核兵器開発計画を開始した。一九五〇年代後半には中国の共産党政権とソビエト連邦の関係がこじれ、中国もソ連の核攻撃抑止のために核兵器計画を開始した。いずれにしても、これらは「最小限抑止」のための軍備だった。どの国もアメリカのようにソビエト連邦のすべての地下ミサイル格納庫とすべての小さな町に向けて核兵器を配備する力はなく、そもそも不要と考えていた。

フランスは「ソビエトのクマの腕をもぐ」ことができると言い、イギリスには自国の核戦力に関する「モスクワ基準」があった。つまりイギリスがモスクワを消滅できるのであれば、ソ連はイギリス内の標的に対して核兵器を使わないだろうと計算していたのだ。だが、両国とも自国の核はソビエト連邦がヨーロッパに従来の攻撃を仕掛けた場合に、アメリカが裏切らないようにするための手段だとひそかに考えていた。アメリカは「大量報復」を標榜してはいたが、いざとなれば、アメリカの都市をも灰燼に帰すことになる核戦争をはじめるよりは、西ヨーロッパを滅びるままにしておこうとするかもしれない。イギリスとフランスが独自に核武装すれば、そうした事態が起こらないという保証になる。奇襲による最初の攻撃で核ミサイルが全滅しないように、両国ともアメリカの例にならい、一部を海に配備するため潜水艦に搭載した。

一九八〇年代には、イギリスとフランスの両国が核武装拡大に乗り出し、それぞれ一〇〇〇に近い標的を破壊する力を獲得した。中国は数については慎重な姿勢を見せたが、最小限抑止の方針に従い、速やかに核ミサイルを潜水艦に配備した。イスラエルは最初の核兵器をおそらく一九六〇年代半ばに建造したが、潜水艦に搭載したのはずっとあとだった。アラブ諸国の奇襲によって兵器を失う心配をする必要がなかったからだ。当時も今もアラブに核保有国はなく、イスラエルは宣言なしに「大量報復」戦略を施行することができた。アラブ諸国は、イスラエルが通常戦争で負ければ、核兵器を使用しかねないことを知っていた。状況証拠によると、イスラエルは、一九七三年、エジプト・シリアとの第四次中東戦争の最初の数日間、平静を失い、核兵器使用の準備を積極的に進めていたとされている。

一九六八年の核兵器不拡散条約の調印によって、核保有国五カ国が核兵器を他国に移転しないこと、その他一〇〇カ国以上が自国で核兵器を開発しないことに合意し、核兵器保有国が一カ国から六カ国に急拡大した二〇年間の歴史に終止符を打った。イスラエルは沈黙を守り、その後三〇年間は、新たな核保有国が現れることはなかった。

限定核戦争の欺瞞

> 非常に危険で、堕落した、本質的に怪物のような人々だと思った。本当に世界滅亡マシンを作ってしまったのだ。
>
> ダニエル・エルズバーグ　一九六一年

一九六一年に発足したケネディ政権は（選挙では「ミサイル・ギャップ」神話にかなり助

けられた）、ランド研究所のアナリストの一団を国防総省へ送り込んだ。アナリストのひとりであるダニエル・エルズバーグは、初期の単一統合作戦計画（ＳＩＯＰ）を見せられた。アメリカ軍の各拠点にある核兵器の標的を配置したものだった。エルズバーグはショックを受けた。ＳＡＣの唯一の戦争計画は、ソビエト連邦と中国のすべての都市と重要な軍事標的、さらに東ヨーロッパの大半の標的に対してすべてのアメリカの核兵器を一斉に発射することだった。二次攻撃として残された標的もなかった。中国や東ヨーロッパのソ連占領下の「衛星」国は、たとえ関係がなくても、手をつけないわけにはいかないとされた。攻撃によって、三億六〇〇〇万から四億二五〇〇万人すなわち当時の世界の人口の一〇分の一以上が死ぬ。アメリカ軍のすべての部門が自分たちの核兵器でモスクワを攻撃したがったため、ソビエト連邦の首都は一七〇発の原子爆弾や水素爆弾に攻撃される。[10]

　国防長官のロバート・マクナマラはエルズバーグと同じＳＩＯＰの説明を受け、同じように驚いたが、ＳＡＣはそれを見込んだうえで、過敏な文民官を傷つけないための新しいアイデアを用意した。空軍の新しいシナリオでは、従来の軍備で西ヨーロッパに対するソビエト連邦の攻撃を止められなかった場合、アメリカは核兵器によってソ連の爆撃機飛行場、ミサイル発射場、潜水艦ドックを攻撃するが、ソ連の都市を攻撃することは避け、戦力の一部を温存する。ソビエト連邦は反撃するが、アメリカの都市は攻撃しない。先制攻撃はアメリカ

危険
彼はスマートだがシェルターが背中にある
シェルターを見つけることを学ばなければならない

アンソニー・リッツオ監督
『ダック・アンド・カバー』の映画館封切ポスター　1952年

であり、「カウンターフォース」に勝つため、ソビエト連邦に降伏するよう告げる。さもなければ、ソ連の都市をひとつずつ攻撃する。ソビエト政府は降伏し、戦争の犠牲は、アメリカの死者三〇〇万人とソビエト連邦の死者五〇〇万人「のみ」にとどまる。

マクナマラは、既存のSIOPよりまだましなこの「カウンターフォース」戦略に丸め込まれ、SACには、その方針を取り入れ、水爆戦争の発生時には「管理された対応と交渉のための休止が可能」な政策の開発を進めるよう命じた。その年の終わりまでに、改訂版のアメリカの作戦計画SIOP−63によって、司令官は短時間の通知でアメリカのミサイルの標的を再編成し、(最小発射数五〇発一単位ではなく)一発もしくは少数を発射することが可能になった。理論上、アメリカは「限定」的な、都市を標的としない核戦争を行なえることになったのである。だがそれにはソビエト連邦の同意が必要だった。[11] マクナマラはこの作戦をあまり信用していなかった。ケネディ大統領とのちのジョンソン大統領の両方に、どんな状況であっても、核兵器を先制使用すべきではないと非公式に助言した。だが、公には、新しいSIOPによって、アメリカ本国の上で核が爆発したあとでさえ、抑制と理性が勝るという前提になった。ところが、その後に起こった出来事によって、これがいかに現実離れしているかが明らかになる。

キューバ危機

一九六一年の終わり頃、ソビエト連邦の指導者であるニキータ・フルシチョフは、ソ連が大規模な大陸間弾道ミサイルを保有しているという自分の主張が、アメリカの新しい偵察衛星によって、ただのはったりだと露呈してしまったことに気づいた。それに当惑し、弱みを握られたように感じた。そこで、一九六二年、新しい同盟国のキューバの領土に短距離ミサイルをひそかに配備するという賭けに出た。アメリカの都市を大量のソ連のミサイルの射程距離に収め、戦略上のギャップを埋めるためである。

アメリカがそれらのミサイルを発見した結果、勃発したのがキューバ危機だ。アメリカはキューバの封鎖を宣言し、フルシチョフがミサイルを撤去しない場合に備えて侵攻の準備を開始した。本物の危機が起こっていた。だが、誰も「カウンターフォース」や限定核戦争の考え方に注意を払わなかった。

ソ連の攻撃力はアメリカよりもずっと脆弱だが、アメリカがどう迎え撃とうと、フルシチョフの爆撃機とミサイルのうち少なくとも一部はアメリカに到達し、都市のいくつかを壊滅させる可能性がある。となれば、ブローディが唱えた抑止の公式が比較的まともに思えてきた。一〇月二二日、ケネディは、アメリカが「キューバから西半球のいかなる国に対して発射されるいかなる核ミサイルも、米国に対するソ連の攻撃とみなし、ソ連に対し全面的な報復を加えなければならない」（強調は著者による）と宣言した[12]。

しかし、ケネディ大統領はまだ時間があると信じていた。アメリカの諜報部の情報源が、

建設中の核弾頭の掩蔽壕　キューバ、サンクリストバル　1962年10月23日

キューバのミサイルにはまだ核弾頭がないと言っていたからだ。そこで、弾頭をキューバに運ぶ可能性があるソ連の船舶を途中で封じることに集中しつつ、ソビエト連邦政府が引き下がらない場合はキューバに侵攻する計画を進めた。ぞっとするような一三日間が過ぎたのち、ソ連政府は引き下がった。フルシチョフは、アメリカがキューバに侵攻せず、数カ月後にトルコから同様のアメリカのミサイルを撤去することが約束されるなら、キューバからソ連のミサイルを撤去するという提案の手紙をケネディに送った。

当時、アメリカでは、核戦争勃発が目の前に迫っていたことに誰も気づいていなかった。フルシチョフが妥協案を書き送っていなければ、アメリカはおそらくキューバ侵攻を開始していたが、ワシントンの誰もが核兵器が実際に使われるまでには、あと数段階あるだろうと考えていた。三〇年後、ロバート・マクナマラはワシントンのすべての人々がまちがっていたことを知った。

一九九二年一月、キューバのハバナでカストロの司会のもと会議が開かれた。そのときわたしははじめてキューバ危機の際、同国に一六二基の核弾頭が配備されていたことを知った。わたしは自分の耳を疑い、思わず言った……「議長、三つ質問があります。その一、あなたは核弾頭があることを知っていましたか？　その二、もし知っていたなら、アメリカの攻撃があった場合、フルシチョフに核の使用を勧めましたか？　その三、もし、フルシチョフが核を使ったら、キューバはどうなっていたでしょうか？」

カストロは言った。「その一、核があるのは知っていた。その二……核を使うべきだと実際に進言した。その三、キューバがどうなったか。キューバは徹底的に破壊されただろう」

そこまでの状況だったのだ。カストロはさらに言った。「ミスター・マクナマラ、もしあなたやケネディ大統領が同じような状況にあれば、同じことをするだろう」わたしは答えた。「議長、そうはしなかったことを願います。自分たちの頭上に神殿の天井を落とすようなものです。ぞっとします」

ロバート・マクナマラ[13]

神殿をみずからの頭上に、また他の人々の頭上にも引き倒すという脅しこそが核抑止の本質だが、これらの出来事からいくばくかの安心感が得られる。核紛争における計算違いの痛手はあまりに大きいため、政治指導者たちの行動はきわめて慎重で保守的になることがキューバ危機によって示された。シミュレーションと現実の違いはまちがいなく認識されている。一方で、諜報活動はつねに不完全で、一見理性ある決定が、実際には致命的になりかねないことも示された。核ミサイルが（アメリカが考えていたように）使用される前に対処しようと、アメリカがキューバに侵攻していたとしたら、モスクワの指示を待たずに行動することを事前承認されている現地のソ連司令官たちが戦術核ミサイルを発射し、アメリカの海兵隊は海岸で全滅していただろう。それにより、第三次世界大戦がはじまっていたはずだ。ケネディ大統領は後日、キューバ危機が核戦争に発展する確率は三分の一だったと述べている[14]。

　キューバ危機は、アメリカの戦略グループ内にある限定核戦争という考え方に終止符を打つはずだった。真の危機に直面したときは、何発かの限定的な核攻撃によって「決意を伝える」ことなど誰も本気で考えはしなかった。それにもかかわらず、その後二〇年間のアメリカの核戦争の方針は、限定的な戦争でのみ核兵器を使えるようにしたい信奉者と、ついにそう信じる

陣営一

キューバ危機から何も学ばなかった。限定核戦争は可能。戦術先制攻撃により、事態が悪化して国民を危険にさらしたくない敵を降伏させることができる。

陣営二

限定核戦争は幻想。不確定要素が多すぎる。キューバ危機によって諜報活動は不完全で、敵は予測できないことが明らかになった。よって最小限抑止が唯一の良識的な選択肢。

のをやめた者たちのあいだの深まる溝によっておおむね支配された。

エンジニアか兵士か

一九八〇年代はじめ頃までに、アメリカの核戦争に関する見解は、あまりに歪んだ構造の自己完結的で複雑なものになってしまったため、現実から遠く離れていった。鉄筋コンクリートの司令掩蔽壕の地下で長い見張り番についているミサイル部隊と同じくらい現実から切り離された。

Q——実際にやらないといけないとしたら、どう感じますか?
A——毎月実施している反復演習でしっかり訓練されていますので……もし実際にミサイルを発射しなければならないときは、自然に体が動くでしょう。
Q——そのときには何も考えないと思いますか?
A——キーを回し終えるまで、考える時間はありません……
Q——回し終えたら考えると思いますか?
A——そうですね、はい。

ミニットマン大陸間弾道ミサイル部隊司令官との会話　ホワイトマン空軍基地　一九八二年

一九四五年には、爆撃機の隊員は眼下の都市（人ではない）が燃えているのを見ることができたが、ミニットマン発射兵はおよそ一〇万キロメートル先の標的を見ることはない。右記で引用された若者のポケットには、「戦闘員」というラベルがある。核弾道ミサイルの「応酬」があれば死亡していただろうが、兵士ではない。実際の仕事は原子力発電所の当直エンジニアによく似ていて、長い見張りの時間はＭＢＡの通信課程の勉強をして過ごしていた。普通の歩兵とは違う。それを言うならば、核戦争は軍事行動とは似ても似つかぬものだ。

要員信頼性テスト中のミニットマン部隊員

スターウォーズ計画

一九八〇年代初頭までに、核保有国五カ国は合わせて二五〇〇〇以上の地上弾道ミサイル、一〇〇〇を優に超える潜水艦発射弾道ミサイル、核爆弾を積むことができる何千機もの航空

戦略防衛構想
国防総省

機、さらに陸、海、空発射の巡航ミサイルとさまざまな「戦場」核兵器を増やしてきた。世界には五万基以上の核弾頭があり、当時のロナルド・レーガン大統領が戦略防衛構想（「スターウォーズ計画」）の概念を導入した。

　スターウォーズ計画の提唱者は、核攻撃からアメリカを完全に防御できるとは信じていなかった。一九四六年のバーナード・ブローディの見解はいまだに正しかった。すべての空の（および宇宙の）防衛は消耗戦の原則によって実施する。すなわち、攻撃兵器の一部はつねにとらえそこなう。それが核兵器であれば、ほんの少数であっても多すぎることになる。アメリカの先制攻撃がおおむね成功してソビエト連邦がすでに破壊された場合、宇宙を拠点とするアメリカの防衛は、ソ連が最後の力を振り絞って行なう報復攻撃に最終的に対応することができるかもしれない。

　ロナルド・レーガン大統領自身は、スターウォーズ計画を売り込んできた人々が本当は何を求めていたのかに、まったく気づかなかった。これは核攻撃に対する包括的な国家防衛ではなかった。アメリカがいつの日か限定核戦争を行ない、勝利するときに必要な、ミサイル発射場やその他の戦略的軍事施設のための部分的な防衛だった。二〇年にわたって行なってきたおなじみのゲームだったが、レーガンは核兵器を心底嫌っていたため、これに惹かれた。核戦争の脅威から魔法のように逃れたいあまり、その計画に賛同したのだ。ソビエトの指導者たちは、レーガンの国防長官キャスパー・ワインバーガーとその周辺の冷戦主義者が何をしようとしているのかをよく理解しており、苦々しく思った。

表面的には、一般人には（レーガン大統領が）防衛手段のように思えるものについて話しているかのように、魅力的なものに思えるかもしれない……実際には、アメリカの戦略的攻撃力の開発は先制核攻撃能力獲得（という目的）のために継続され、最大限に強化される……ソビエト連邦の攻撃手段を奪うという試み（である）。

ソビエト連邦首脳ユーリ・アンドロポフ　一九八三年[15]

悪の帝国の終焉

冷戦が熱い戦争になることはなかった。長期にわたって独裁政治を行なってきたレオニード・ブレジネフが一九八二年に死去したのち、ソビエト連邦内で希望の持てる変化が起こりはじめ、一九八五年には、急進的改革者であるミハイル・ゴルバチョフが権力の座についた。

ジェノバでのレーガンとゴルバチョフの初会合
1985年11月

核戦争の脅威を終わらせたいと心から願っていたロナルド・レーガンは、一九八六年のレイキャヴィーク首脳会談で、米ソ両国がともにすべての弾道ミサイルを破棄するという提案をし、側近を恐怖の底に陥れた。比較的低速の爆撃機と巡航ミサイルのみにもとづく核抑止であれば、世界はより安全な場所になるというのがレーガンの主張だった。

双方の側近の助言によってこの動議は却下されたが、一九八七年にゴルバチョフがはじめてアメリカを訪れたとき、レーガンとゴルバチョフは中距離核戦力全廃条約に署名した。これにより、ヨーロッパに次世代の核ミサイルを配備するという可能性から引き起こされた恐怖が終わった。一九八八年六月にはレーガンがモスクワを訪問し、冷戦は「当然」ながら終了したと述べ、「悪の帝国」という呼称は「別の時代のこと」だったと言った。翌年のベルリンの壁の崩壊前にすでに、アメリカとソビエト連邦は戦略的敵国であることをやめた。

このようにふたつの核保有国の最初の長期にわたる軍事対立は平和裏に終わったが、未来への保証は何もなかった。単に四〇年のあいだ運が良かっただけなのかもしれない。実際には、あと少しで核兵器が使われるという事態が何度もあったたし、新技術が生まれるたびに体制が不安定になっていた。

さらに、最後になってから、これらの兵器がすべて実際に使われていたらどうなっていたかが明らかになった。

核の冬

われわれは、感知できないほどゆっくりと、世界滅亡マシンを作ってきた。最近になるまで、偶然わかるまで、誰も気づきもしなかった。そして、その引き金を北半球全体にばら撒いてしまった。

カール・セーガン(16)

一九七一年、少人数の科学者が集まり、火星探査機マリナー九号の探査結果を分析したところ、火星全体が三カ月におよぶ激しい砂嵐に覆われていることを発見した。他にできることもなかったため、この長期間続く砂嵐が火星の地表条件にどのような影響をおよぼすかを計算した。その結果わかったのは、地表の気温が急激に低下するということだった。

砂嵐はまだ吹き荒れていたので、地球上の活火山（比較的少量ながら噴煙が成層圏に達する）が同様の効果を生じさせるかについて、気象記録を確認した。主要な火山が噴火するたびに、一年かそれ以上にわたって平均気温が世界的にわずかに下がることがわかった。

科学者たちは興味を引かれた。火星の地表はまだぼんやりとしか見えなかった。そこで、地上に衝突して大気に大量の塵を発生させる小惑星の影響を調べることにした。小惑星の衝突は、長い歴史のあいだに何度も発生している。そうした衝突の少なくともひとつによって、一時的ながら大規模な気候変動が起こり、生物の絶滅を引き起こした証拠がある。

火星の砂嵐が終わり、マリナー九号のデータを分析すると、科学者たちはそれぞれの道に進んだ。だが、その後も互いに連絡をとり続け（自分たちのことを名字の頭文字を取ってＴＴＡＰＳと称した）、新しい問題に一緒に取り組んだ。一二年後の一九八三年、その成果が発表された。

ＴＴＡＰＳグループは、大規模な核攻撃によって、少なくとも北半球、そしておそらくは地球全体が塵煙に覆われ、地表が最大六カ月間、ほぼ闇に包まれると結論づけた。大陸内部では、同程度の期間、地表の気温が最大摂氏四〇度下がる（いずれの季節でも氷点下となる）。その後、成層圏から十分量の塵と煤が地上に降り落ちて太陽の光が戻れば、水爆の火球によって破壊されたオゾン層を通過してそれ以前の二倍から三倍の紫外線が地上にそそぎ、それにさらされた人間は失明または死につながるようなひどい日焼けをする。[17]

大規模な核戦争が起これば、瞬時に北大西洋条約機構（ＮＡＴＯ）とワルシャワ条約機構に加盟する国の数億の人々が死に、世界の大半の産業と芸術、科学、建築遺産が破壊されることは誰にもわかっていた。その後、放射性物質が降り、北半球の農業が壊滅すれば、飢饉と病気でさらに何億人もが死ぬだろう。だが、「核の冬」という予想はさらに悲惨だった。

大規模核戦争後、半年のあいだ、世界中が寒く、暗くなり、大量の放射線を浴びてすでに弱っている動物と植物が絶滅することがわかった。暗闇が晴れたのちには、紫外線、飢餓、病気によってさらに多くの者が犠牲となる。一九八三年四月、著名な生物学者四〇名のシンポジウムはこう結論づけた。

大半の熱帯植物や動物、北温帯の広い地域の大半の陸棲脊椎動物、多くの植物、無数の淡水生物と海洋生物の種の絶滅が予測される……大規模な水爆戦争による生態系への影響だけを見ても、少なくとも北半球の現在の文明を破壊するには十分だということがわかる。二〇億人にもおよぶと思われる直接の犠牲者と合わせると、核戦争の中長期的な影響として、最終的には北半球に人間の生存者はいなくなるかもしれない……

大国間の核戦争に関するおおよそどのような現実的な状況においても、白亜紀末期の恐竜や他の種が絶滅したのと同様もしくはより大規模な絶滅が発生するのに十分な地球規模の環境変化が起こる可能性が高い。その場合、人類の絶滅可能性も否定できない。

「核戦争による長期の生物学的影響」ポール・R・エーリック他（《サイエンス》誌二二二巻）[18]

こうした結果にいたるにはどれだけの核兵器が必要だろうか。それはどのような戦争になるかによる。理論家が好む「限定」核戦争、すなわち敵の飛行場や地下ミサイル格納庫などのみを攻撃し、都市を避けるならば、かなり多くの核兵器が必要になる。核の冬にいたるまでには、放射線を大量に放出する核兵器を二〇〇〇から三〇〇〇回、地上で爆発させることになるだろうが、一九八〇年代半ばのアメリカとソ連の核兵器の備蓄は合わせておよそ一万三〇〇〇メガトンで、そのような戦争を行なうのに十分だった。

都市が攻撃される戦争では閾値（いきち）はもっと低い。都市が炎上することで発生する何百万トンもの煤煙が、強力なスクリーニング剤になるからだ。一〇〇の都市の上空で一メガトン級の爆発が一〇〇回起こるだけでも多すぎる。[19] インドとパキスタンでさえその閾値に近づいてお り、核戦争で都市が被害を免れると想像するのは非現実的だ。都市には重要な政治のリーダー、指揮系統、産業などの標的があまりにもたくさんある。都市は攻撃され、焼かれるだろう。

「核の冬」については一九八〇年代後半に多くの研究が行なわれ、公に否定しようと多大な努力が払われたが、仮説は説得力を持ち続けた。一九九〇年に、TTAPSグループは《サイエンス》誌に研究の要約を掲載し、「核の冬の基本的な物理現象は、いくつかの権威ある国際技術評価と、多くの個別の科学調査によって再確認された」と報告した。[20] だが、ソビエト連邦が崩壊してからは核戦争に対する関心が急速に薄れ、一九九〇年以降、核の冬については、それ以上ほとんど研究されていない。まるで核兵器そのものが撤廃されたかのようだが、実際にはそんなことはない。

考え方

大国間の直接戦争がなくなって一世紀の四分の三が経過した。一六〇〇年代半ばに近代国家システムが出現して以来、もっとも長くこうした状態が続いている。しかし、いずれの大

「われわれの考え方以外のすべてが変わった」
アルベルト・アインシュタイン

国も、政策の手段としての戦争を放棄していないし、このテクノロジーの時代における大国間の戦争はおそらく核戦争になる。この先の何十年、あるいは何百年かのあいだに、大国間で新たな対立が起こり、最初の対立のときと同じように主義の不一致、文化的誤解、技術的傲慢などの影響を受けるだろう。

当初から潜んでいたジレンマにわたしたちは到達したのである。戦争は文化に深く根づいているが、高度に技術が発展した文明においては犠牲が大きすぎて受け入れられない。アルベルト・アインシュタインは一九四五年にそうはっきり認識していた。「われわれの考え方以外のすべてが変わった」

第9章

戦争の三つの枝

——核兵器、通常兵器、テロリスト

新しいカテゴリー

敵に対して［核兵器を］用いると、報復、衝撃、恐怖、そして、どのような結末が待ち受けるか予測が難しい報復の連鎖を招く……わたしたちは合理性という拘束服に投げ込まれ、敵を攻撃することができない……戦争は、他の手段によって追求される政治として、伝統的な場所へと戻されなければならない。

ウィリアム・カウフマン　ランド研究所　アナリスト　一九五五年(1)

かつて戦争は一種類しかなかった。国家が遂行し、軍隊が関わり、政治的目的を果たすための戦略を有していた。民衆の反乱から単なる盗賊まで、他の種類の暴力もあったが、その区別は明らかだった。だが、一九四五年以降、戦争は突然、三種類になった。すべての大国が備えなければならないが決して戦わない核戦争、過去七五年にわたり人々の注目を集めてきたゲリラ戦とテロリズム――そして、もちろん、核戦争の行き詰まりのもと、あるいはそれを超えた「通常」戦争も引き続きあちこちで行なわれている。

一九四五年以前は、すべての戦争が通常型だったため、「通常戦争」というカテゴリーは存在しなかった。だが、一九四五年以降、大国にとっては通常戦争は事実上消滅した。なぜなら核兵器の登場によって、軍隊が他の軍隊と戦い、領土を奪い、占領するという通常の手段で行なう戦争でさえも、想像もできないほど危険なものになったからだ。それでも大国は、依然として戦争の可能性を当然とする国際体系のなかにいて、それぞれの政府が戦争に備え、必要に応じて戦う目的を持つ大規模で強力な組織を有していた。これは解決不能なジレンマであったため、解決されることはなかった。

第二次世界大戦の戦勝国から、アメリカとソビエト連邦が「超大国」として台頭した。このふたつの国は、それまで三世紀にわたって世界の中心であったヨーロッパにおける勢力圏を、一九四五年に両国の軍が停戦を迎えた前線におおまかに沿った境界によって分け合った。その後、互いを敵とみなし、長く危険な軍事的対立に陥った。それは至極、当然のことだった。それぞれが異なるイデオロギーを主張し、それによって起こる敵意を説明し、正当化し、増大させたからだ。どちらも相手を武力攻撃する意図はなかったと思われる。だが、そういった意図があれば、おおよそ半世紀後には、次の世界大戦を起こすことになっただろう。世界大戦をどう定義するかにもよるのだが。

カードをシャッフルする

「世界大戦」といえば、通常、二〇世紀のふたつの大戦だけを意味する。だが、これらの大戦は実際には、よりすぐれた兵器技術を用いたものの、旧来の戦争と同じだった。政治的には、「世界大戦」はその時代のすべての大国が参加する戦争である。一六〇〇年から一九五〇年まで大国、すなわち国境よりはるか遠くの地へ本格的な戦力を投入できる国は、すべて欧米の国々だった。またヨーロッパの各国は、世界に広がる帝国を築いていたので、当時は世界中で戦いが起こった。だが、地理的条件は決定的な基準ではない。世界大戦とは、すべての大国が、ふたつの敵対する巨大な同盟に加わり、戦争が実質的にすべてになるということだ。終戦時には大国のあいだにある問題が見直され、和平調停によって解決される。

この基準からすると、近代史において世界大戦が六回あったことになる。すなわち、三十年戦争(一六一八~四八年)、スペイン継承戦争(一七〇二~一四年)、七年戦争(一七五六~六三年)、フランス革命とナポレオン戦争(一七九一~一八一五年)、そして実際に世界大戦と呼ばれるふたつの戦争(一九一四~一八年および一九三九~四五年)である。当時の人々は、こうした戦争によってさまざまな問題が最終的に「解決」し、それに続く比較的平和な時代における大国の相対的地位が明確になったととらえていた。彼らの多くが気づかなかったのは、「世界大戦」がおよそ半世紀ごとに起こっていたということだった（多くの人はこれらの戦争のひとつしか経験していなかったからだ）。

一九世紀には長い空白の期間があったが、それ以外は、大国は近代においておよそ五〇年ごとに戦争を行なった。また、一九世紀の「長い平和」という言い方も少しまぎらわしい。一八五四年から一八七〇年にかけては、スケジュール通り、どの大国も、ひとつ、もしくはいくつかの国を相手に戦った。イギリス、フランス、トルコ対ロシア。フランス、イタリア対オーストリア。ドイツ対オーストリア。また、ドイツ対フランスの戦争があった。最初の戦争をのぞいて、すべての戦争が六カ月以内に一方の側の決定的な勝利によって終わったため、通常のように拡大して大国すべてを巻き込むようなことはなかった（ふたつの大国同士の戦いが長びくほど、他の大国を巻き込みやすくなる）。

それでも、小規模な戦争が続いたことにより、通常の世界大戦の結果と同じように、世界の勢力図が大きく変わった。ヨーロッパの中心部に、イタリア王国と強大なドイツ帝国が出現した。一方、オーストリアの相対的な衰退が確実になり、フランスは大陸における最強国としての地位を失った。以来、大国による支配体制は長い平和の時代に落ち着いた。一八七一年のフランクフルト条約は、一八一五年のウィーン会議のような役割を果たし、条約後四〇年間、ヨーロッパの大国同士が戦うことはなかった。

なぜこのようなことが周期的に起こるのだろうか。どの大国もおよそ五〇年ごとに戦争をするのはなぜなのか。

世界大戦のたびに、カードがシャッフルされる。平和条約によってすべての国境線の変更が固まり、新しい国際的序列における国の順位が決まる。和平調停は、締結当時の世界の真の力関係を反映している。勝者は敗者を打ち負かしたばかりなので、押しつけるのは容易だ。だが、何十年かが過ぎると、富や人口が急拡大する国と、その一方で衰退する国が出てくる。半世紀たてば、世界における真の力関係は、先の和平調停で決められたものから大きく変わる。このとき、現状の世界の体制のなかで与えられた地位に不満を持つ新興国や、形勢が大きく不利になろうとしていることに不安を抱く国が、ふたたびカードをシャッフルしようとする。

五〇年という数字には何の魔法もない。単純に、最後の講和条約に反映された力関係から現実が乖離するまでにそれだけの時間がかかるということだ。第二次世界大戦の勃発が第一次世界大戦のわずか二〇年後だったために、歴史の標準的なリズムを見出すことができなくなるが、これはおそらく第一次世界大戦がはじめての「総力」戦だったせいだろう。勝者も多大な損害を被ったために必要以上に報復を求め、和平条約がきわめて厳しいものになった。

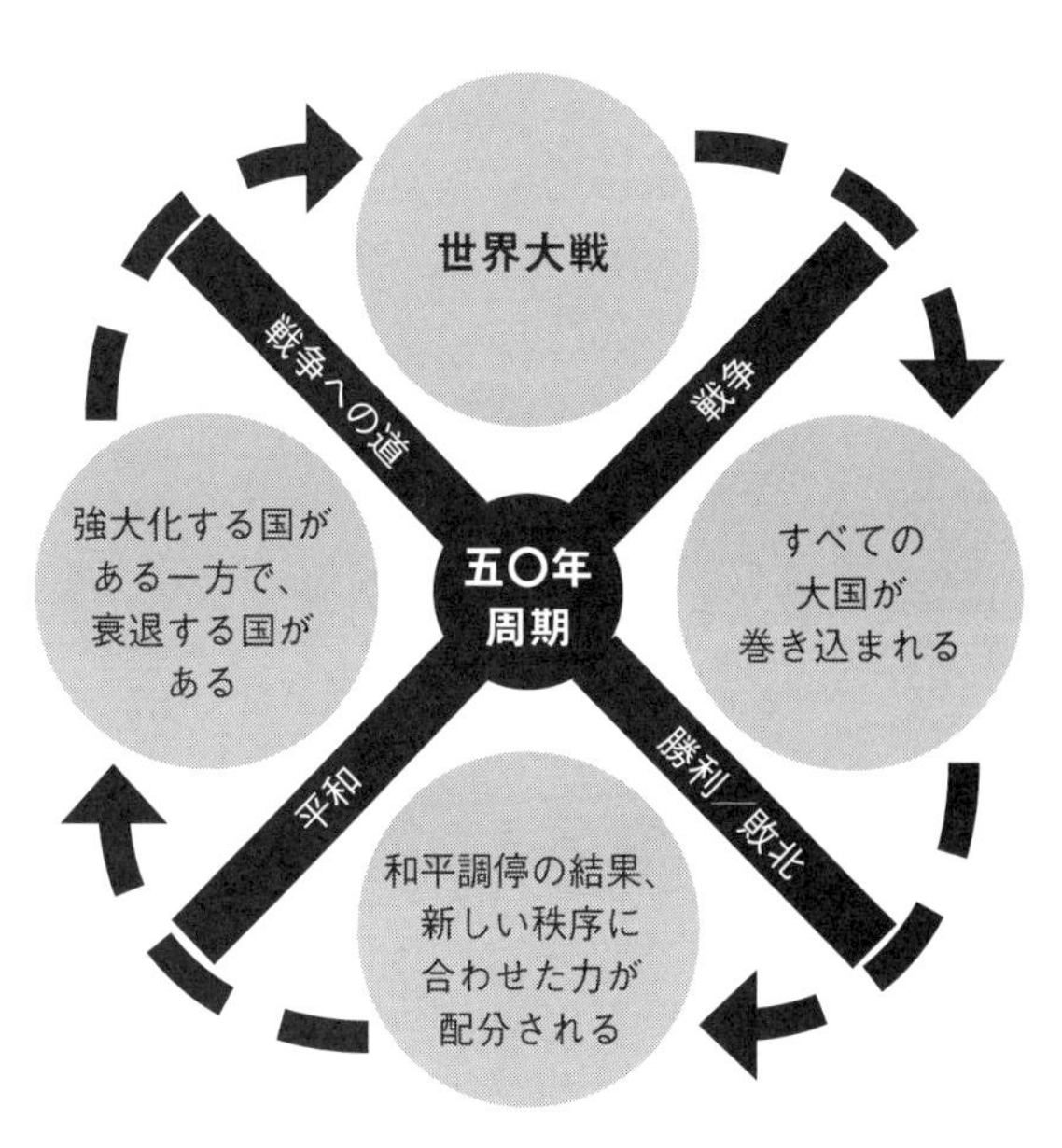

グリエルモ・フェレーロは「大勝利は悪い平和をもたらす」と言ったが、実際、一九一九年のヴェルサイユ条約は、その極端な条項によって、世界の真の力関係を持続不能なほどに歪めた。ドイツは戦争に敗れたが、次の五〇年間、フランスに対して劣勢でいるつもりはなかった。

第二次世界大戦の終結も大きな結果をもたらしたものの、その後、大国間ではすでに四倍近くの長さの平和が続いている。一九四五年時点の調停は、一九八〇年代末にほぼ予定通りに崩壊したが、平和的に置き換わった。なぜ冷戦は五〇年ほどで、第三次世界大戦という結果にならなかったのだろうか。

愚かなのか、必死なのか

戦争とは異なる手段によって行なう政策の継続以外の何ものでもない。

カール・フォン・クラウゼヴィッツ[2]

大国に恒久の友なし、あるのは恒久の国益のみ。

パーマストン卿[3]

国家の運営が行なわれる無慈悲な環境に関する考え方は、何千年にもわたり蓄積されている。政治の権力を握ろうとする者は、国内の紛争は法律によって調停されるが、国家間で起こる紛争はしばしば戦争によって解決されることを知っている。国際法とそれを執行する機関がほとんどないためだ。また、軍務に就いた者は、二〇世紀の終わり頃でさえ、核兵器の存在により戦争が考えられないものになったことと、それでもなお可能な行為であることを同時に信じなければならなかった。

四〇年あまり、すなわち一世代の兵士の全服務期間に相当するほどの長きにわたって、大国は、中央ヨーロッパを絶滅しかけている通常戦争を保存できる保護区域にしようと試みた。

そうでなければ全面戦争に戻るしかなく、次の全面戦争は核兵器が使われることになる。通常戦争と核戦争の区別は人工的なものであり、きわめてあいまいだった。

五〇年代後半にドイツで師団を指揮するようになって以来、そして核攻撃が現実味を帯びるようになって以来、核戦争が怖くてしかたがなかった。核戦争を制御できるという仮定は幻想にすぎない。

ひとつだけ確かなのは、誰もが望まない戦略的な全面戦争へ、早期に急激に拡大する可能性が

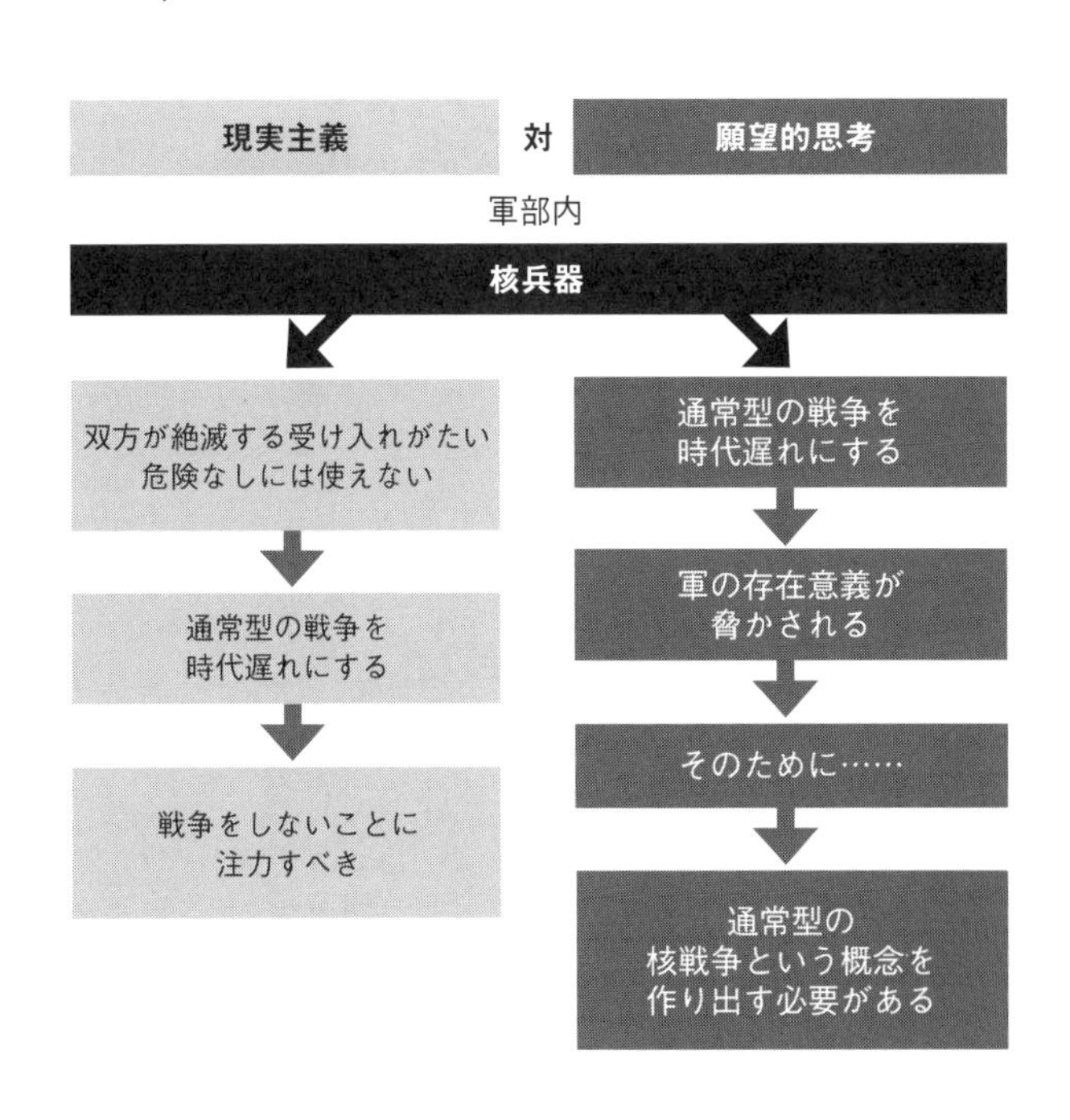

きわめて高いということだ。だから、核兵器は使ってはならない。

ジョン・ハケット将軍

ソ連がアメリカにほぼ匹敵する核戦力を獲得したことにより、ワシントンが核攻撃を実行可能な手段とみなしていた時代は終わるはずだった。そうした手段を用いる戦争では、双方とも事実上、壊滅してしまうからだ。ところが、両国とも東西ドイツの国境である「中央戦線」沿いに配置した通常兵器で武装した軍隊を近代化し続けた。また、全面的核戦争にはいたらない状況において、いかに「戦術的」核兵器の使用が可能かという手の込んだ理論を作りあげさえした。

通常型からはじまって次第に核戦争へ移行するような段階を踏む必要のある拡大計画をあらかじめ用意することはあり得ない。それは柔軟反応というわれわれの哲学に著しく反する。柔軟反応とは、敵を計算不能な危険に直面させることである。すなわち、われわれが最初から核兵器を使用することさえあり得る。政治的な決断がなされれば、軍はそれを実行する用意がある。

フェルディナント・フォン・ゼンガー・ウント・エッテルリン将軍　中欧連合軍最高司令官　一九八一年

将軍の戦闘的な言葉とは裏腹に、「柔軟反応」という方針はヨーロッパにおける戦争を、すぐに核兵器を使用するのではなく、少なくともしばらくは第二次世界大戦の水準の通常戦にとどめようとする北大西洋条約機構（NATO）の試みだった。ソ連も一九七〇年まで同様の方針を採用していた。双方とも、比較的低出力の核兵器がどこかの侵略を阻止するために使われたとしても、少なくとも数日間は「戦術」核兵器のみの使用に制限して、「戦略」核兵器がソ連とアメリカ本土の都市を破壊しはじめるまでの時間を稼ぐことができると願った。

このような企てに専心した軍人たちは愚かだったのか。それとも単に必死だったのだろうか。バーナード・ブローディは一九四五年に、軍隊の機能はいまや戦争を回避することであり、戦うことではない、と述べたが、その真実をいまだ理解していない者もいた。だが、情報により通じた者は、核兵器が「すべてを変えて」しまったことを知っていた。それでも、彼らは軍人であり、国境を守る命令を受けているため、できる限りのことをした。もし、ふたつの相反する考えを念頭に置きながら、なお役割を果たし続けたのなら、それは（F・スコット・フィッツジェラルドが言ったように）高い知性を持つ証だろう。彼らはそのテストに合格した。

中央戦線で「限定的」核戦争が行なわれたなら、従事した軍隊の大半を破壊するだけにとどまらず、中央ヨーロッパの何百万、何千万の民間人も数日で死んだことだろう。敵が戦略核兵器へ移行し、北半球全体を破壊する前に、沈思し、考え直す最後の短い機会があったかもしれない。だが、なかったかもしれない。

　冷戦の終結がはじまる前に行なわれた、最後のＮＡＴＯの軍事および兵員演習のひとつであるウィンテックス83は、三月三日に、ワルシャワ条約機構軍が国境を越えて西ドイツへ侵攻するという想定のもとに行なわれた。ＮＡＴＯの指揮官たちは、三月八日に、ソ連の突破作戦を阻止するために核兵器を使用する許可を当局に求めた。それにより、三月九

最終戦争（ハルマゲドン）に備えた演習――ドイツで行なわれたＮＡＴＯのライオンハート演習に参加するイギリス軍。1984年

日にワルシャワ条約機構軍への最初の核攻撃が命じられた。この演習では、通常戦争が六日間続けられた。

通常型とは言えない

冷戦期における核兵器への固執により、兵士に忍び寄るもうひとつの新たな現実が不透明にされ、それがこんにちも続いている。純粋な通常戦争であっても、最新鋭の武器で戦えば、問題をはらんだものになる。戦場監視装置、「一撃必殺の能力」を持つ武器、ドローンスォームなどの最新世代の武器は、通常戦争を変容させつつあり、理論家のなかには「軍事革命（RMA）」とさえ呼ぶ者もいる。そういった変化はまちがいなく起こっているが、彼らが言っている意味とは異なる。実際に起こっている軍事革命は、戦場における戦闘システムの損失率が大幅に上昇したことだ。これは一部には新型兵器の製造がとても複雑で費用がかかるために保有数が激減したこと、また、一部にはきわめて性能が良く、相手に多大な損害をもたらすことができるからである。

互角の近代戦力を有する軍隊によって深刻な通常戦争が最後に行なわれたのは、ほぼ半世紀前のことだ。一九七三年の第四次中東戦争で、イスラエルに対して近隣のふたつのアラブの国であるエジプトとシリアが戦った。イスラエルは一週間もしないうちに、有線誘導によ

第四次中東戦争でスエズ運河を渡るイスラエル軍戦車
1973年10月

る対戦車ミサイルによって保有する戦車の半分近くを失った。同様にイスラエル空軍は、ロシア製の地対空ミサイルにより、戦争開始から四日目までに、全戦闘機三九〇機のうちの一〇〇機以上を失った。幸いなことにアメリカが戦争開始から八日目に大規模な空輸作戦を開始し、何百台もの戦車、戦闘機、大砲、ＴＯＷ対戦車ミサイルが届けられた。だが、戦時にこのようにすぐに補給を受けられる国はほとんどない。

認識されている脅威がとくに大きな地域は別として、第二次世界大戦以降、各国の軍隊の規模も平均して大幅に縮小している。おもな理由は費用だ。最新の兵器を装備する以上の人件費を投入して軍隊を維持する意味はない。また、平時にそうした兵器を大量に製造することを正当化できる国はほとんどない。もし大国同士が戦争をすることになれば、事実上、費用が制限なく使えるようになるだろう。だが、兵器製造を大幅に拡大するには時間がかかる。一九八〇年代に、ヨーロッパの「中央戦線」でNATO軍とワルシャワ条約機構軍が戦ったとしたら、（当時の兵士たちいわく）「ふだん着のままの」戦争になったかもしれない。両陣営とも、瞬く間に戦車や戦闘機などの最良の兵器を、代わりが間に合わないほどの速さで失いはじめるからだ。

　兵器に関する費用の増大の規模をつかむために、イギリスの戦闘機スピットファイアについて考えてみよう。同機は一九三九年にイギリス空軍に配備された当時、おそらく世界一の戦闘機だった。当時の製造費用は五〇〇〇ポンド。イギリスの成人の平均年収のおよそ三〇名分である。一九八〇年代はじめに代替として導入された防空型戦闘機トーネードは、一機当たり一七〇〇万ポンド（イギリス人三七五〇名分の総年収）かかった。二〇一九年に最初の作戦任務についたイギリス空軍の最新戦闘機であるアメリカ製F－35Bは、エンジンと電子回路を含めて一機当たり一億九〇〇〇万ポンド（イギリス人六七八五名分の年収）である。つまりF－35Bは、インフレ換算するとスピットファイアの二二五倍の費用がかかる。第二次世界大戦開戦当時より二二五倍豊かになった国はないため、兵器製造の大幅な減少は避けられない。一九四〇年のイギリス空中戦（バトル・オブ・ブリテン）の真最中には、イギリスは週に一〇〇機以上の戦闘機を製造していた。こんにち、イギリス空軍が保有する戦闘機は約一二〇機にとどまる。

　現世代の戦闘機は、もちろん、第二次大戦時のものよりもずっとすぐれていて、四倍速く

イギリスのスピットファイア（左）とアメリカのＦ－35（右）

飛び、五〜六倍の重さの弾薬を積載することができる。スピットファイアの一〇〇倍先の敵を発見して攻撃することができるし、装備されている武器ははるかに正確で殺傷能力が高い。だが、それらは事態を悪化させるだけだ。空軍が戦闘機を多く購入できなくなることに加え、失うペースもより速くなる。

　より最近の通常兵器による戦闘は、おもに前世代の兵器を使用して軍同士が戦ったイラン・イラク戦争（一九八〇〜八八年）、低空飛行（シースキミング）対艦ミサイルのような特定の兵器の能力を見せつけてイギリスとアルゼンチンが戦った一九八二年フォークランド紛争、あまりに一方的な戦いであったアメリカとイラクの湾岸戦争（一九九〇〜九一年）とイラク戦争（二〇〇三年）である。どれも現在のアメリカ軍のような水準の装備を持ち、訓練されたふたつの軍隊が戦ったらどんなことが起こるのかという詳細を語ってはくれない。

　たとえば、もし一九八〇年代にヨーロッパで戦争が起こっていたとしたら、ヨーロッパのＮＡＴＯ司令官はおよそ三〇〇万の軍人（そのうちの四〇〇万がアメリカ人）と、さらに準備をすっかり整えた一七〇万の予備役兵を指揮下に置いたことだろう。ソ連の司令官も戦車の数はいくぶん多いものの、ほぼ同程度の兵力を有したことだろう。これらは、世界のどの国よりも機械化された最大規模の軍隊だ。しかし、二〇世紀のふたつの世界大戦で列強が配置した軍隊とは比べものにならない。当時は、一日に優に戦車千台と戦闘機百機が破壊され、どちらの側も迅速に補充をすることができなかった。消耗の問題はすでに深刻になっていた。

双方の最重要な装備が驚くべき速さで一掃され［たことだろう］、軍隊はきわめて単純な武器に頼らざるを得なくなる。ひと昔前の戦争へ逆戻りだ。一九一四年がそうだった。すべての陣営が、起こっている戦争の規模にはきわめて不十分な装備で戦争をはじめた。それからよく知られた「クリスマス休戦」があった。それは傷を癒すためでもあったが……おもには砲弾製造工場の準備をさせるためだった。［現在は］兵器の種類が大きく増えているために、戦車、戦闘機、ミサイル、ミサイル発射筒、あらゆる種類の装甲車などほとんどすべてのものの補充のための休戦が必要になるだろう……

ジョン・キーガン　軍事史家

もちろん、これはすべて、「通常戦争」がウィンテックス83の六日間よりもずっと長期に

新型ハイテク通常兵器：より破壊的できわめて高価

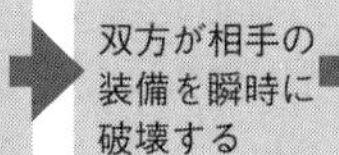

失うのと同じ速さで補充は不可能

補充されるまで戦闘員はローテク兵器に戻る

なると仮定している。

一九八〇年代半ばのＮＡＴＯとワルシャワ条約機構加盟国の合計人口は一〇億人に近く、その一パーセントに満たない一〇〇〇万人弱の兵士に最良の通常兵器を装備することができた。一九八八から八九年の米ソ冷戦の終結期には、軍隊の規模がさらに急速に縮小された。一九九〇年代にロシアがよちよちと民主化の道を歩みはじめたため、互いを脅威と認識する度合いが急速に下がったことがおもな要因である。一九九九年以降は、ウラジーミル・プーチンによって事実上の独裁政治体制へ戻ったが、両国の軍産複合体の努力にもかかわらず、軍拡競争は再開されなかった。ロシアは「衛星」国の多くを失い、西ヨーロッパの中心地からきわめて遠くなり、西側の人々にとって真実味のある喫緊の軍事的脅威にはもはや思えなかったからだ。その一方で、旧ロシア・ソビエト帝国を再統合する口実を探しているロシアの指導者は、ロシアの西に接する国々のいくつか、あるいはすべてをモスクワの統制下に戻すための侵略を正当化するために、ＮＡＴＯの東方拡大を脅威として自国民に示した。そうしているうちに不幸な出来事が起こった。

一九九〇年代に、旧ワルシャワ条約機構加盟国がＮＡＴＯへの加盟を希望しても、ロシアがそれを拒絶することなど考えられなかっただろう。自国の拡張主義への回帰に関する不安は、モンゴルによる征服（一二三七年）や、ムスリムによる虜囚（一七六九年のタタール人の最後のモスクワ襲撃）、ナポレオンの侵攻（一八一二年）、ヒトラーの侵攻（一九四一年）に対して抱くトラウマよりも、ずっと新しく鮮明な懸念から生じるものだったからだ。誰もが安心を求める。新しく民主化された東欧諸国は、半世紀にわたる厳しいロシア／ソビエトの支配からようやく逃れたところであり、その時点でロシアが良識的な行動をとっていたとしても、安全保障を求める資格はあった。

実際の軍事安全保障に関しては、どこがＮＡＴＯの東の境界線かという議論はたいして重要ではない。将来、ＮＡＴＯとロシアが対立するようなことになっても、大草原地帯を走る戦車部隊が勝敗を決定することになるとは誰も考えていない。そのような戦争にどんな目的があるのかを想像するのさえ難しい。ロシアには、西側が金で容易に手に入れられないような権益は何もない。また、ロシアがＮＡＴＯ諸国へ侵攻するかもしれないという考えは現実的ではない。大昔であればわずかな可能性はあったが、今はそうではない。

一九八〇年代半ばのＮＡＴＯ加盟国の全人口は約六億七五〇〇万人で、ワルシャワ条約機構加盟国の全人口は約三億九〇〇〇万人だった。しかし、ＮＡＴＯ人口の半分近くは遠く大西洋の向こうにいたため、ヨーロッパ地域での兵力といった意味では、互いに真の脅威となっていた。二〇二〇年の時点で、ワルシャワ条約機構は解散して久しく、東欧の旧衛星国はすべてNATOに加盟している。ソ連の一五の共和国でさえロシアから離れ、一億四五〇〇万の相対的に貧しいロシア人は、自分たちだけで、いまや八億七〇〇〇万の人的資源を持つようになったNATO連合に対峙することになった。NATOとワルシャワ条約機構の人口比は、かつてはおよそ三対二だったが、現在のNATOとロシアの人口比は五対一に近い。富に関して言えば、おおよそ一五対一である。

NATOの東の境界線とモスクワからの距離は、現実を見えにくくする。境界地域近くに比較的まばらに配置されたそれぞれの軍隊は仕掛け線にすぎず、NATOとロシアが決定的な対立をすれば、すぐに核戦略レベルへ移行するだろう（核兵器を実際に使用することがなければいいとは思うが）。そうなれば、ミサイル基地の位置は問題ではない。攻撃を受けやすい境界近くでないのが確かなだけだ。近年、さまざまな騒乱が起こっているが、こんにちのヨーロッパにおいて、本格的で大陸規模の通常戦争に関する説得力のあるシナリオを書くのは難しい。

こんにち、きわめて大規模で最新鋭の装備をした軍隊が公に敵対している地域は、地球上にふたつしかない。インドとパキスタンおよび中国、そして朝鮮半島だ。どちらにも核兵器がある。台湾海峡をはさむ中国と台湾も可能性はあるが、まだそこまでにはいたっていない。

中東を忘れてはならない。しかし、アラブとイスラエルの対立が軍事的に「解決」されることは想像しにくい。軍事的に言えば、イスラエルはこの地域の「小さな超大国」であり、アラブ諸国に対する戦争で負けたことがない。さらにスンナ派のアラブ諸国、とくにサウジアラビアは、シーア派のイランからの「脅威」に強い不安を抱いているため、イスラエルを永続的な敵ではなく、潜在的な味方と考えるようになっている。この地域では不毛でしばしば勝ち目のない戦争が頻繁に起こるという評判にもかかわらず、すべてのシーア派の国々（イラン、イラク、シリアに加えておそらくレバノン）対すべてのスンナ派のアラブ諸国（エジプト、サウジアラビア、アラブ首長国連邦と湾岸の小国）に、イスラエルとおそらくトルコを加えた国々を巻き込む大規模な通常戦争が起こるとは考えがたいし、到底ありえないだろう。

なぜイスラエルはすべての戦争に勝つのか？

イスラエルは、アメリカの最新世代の兵器を入手することができる。また、アメリカから毎年巨額の国防費補助金を受け取っている。

イスラエル国民は教育水準が高く、テクノロジーに長け、強大で非人間的な官僚主義や階層制度に慣れている。

伝統的なヨーロッパの動員システムのおかげで、五つの「通常」戦争のうちの四つにおいて、人口がずっと多いアラブの隣国よりも多くの軍勢を戦地へ派遣することができた。

イスラエルは輸送の「内線」が整っているため、文字通り一夜にして軍隊をエジプト国境からシリアやヨルダンやレバノンの国境まで移動させることができる。

近隣諸国の大半とは異なり、少なくともユダヤ人市民にとっては、民主的で比較的平等な社会である。それが人々の団結心や高い士気や逆境からの回復力を育てる。

過去六〇年間、この地域で独占的に核兵器を保有してきた。

Column

軍事アナリストにとって確かなのは、こんにちの小規模な通常戦争からは、新しい戦術や戦略上の教訓はほとんど得られないということだ。とはいえ、ときには学べることもある。二〇二〇年にアルメニアとアゼルバイジャンのあいだで起こった戦争〔第二次ナゴルノ・カラバフ紛争〕では、ミサイル武装したトルコ製のバイラクタルTB2ドローンとイスラエル製の「カミカゼ」ドローンが、多連装ロケットシステムや地対空ミサイルシステムだけでなく、アルメニアの戦車や大砲の大半を六週間のうちに破壊した。その時点でアルメニアは負けた。新しいテクノロジーがはじめて戦闘に登場すれば、決定的な効果をもたらすときがある。だが、ひとたび双方がそのテクノロジーを十分に保有し、戦闘でいかに配置して使うのが最適かを初期の戦術から学べば、損失率は（必ずしも減らないとしても）同程度になる傾向がある。

二一世紀はじめの世界はこれまでとはまったく異なる様相を見せている。従来、国際政治の要であった通常兵器を装備した軍隊が国境を越えて戦う戦争は、アメリカ大陸、オセアニア、アジアの大半から事実上消滅した。恐ろしいまでの過去の水準と比べれば、伝統的な通常戦争は減少しているようにさえ思える。その一方で、ゲリラ戦と「テロリズム」が最盛期を迎えている。

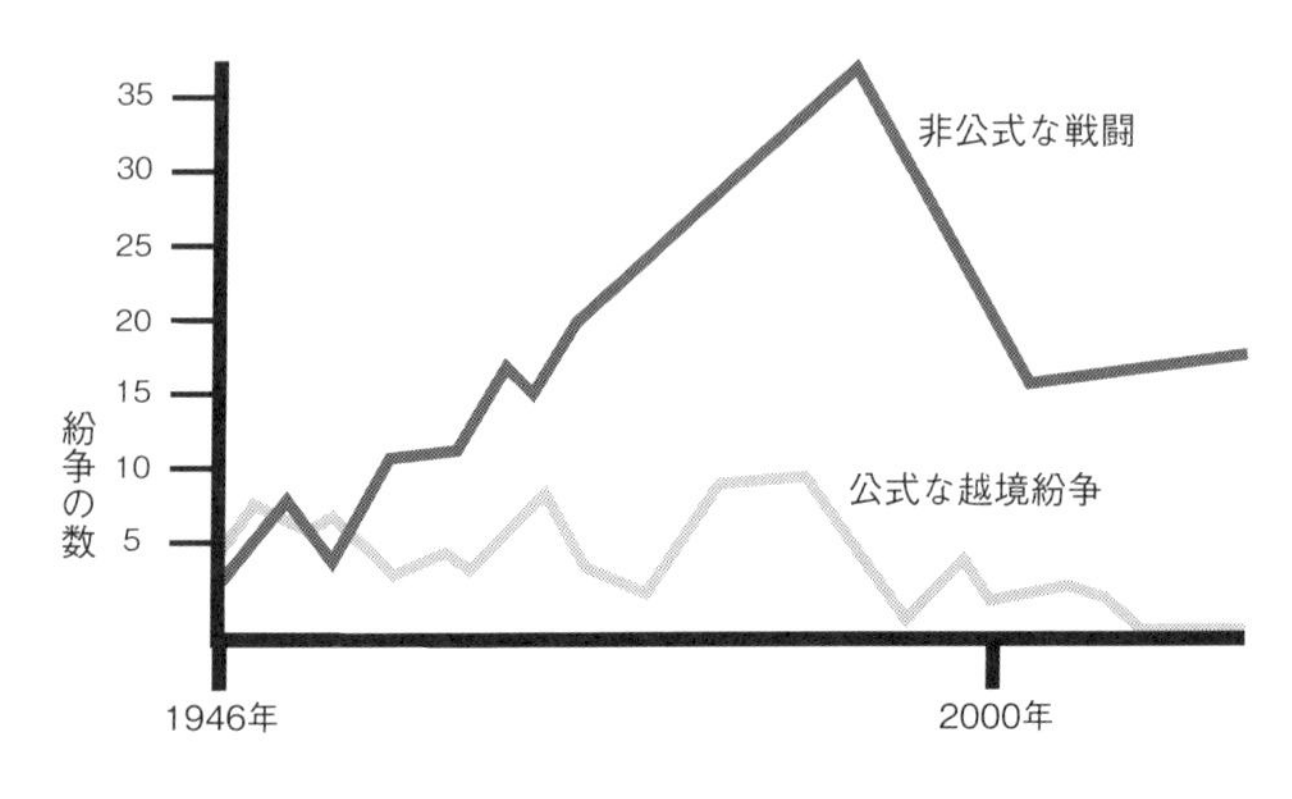

神出鬼没

ゲリラは兵士ではない。現代では、一般的には、正式な国家に仕えることはない。だが、政治的な目的のために武力を用いているのは確かだ。ゲリラが行なっているのは戦争であり、思いつきの暴力ではない。

われわれが着くと、やつらは消えている。われわれがいなくなると、やつらは現われる。やつらはどこにもいて、どこにもいない。攻撃し得る実体的な中心拠点を持たない。

スペインのゲリラと戦ったフランス軍将校　一八一〇年[4]

外国による占領に抵抗するゲリラ戦は、ナポレオン戦争で注目されるようになった。この戦法をゲリラ（小さな戦争の意味）と名づけたスペイン人も、そしてドイツ人も、フランスの占領軍に対して大々的なゲリラ作戦を行なった。

しかし、ゲリラ戦法は、ドイツや日本の占領軍に対して広く使われた第二次世界大戦時でさえ、決定的な戦法として可能性があるとはみなされなかった。おもに最終的な勝利への戦略を欠いていたからだ。

ゲリラが丘陵や森林や沼地に分散したまま奇襲のみを行なっても、限定的ながらも継続的に占領軍に損害を与えられるだろう。こんにちであれば「テロ」と呼ばれる攻撃を、都市部においても行なうかもしれない。だが、表に出てこなければ、都市部の権力の中枢から敵を一掃することはできない。また、占領軍と表立って交戦することになれば、敵の重火器によって壊滅させられる。

第二次世界大戦後、農村ゲリラの手法がヨーロッパの植民地帝国に広がった。一九三九年から一九四五年のヨーロッパにおける被占領国と同じように、フランス、イギリス、オランダ、ポルトガルの植民地のゲリラは、外国人の占領者に対して同胞を容易に結集することができた。だが、ヨーロッパの被占領国と同様に、帝国が保有する十分な装備を持つ正規軍に対して、決定的な軍事的勝利を得ることはできなかった。とはいえ、結局、ゲリラにとって軍事的な勝利は必要なかった。宗主国が居座り続けるための費用を高くつくものにし、それを継続させれば、宗主国は最終的には損害を減らすために本国へ戻ることを決断するからだ。

このパターンは、一九四五年から二〇年間、インドネシア、ケニア、アルジェリア、マラ

ゲリラ戦が功を奏するとき

★ ＝ゲリラの行動

ヤ、キプロス、ベトナム、南イエメンなどの多くの場所で、幾度となく繰り返された。多くの場合、権力を継承したのは、インドネシアのスカルノ、ケニアのジョモ・ケニヤッタ、アルジェリアの民族解放戦線（ＦＬＮ）などのゲリラの指導者たちだった。ヨーロッパの宗主国がゲリラ戦術に対する自分たちの致命的な弱さに気づいたのちは、多くの植民地の脱植民地化が、ゲリラ戦の必要もなく達成された。

　当時、ゲリラ戦が農村部で圧倒的に広がったことにより、西側の大国では大きな懸念や落胆が引き起こされた。一九四五年以降のゲリラの活動は、西側の最大の敵であるソ連が説いた、マルクス主義イデオロギーから派生した主張に従ったものだった。そのため西側は、ゲリラ戦の背後には、外国の支配に対する恨みというよりも、ソ連や中国

川を渡るベトコン兵　1966年

の拡張主義があると信じるようになった。

　実際には、一九五〇年代と六〇年代のアジアやアフリカやアラブの革命指導者たちは、モスクワではなく、ロンドンやパリでマルクス主義を学んだ。一九六五年にアメリカがベトナム戦争に全面的に深く関与したのは、中国を通じてソ連の拡張主義が進められるのを阻止するという誤った理由によるものだっただけでなく、誤った時期でもあった。一九六五年頃には、「第三世界」のゲリラ戦の波は自然の終焉を迎えていた。帝国主義の支配に対して、いまだ活発なゲリラ活動の舞台となっていたのは、インドシナをのぞけば、アフリカ南部と南イエメンだけだった。アメリカはイデオロギーを理由として、アジアにおけるゲリラ戦に勝利するために、ヨーロッパよりもはるかに多くの費用を投じ、犠牲者（五万五〇〇〇人）を出した。だが、ゲリラ戦の公式は、ベトナムでも同じように働いた。ゲリラたちは十分に長く活動を続け、負けさえしなければよかった。そうすれば、アメリカの人々が戦費や負傷者の規模に抵抗を示し、自分たちに勝利を与えてくれる。それが一九六八年にはじまったことだが、アメリカ軍が最終的に撤退したのは一九七三年になった。

旧ソ連はメディアを厳しく統制する独裁国家だったが、一九八〇年代頃にはすでに死傷者の数が問題になっていた。アフガニスタンへ軍事介入した〔一九七九年から八九年のアフガニスタン紛争〕一〇年のあいだ、ソ連兵の死者は一万五〇〇〇人ほどにとどまったが、ロシアの世論がベトナム戦争時と同じような反応を示し、ロシア政府は一九八九年にアフガニスタンから撤兵せざるを得なくなった。それどころか、シリア内戦に軍事介入した二〇一五年以降は、アメリカ政府同様、多数の犠牲者を出すことに消極的になった。

農村ゲリラが盛んになる原因となった植民地主義や反帝国主義といった背景がなくなると、この戦法はあまり使われなくなった。なぜなら、もっとも強大な自国の民族集団に支持された政府に対して、ゲリラの手法が通用することはほとんどなかったからだ。外国に占領されているわけでもないので、大義を掲げて人々を惹きつけることもできず、反植民地主義の闘争において勝利をもたらした最終段階にいたることもない。現地政府は、ゲリラ対策の費用がかさんでも、損害を切り捨てて「本国へ帰る」ことはできない。それではどこへ向かうの

ゲリラ戦が機能しないとき

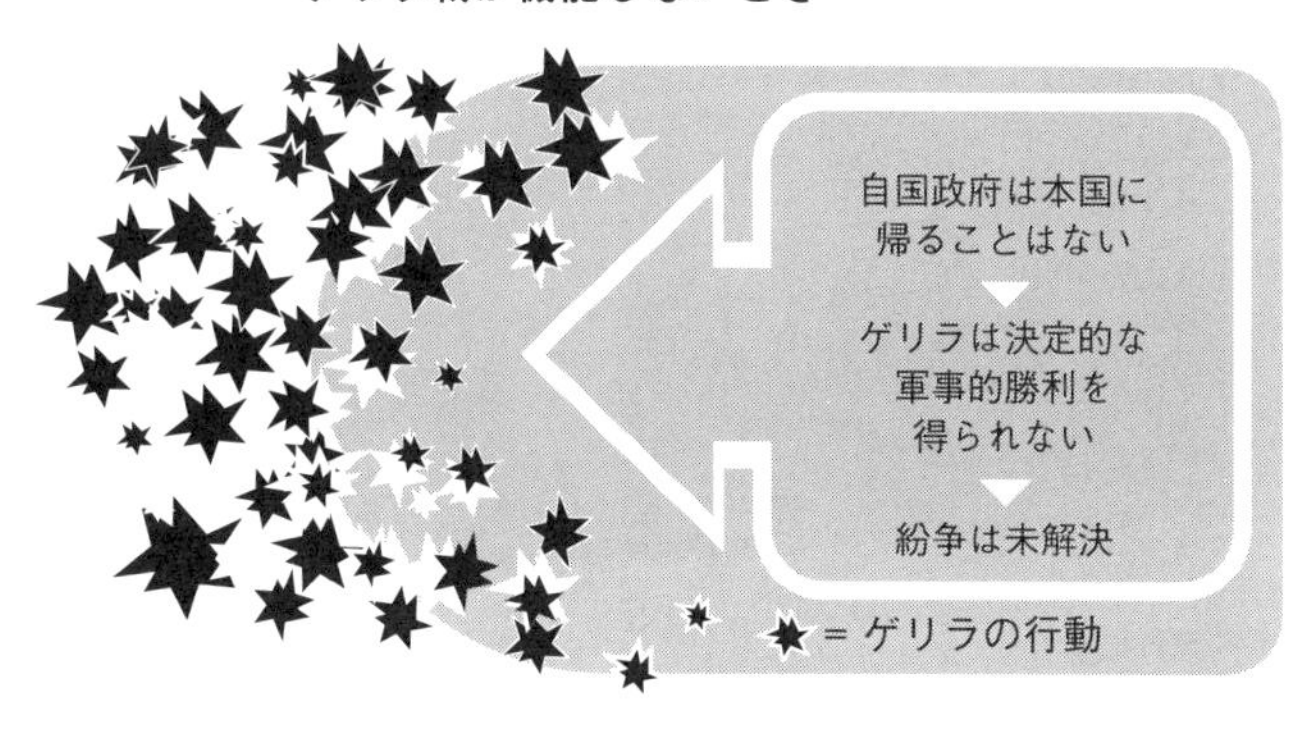

だろうか。エリトリアと南スーダンの事例は例外的に、その法則を立証している。新しく独立した国々の大半において、分離独立のために戦う分離主義者たちは、自国政府と軍隊の意思をくじくことはできないのである。

　こうした法則をすべて覆した例外が、一五年間の農村ゲリラ戦を最終的に全面的な通常戦争に発展させ、一九四九年に中国の国民党から権力を奪った中国共産党である。

中国――大いなる例外

　あらゆる戦闘において、絶対的に優越する兵力を集中させ、敵軍を完全に包囲し、徹底的に殲滅することを目指して、何人（なんぴと）も包囲網から逃してはならない。

毛沢東　一九四七年(5)

一九三〇年代あるいは一九四〇年代はじめ頃であれば、毛沢東はこのような命令を出さなかっただろう。当時は、中国を侵略した日本軍や、中国共産党の国内の敵で権力の座にあった国民党に対して、古典的なゲリラ戦を展開していただけだった。ゲリラ戦の定石に従い、敵の小隊を待ち伏せて攻撃はするものの、主要兵力に対しては決して立ち向かわなかった。だが、一九四七年までには日本軍は降伏していたし、国民党政権は揺らいでいた。わずか二年で、毛沢東が率いる人民解放軍は四倍の二〇〇万人に増大した。その後、腐敗し、分裂し、機能停止に陥った国民党政府を正面から倒すために一連の戦闘を仕掛けた。

毛沢東　1930年代

毛沢東はゲリラ戦の聖杯を手に入れた。外国からの支援も、外国支配に対する敵愾心といった助けもなしに、ゲリラ兵士たちを真の軍隊へと変え、野戦によって当時の中国政府を打ち負かした。その見事な偉業に、他の多くの革命集団が続こうとした。だが、成功したのはふたつだけだ。一九五九年にシエラ・マエストラ山脈から降りてきたフィデル・カストロの仲間の小集団、および一九七九年のニカラグアのサンディニスタ民族解放戦線である。どちらの場合も、状況は国民党支配下の中国とはかなり異なる。七月二六日運動でカストロが対峙した敵と、サンディニスタが立ち向かった敵は、中国国民党さえまともに見えるほどの、きわめて邪悪で無能な政府だった。どちらの国も過去にアメリカの軍事介入があり、それによって強く根づいた反米感情を利用して人々の愛国心を刺激すれば、優位な立場を保つことができた。

それがすべてだ。農村ゲリラ運動は、第三世界の国々の対立の多い地域で今も続いている。だが、政府が人々の愛国心に訴えることができるのに対して、ゲリラ戦が成功する望みはほとんどない。もし彼らが暗殺や自動車爆弾や奇襲攻撃を脱し、大部隊を組んで戦うなど、より野心的な行動に移行すれば、政府軍が待ちかねていた標的を与えることになる。一九七〇年代には、農村ゲリラ戦は、もはや期待できる革新的な戦法にはなり得ないことが明らかになった。

「都市ゲリラ戦」

ラテンアメリカの革命家たちの多くはこのように実感して失望し、無差別テロ（「都市ゲリラ戦」として知られる）行動に移った。この方針をラテンアメリカではじめたアルゼンチンのモントネロス、ウルグアイのトゥパマロス、ブラジルのカルロス・マリゲーラら革命家たちの当初の狙いは、政府を極端な弾圧へ駆り立てることだった。それは、フランスのマルクス主義者が「状況悪化戦略」と呼ぶものである。

都市ゲリラは、暗殺、銀行強盗、誘拐、ハイジャックなど、政府を最大限に困惑させるよう計算された手段によって、民主主義政権の転覆を誘発して強硬な軍事政体へ移行する、あるいは既存の軍事政権をさらに厳しく不人気な治安対策へ駆り立てることを目的とした。もし政権がテロ対策、拷問、「強制失踪」を行なったり、暗殺部隊を使ったりすれば好都合だった。狙いは人々の心を政府から離反させることだったからだ。

政治的危機を武力闘争へ変えることが必要だ。そのために暴力的な行動を起こし、権力者が国を軍事体制へ変えざるを得ないようにする。それによって大衆を離反させて、軍や警察への反抗心を植えつけ、批判を政府に向けさせる。

『都市ゲリラ教程』カルロス・マリゲーラ(6)

残念なことに、都市ゲリラ戦は、植民地時代後期の農村ゲリラ戦と同様の致命的な欠点があった。望んだような最終局面にいたらないことだ。理論上は、ゲリラ行動によって、政府を残忍で抑圧的な体制に変えることに成功すれば、人々が蜂起し、抑圧者である政府を倒すはずだった。だが、それはうまくいったのだろうか。都市部の武装蜂起が成功したことは、一九世紀以降、ほとんどない。

ラテンアメリカのさまざまな国々で、都市ゲリラは、ゲリラを殲滅することに専心する、きわめて卑劣な軍事政権を作り出すという戦略の第一段階には成功した。だが、そうしてできた政府は、まさにそれを実行した。状況悪化戦略が試みられたすべてのラテンアメリカの国で、都市ゲリラの実行者のほとんどが殺されるか亡命した。

このようなラテンアメリカのテロ戦略に、わずかながら、また愚かにも影響を受けたのが、一九七〇年代と一九八〇年代に西ヨ

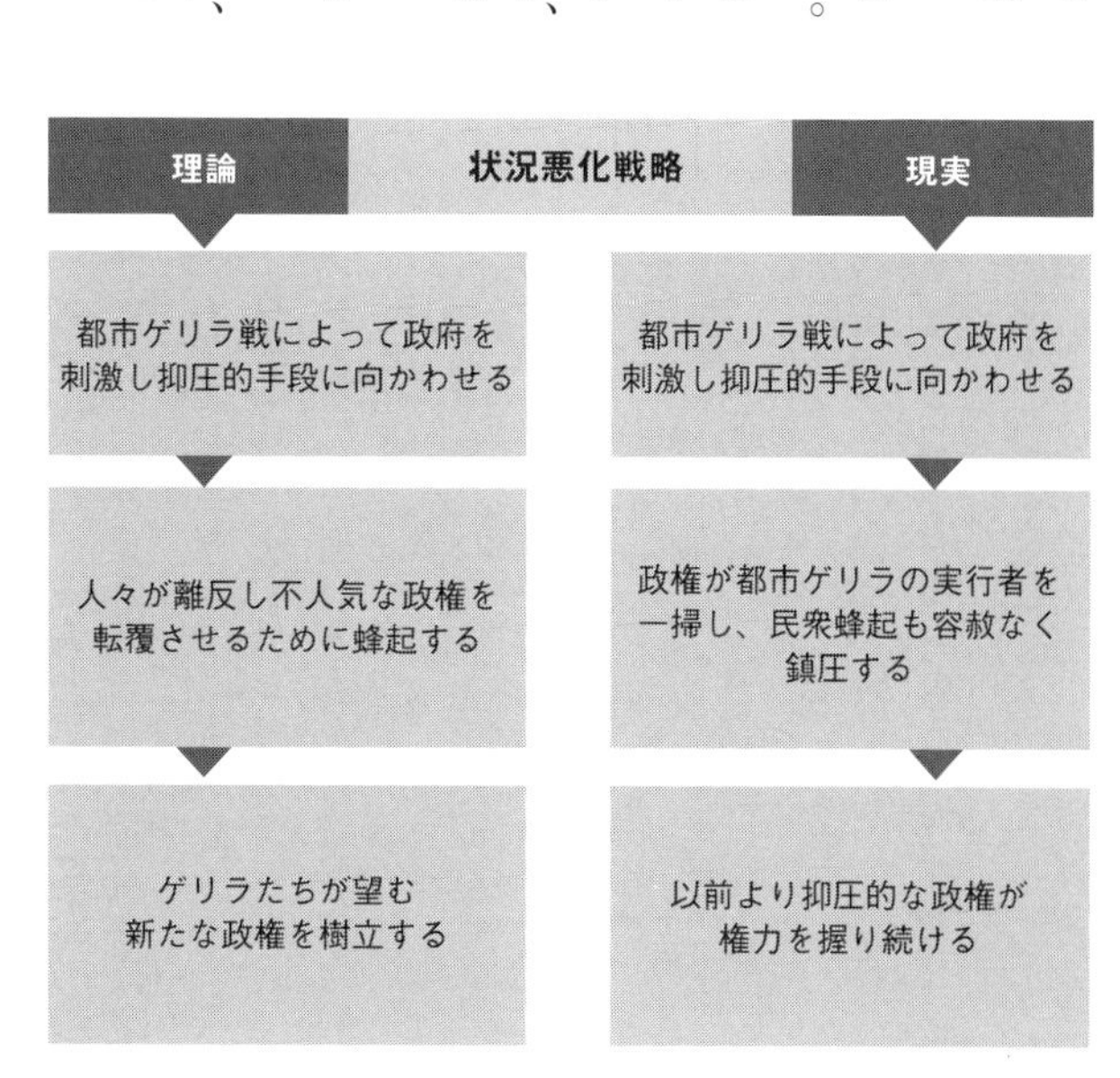

ーロッパや北アメリカで盛んに行なわれた軽薄なテロリストたちだ。彼らのおもな観念的指導者は、アメリカの哲学者ヘルベルト・マルクーゼである。マルクーゼは、自由主義の偽装を捨て、真の抑圧的な本質を暴くために、創造的な暴力行為を通して「自由主義的ブルジョワジーの抑圧的寛容の仮面を剝ぐ」必要を主張した。これはデザイナーテロリズムであり、現実の政治であると同時に「考え方」の問題だった。それによって何百人もが死に、何百回も新聞の見出しを飾ったものの、どこの国の政府も決して脅かさなかった。レナード・コーエンは「まずマンハッタンを奪取せよ」という冷笑的な歌を作り、先進国世界の都市ゲリラの愚直さと自己陶酔を表現した。

私は天の意図に導かれる
肌の母斑に導かれる
武器の美しさに導かれる
まずマンハッタンを奪取する。それからベルリンを奪取する

『バーダー・マインホフ
理想の果てに』映画ポスター

ドイツのバーダー・マインホフ（ドイツ赤軍）やイタリアの赤い旅団、アメリカのシンバイオニーズ解放軍とウェザーメン、日本赤軍などの集団がなんらかの影響をおよぼしたとすれば、それはおもに、対立する左翼を非難したい右翼の政府にとって役立つ嫌われ者であったことだ。北アイルランドのアイルランド共和国軍暫定派（ＩＲＡ）や、スペインのバスク地方のバスク祖国と自由（ＥＴＡ）のような宗教あるいは少数民族を基盤に活動する民族主義の都市ゲリラは長期にわたって活動を続けたが、どちらも現在はかつて戦った政府と和解している。

だが、ふたつのテロリスト集団が大きな衝撃を与える方法を見つけた。どちらも国際的な行動で有名になった。どちらも政治目的として標的とする政府を転覆させる必要はなく、どちらもアラブ人だった。

パレスチナ

パレスチナ解放機構（ＰＬＯ）は、ヤーセル・アラファトによって一九六四年に結成された。これは、多くのパレスチナ人が住む難民キャンプで編成された武装集団の戦略を統合するためのものだった。アラファトは、これらの集団が直接攻撃によってイスラエルを倒し、故国を取り戻す可能性はまったくないとしても、異なる目的のために彼らの実行力を活用すれば、なんらかの結果を生み出せると見抜いた。

アラファトと仲間たちは、「難民」を「パレスチナ人」という新しい属性で呼ぶことの重要性を理解していた。彼らが非アラブ人から（あるいは一部のアラブ人からさえも）、ただ「アラブ難民」とひとくくりにされてしまう限り、理論上は、アラブ世界のどこにでも再定住できるとみなされてしまう。彼らが故国へ帰るための唯一の望みは、「パレスチナ人」というアイデンティティを世界に認めさせることだった。パレスチナ人と呼ぶことによって、暗黙のうちにパレスチナの土地が彼らのものであるという主張の正当性が世界に受け入れられる。

パレスチナ人が本当に存在すると世界に納得させるには、どのような活動をすればいいだろうか。もちろん通常の広告活動ではなく、衝撃的な暴力行為を実行することだ。そうすれば、メディアは必ず報道する。また、その事件を説明するために、パレスチナ人のことを話さざるを得なくなる。一九七〇年九月、ＰＬＯの「ゲリラ」は、四機の大型定期旅客機を同時にハイジャックして、ヨルダンの砂漠地帯にある空港まで飛行させ、乗客を降ろしたあと、世界中のテレビカメラの前で爆破した。それに続く攻撃では多くの死者を出したが、これは合理的で達成可能な目的を持った国際テロだった。目的はイスラエルを屈服させるためではなく、自分たち自身の運命に関する議論に積極的に参加すべきパレスチナの民が存在するこ

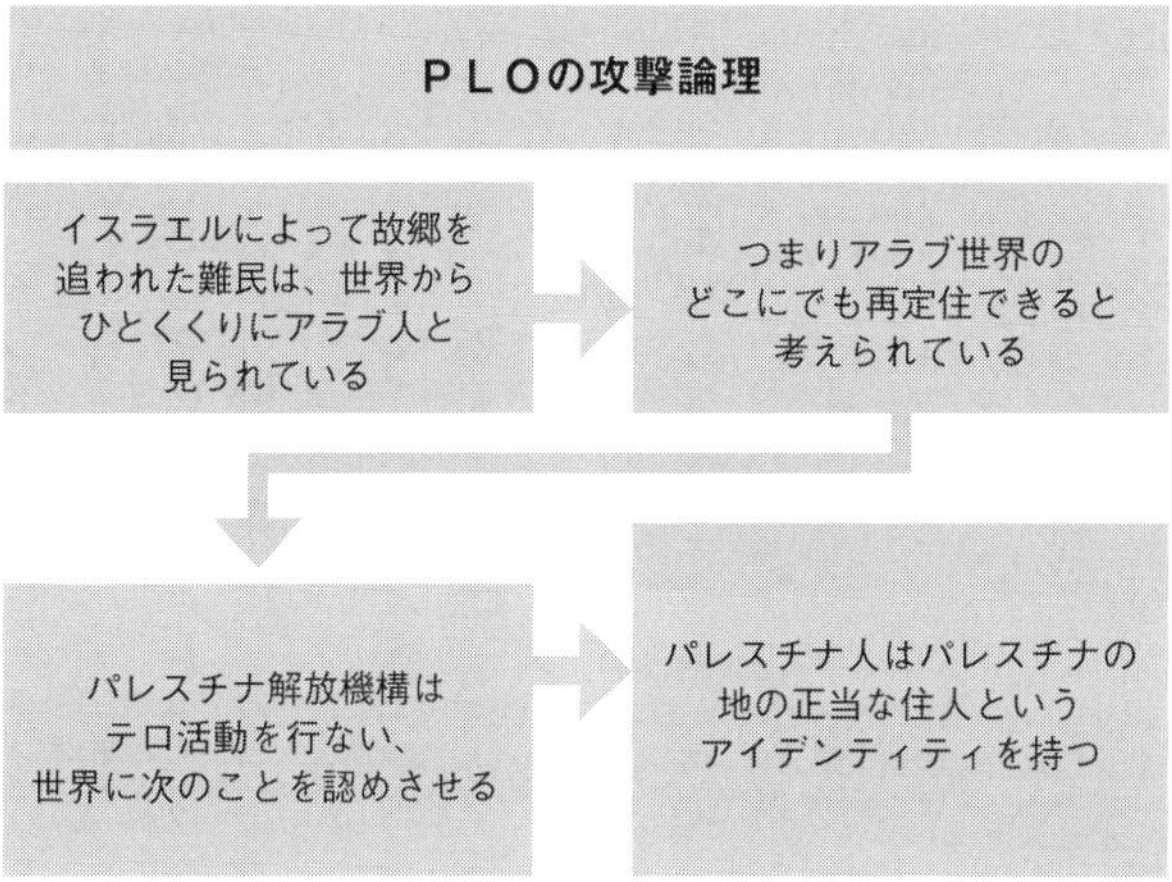

ＰＬＯの攻撃論理

とを世界に知らしめることだ。

一九八〇年代後半に目的が達成されると、ＰＬＯはテロリストに攻撃をやめさせた（もっとも戦略を理解しない一部の独自路線を行く分派の集団は、独断で無意味なテロ攻撃を続けた）。その後一〇年間、ＰＬＯはイスラエルとの交渉による和平という目標を追求し、一九九三年にワシントンでオスロ合意に調印するというクライマックスを迎えた。だが、アラファトも、その重要な交渉相手であったイスラエルのイツハク・ラビン首相も、身内の「強硬派」の力によって、みずからの行動の自由が次第に制限されるようになっていった。強硬派は、和平調停に必要な領土や難民帰還の権利に関する譲歩のようなものを受け入れなかった。一九九五年にラビンが過激な右翼のユダヤ人に暗殺されると、パレスチナはテロ攻撃を再開した。

このとき、イスラエルは選挙戦の最中だった。攻撃はＰＬＯが仕掛けたのではなく、台頭するイスラム原理主義運動によるものだった。イスラム原理主義運動は、かつての英国パレスチナ委任統治領のごく一部にパレスチナ人の国を作るような交渉は断固拒否した。これはもうひとつの合理的で達成可能な目標を持つテロ活動である。目標とは、アラファトの「二国家共存」戦略を阻止することだった。

ハマスやイスラム聖戦機構の爆弾攻勢は、とくにバスを標的にして、多数のユダヤ人犠牲者を出した。ラビンの後継者であり、ラビン暗殺による同情票によって容易に勝利を得られると期待されていたサイモン・ペレスからイスラエルの有権者を離れさせ、ベンヤミン・ネタニヤフを支持させることが狙いだった。ネタニヤフは隠れ強硬派であり、和平交渉を無期限に引き伸ばしてくれそうだったからだ。その狙い通り、その後三年間、和平交渉は事実上、進展しなかった。それどころか、以後ずっと進展していない。両陣営の強硬派は、マルクス主義者が言う「同じ目的を持つ同盟者」であり、二国家共存による解決を妨害するという共通の目的を持ち、うまく成功している。

９・11同時多発テロ事件とイスラム主義テロリズム

テロリズムは政府を直接転覆するには無力なままだが、より小さな政治的野望を実現する力は強くなっている。その恐ろしい、きわめて効果的な例は、二〇〇一年九月一一日にアルカイダが行なったアメリカに対するテロ攻撃だ。

アルカイダやイスラム国、種々の類似集団や関連組織を活気づけているイスラム主義者の計画は、現在のイスラム諸国の哀れな状態が、人々の半西洋化や、イスラムの教えに対する不服従のせいだという考えからはじまっている。この状況は、イスラム教徒が神の真の意図に従ってというよりは、イスラム主義者がある種、厳密に解釈した教えに従って信仰を生きるときにのみ変わる。

これを根拠として、世界を変革するために二段階の計画が立てられた。まず、イスラム諸国のすべての現行政府を倒して、イスラム

ハイジャックされた飛行機が世界貿易センタービルに激突
2001年9月11日

主義者がそれに取って代わり、国家権力を用いてイスラム教徒の信仰と行ないを正しい道に戻す。そうすれば、神の助けによって、イスラム世界全体が国境のない単一の超国家へと統一され、その国家は西洋の支配と戦い、それを打倒する。より明確に言えば、最終的には全世界をイスラム教に改宗させる。

こうしたイスラム主義者の分析を受け入れるイスラム教徒は比較的少数であり、活動を支持する者も少ない。だが、アラブ世界においては世界のどこよりも受け入れられ、支持されている。これらの国々では、現状に対する憤りや絶望がきわめて強い。結果として、イスラム主義の革命グループは少なくとも三〇年のあいだ、アラブの大国のほとんどで活動している。現行の政府を倒して権力を奪取するという最初の目標を達成するために、頻繁に使われるのがテロ攻撃だ。当然ながら、権力を奪取するのに成功したことはない。テロ行為はツパマロス〔ウルグアイの都市ゲリラ〕でも、バーダー・マインホフでもうまくいかなかった。イスラム主義者なら成功させられるという理由があるはずがない。

政府を倒すには、無数の市井の人々が立ちあがる必要がある（軍事クーデターはイスラム主義者が権力を握る方法としては考えにくい）。ただ、イスラム原理主義者のためにそうする者はいない。人々は自分の命を懸けてでも権力の座についてほしいと思うほど、イスラム原理主義を好きでも、信用してもいない。その結果、いくつかの国々では、イスラム原理主義者と政府の血まみれの膠着状態が続いている。大部分の人々は、どちらにも加担せず、双方を呪うばかりだ。こうした状況が長く続くなかで、一九九〇年代はじめにオサマ・ビン・ラディンによって、アフガニスタンでアルカイダが組織された。

異教徒の国々は反イスラム教徒で団結している……これは新しい戦い、崇高な戦いだ。エルサレム征服のようなイスラムの崇高な戦いだ……［アメリカ人は］テロとの戦いという名のもとにイスラム世界と戦っている。

オサマ・ビン・ラディン　二〇〇二年一〇月

アルカイダの戦略は、アラブの政府を攻撃することではない。直接、欧米を狙っている。それでも、アルカイダとさまざまなイスラム原理主義者のグループや継承者たちの真の目的が、なお革命を起こすことだと仮定するべきだろう。革命によって、アラブや他のイスラム教徒の国々で権力を握り、イスラムの教えを遵守する真の道に人々を導くための改革をはじめたいのだ、と。では、西側諸国を直接攻撃することが、どのようにそのような改革の実現に近づく助けになるのだろうか。

テロリストは決して自分たちの真の戦略を喧伝しないが、アルカイダが状況悪化戦略を国際的な事情を背景に、再度、用いているのはまちがいないだろう。アメリカにテロ攻撃を仕掛け、三〇〇〇人の死者を出せば、アメリカ政府がイスラム世界の親米政権を手放すと信じるのは愚か者だけだ。良識のある者なら、アメリカはテロ攻撃の根を絶つために、一回、または複数回の大規模なイスラム世界への武力侵攻によって対応することを知っていた。

ビン・ラディンとその仲間は、無知でも愚かでもなかった。彼らの真の戦略は、アメリカをうまく誘い出して、イスラム世界へ大部隊を派遣させることだった。そうしたアメリカの行為によって、多くのイスラム教徒が地元のイスラム原理主義組織に参加するようになると信じていた。そうすれば、望んでいた通り、親米政権に対する反乱がついに起こり、イスラム主義者が権力を得られるだろう。

もしそれがアルカイダによる九月一一日のニューヨークとワシントンへの攻撃の戦略的な狙いだったとすれば、ビン・ラディンは投資に対する合理的な成果を手に入れたことは認めざるを得ない。アメリカは二〇カ月以内に、五〇〇〇万の人口を有するふたつのイスラム教徒の国へ侵攻し、占領した。侵攻にともなう映像は、イスラム教徒、とりわけアラブ世界のイスラム教徒たちに極度の不安と屈辱を与えた。その後、アフガニスタンとイラクの軍事占領下で予想通りに起こった蛮行と過ちによって、同様の映像が次々と明らかにされた。

このような怒りが、アラブ世界を中心とした何百万ものイスラム教徒を、イスラム主義革命組織へ参加させた。しかし、中東での長期的な結果は、革命的なものにはならなかった。それどころか、アフガニスタンでは、二〇〇一年のアメリカによる侵攻の直接的な結果によって、イスラム世界に存在する唯一のイスラム原理主義政権であるタリバン政権が転覆させられた。

タリバンが、アメリカとその盟友たちをふたたび追い払うのに二〇年かかった。だが、以前の状態を回復した今、タリバンはアメリカが侵攻した当時ほどには、世界的な聖戦に興味がないようだ。彼らの関心の中心はつねに国内問題だった。

アメリカがイラクの独裁者であるサダム・フセインの政権を攻撃したのは、ビン・ラディンにとって驚きだったにちがいない。フセインは、イスラム原理主義の革命家に協力していなかったし、彼らを殺しさえした。だが、アメリカの侵攻によって、イラクのスンナ派のあいだで、アルカイダの指導によるイスラム原理主義者の抵抗運動が起こり、一〇年間で約四五〇〇名の米兵が殺害された。それはビン・ラディンが願っていたことだった。二〇一四年には、短命ながら「イラクとシリアのイスラム国」（ＩＳＩＳ）が誕生し、イラクとシリアの一部で八〇〇万から一二〇〇万人を支配した。しかしながら、二〇一九年までに「イスラム国」は敗れ、ほぼ消滅した。それでも、アルカイダはゲリラとテロ攻撃の組織として、中東とアフリカのさまざまな地域で活動を続けている。

アメリカは違うやり方ができたのだろうか。イラクへ侵攻しなければ、まだましだったろう。だが、九月一一日の同時多発テロ事件後のアメリカ人の怒りは激しく、ブッシュ政権がアフガニスタンへ侵攻せずにいるのはきわめて難しかった。それはアルカイダの指導者の意図した通りだった。

侵攻せざるを得なかったもうひとつの要因は、アメリカ軍が「基地」にこだわったことである。基地は正規軍にとって不可欠だったが、テロ戦略を用いる革命家たちにとっては無関係のものだ。アフガニスタンのアルカイダの野営地は、志願兵を強化するのに便利だったものの、なくてもよい贅沢だった。9・11のテロはおもにドイツで計画され、パイロットはアメリカで訓練された。アルカイダのような組織は最小限の兵站しか要しない、民間人の分散したネットワークであり、彼らに対処するのに適切なのは通常の軍隊ではなく、警察、機密情報収集、治安対策だ。

現在も二〇年の経験から学ぶことなく、アメリカ軍は「テロリストの基地」がアフガニスタンに復活したという強迫観念にとらわれている。だが、真のテロリストは分散して、ほとんど表に出てこない。危害をおよぼす能力には浮き沈みはあるものの、完全に活動をやめることはないだろう。それでは「国際テロの脅威」はどれほど大きくなっているのだろうか。

これまでのところ、アルカイダを含むさまざまなイスラム原理主義者の組織は、ＰＬＯが五〇年前に使用したものと同程度のテクノロジーを用いて活動している（政治的目標は大きく異なる）。自爆テロの実行者に操縦の訓練をさせて、ハイジャックした定期旅客機を利用する方法を新たに見出したものの、まだ試していない同様の威力を持つ手法が多くあるようには思えない。本書執筆の時点で、9・11後のアルカイダの攻撃はすべて伝統的な低技術の爆破や銃乱射であり、犠牲者は最多で数百人だが、数人にとどまる場合も多い。個人によって行なわれる「単独犯（ローンウルフ）」の攻撃も、徐々に増えている。犯人とアルカイダなどの組織との唯一の接点は、ウェブサイトを訪問しただけということさえある。そのため発見するのはより困難だが、犠牲者の数は少なくなることが多い。

このような攻撃は、どういった戦略的目的を果たすのだろうか。イスラム諸国に対する西側の大規模な侵攻でさえ、イスラム原理主義を掲げる革命家の元に十分な数のイスラム教徒が集まらないことはすでに示されている。まったく意味がないのではないだろうか。かつては一貫した戦略的合理性を持っていたとしても、いまや不毛で成果がない。なぜイスラム原理主義者は、テロ攻撃を続けるのだろうか。イデオロギーに心酔しているのか。異教徒への嫌悪か。みずからの人生に意味を与えるためか。他にどうすればいいかがわからないからなのか。イスラム原理主義のテロ攻撃は、賞味期限を過ぎても続くだろうが、世代交代によって最後には捨て去られるだろう。

いわゆる「大量破壊兵器」を用いたテロでさえ、実存的脅威の水準にはいたらない。日本のオウム真理教は、一九九五年に東京の地下鉄でサリン型の神経ガスを放った。死亡したのは一二名だった。化学や生物学的薬剤を使うときの問題は、いかに散布するかだ。釘爆弾の方がより少ない労力で、より甚大な被害につながる。

核兵器がテロリストの手に渡るのは、ずっと大きな問題だ。一回の核爆発で、一八八三年のクラカトア火山噴火や一九二三年の関東大震災と同程度の規模の悲劇を引き起こす。もちろん、それは防ぐべきことだが、いつかどこかの不幸な都市で核攻撃が実行されたとしても、世界はテロリストが望むように変わることはないだろう。テロリストが望んでいるのは過剰反応だ。テロリズムは一種の政治的な「柔術」であり、弱小集団が適度な力を思うままに使ってはるかに強大な敵、すなわち通常は国家の不意を突くものだ。そして、敵を誘導して、その大義を貶めさせ、テロリストの目的を果たそうとする。

世界は四〇年間、一撃で何百万もの都市と何億もの人々を壊滅させ得る核兵器による世界的な大量虐殺の脅威に、日常的にさらされてきた。あるテロリスト集団がいつの日か核兵器をひとつ入手し、ひとつの都市を恐怖に陥れるかもしれないという可能性もないわけではない。大事なのはパニックを起こさないこと。そして、忍耐を失わないことだ。

残念ながら、テロは九月一一日にはじまったのではない。また、これからもすぐにはなくならないだろう。テロと戦うという宣言には驚いた。テロは三五年間前から、あちこちで起こっているからだ……［そして］不満を抱く人がいる限りなくならないだろう。状況を改善するためにできることはあるが、それでもテロはつねに起こる。勝つことが可能なような戦争のごとく語れば、誤解を生む。

ステラ・リミントン　元ＭＩ５長官　二〇〇二年九月(7)

第10章
戦争の終わり

逆戻り

人類にとって良い知らせは、平和は、一度確立されれば、維持が可能なことだ。ヒヒがそうできるのだから、人間にもできるはずである。

フランス・ドゥ・ヴァール　エモリー大学ヤーキース霊長類センター

三〇年ほど前、ケニアのヒヒのコロニーであるフォレスト・トゥループで大惨事が起きた。群れのもっとも強いオスたちは、よく近くの観光地のごみ捨て場を漁っていた。ある日、そのオスたちが牛結核に感染した肉を食べて死んでしまった。あとにはそれほど好戦的でないオスだけが残った。このオスたちは、別の群れとの争いが絶えないごみ捨て場を避けていたからだ。その後、フォレスト・トゥループ全体の行動様式が変わった。

神経科学者のロバート・サポルスキーが、一九七九年から一九八二年まで、はじめてフォレスト・トゥループについて研究したとき、それは典型的な、とにかく獰猛なヒヒの社会だった。オスのヒヒの多くは、自分の社会的地位にこだわるあまり、攻撃に備えて、たえず神経を尖らせていた。しかも、その対象とされたのは同じ階級のオスのライバルだけではない。下位のオスたちも、つねにいじめられたり、脅されたりしたうえ、メス（体重はオスの半分ほどしかない）でさえたびたび襲われた。ところが、この攻撃的なヒヒたちが死んだため、残った群れのメンバーは緊張を解き、以前より互いにやさしく接するようになった。

オスはあいかわらず同じ階級のオスと争いはするものの、集団内の弱者を叩きのめすことはなく、メスを襲うこともまったくなくなった。どのヒヒも毛繕いをしたり、互いに身を寄せ合ったり、その他の友好的な社会行動をして大半の時間を過ごしている。ストレスの度合いは（ホルモン採取で測定した結果）最高水準のヒヒでも、他の群れのヒヒと比べてはるかに低かった。なかでも重要なのは、こうした新しい振る舞いが、群れの文化に定着したことだ。

オスのヒヒは一八年以上生きることはまれで、あの大惨事を生き延びた地位の低いヒヒたちも、もうすべていなくなっている。また、オスのヒヒは生まれた群れから離れて、別の群れに入らなければならないため、オスの性格も、支配欲の強いタイプから通常は決して上位に上がる見込みのない小心で従順なタイプまでの正規分布に戻っていてもおかしくない。ところが、このコロニーの行動パターンは、通常のヒヒとはあいかわらず異なっている。攻撃性は比較的低いままで、弱いヒヒやメスを手当たり次第攻撃するようなことはめったに起きない[1]。

わたしたち霊長類は、文化に対する順応性や適応性が高い。ヒヒでさえ、ヒヒ社会の荒々しく、好戦的な規範を遺伝子によって守るとは限らない。人類はこんにち、国家と呼ばれる集団(バンド)のようなもののなかで快適に暮らしている。それは文明が誕

ヒヒと神経科学者の
ロバート・サポルスキー

生する以前にわたしたちの祖先が暮らしていた集団の一〇〇〇万倍以上も大きい。人間はサルのような暴政から、狩猟採集の時代の平等社会へ移行し、文明の発達にともなって軍事化された厳しい階級社会に返り、今は大幅に修正された平等主義に戻ってきた。適切な誘因(インセンティブ)があれば、戦争をやめることは不可能ではないはずだ。そして、適切な誘因はまちがいなく与えられている。

もし何が起こるかわかっていたら戦争などしなかっただろうと言うのが正しいのは、第二次あるいは第三次世界大戦よりも、第一次世界大戦についてである。第二次世界大戦は、わかっていたが、それを受け入れた。第三次世界大戦は、残念なことにある意味では、すべてわかっていて、どうなるかもわかっている。だが、何もしない。わたしには答えはわからない。

A・J・P・テイラー『第二次世界大戦の起源』の著者

一九八二年にアラン・テイラーがこのように語ったとき、第三次世界大戦が起こるのを恐れてきた世代に強い反響を呼んだ。だが、ソビエト連邦の崩壊と冷戦の終結により、ほぼ誰もが第三次世界大戦は起こらないと確信した。まるで、システム全体ではなく、邪悪なソ連が唯一の原因だったと言うかのようだった。その後、一世代にわたって、人々が心配するのは民族浄化の大量殺戮と、ときおりのテロ攻撃だけになった。小規模な戦争はいまだ起きたものの、先進国を真に脅かすこともなく、倫理的状況において対処したり、しなかったりした。ところが今、ふたたび核の脅威が訪れ、新しい世代は抑止戦略という言葉を学びつつある。だが、世界大戦と呼ばれる大国同士の敵対のサイクルを作り出しているのは国際体系の構造そのものだということを、多かれ少なかれ理解しているのは、その体系のなかで仕事をしたり、それを研究したりする人々、すなわち外交官、職業軍人、一部の政治家、少数の歴史家である。

それでも、冷戦後に与えられた比較的平和な時間が無駄にされてきたわけではない。一九九一年、クウェートに侵攻したイラクを撤退させたアメリカ主導による国連の軍事行動は、四〇年前の朝鮮戦争以来、はじめて武力侵攻に対する国連のルールが軍事行為によって実行された事例だった。一九九〇年代には、独立国家の主権を守る国連ルールが、大量殺戮を防ぐという理由で国際的軍事介入を行なうために曲げられた（だが、ルワンダや東コンゴのような最悪の事例は無視された）。しかし、安全保障理事会の権威を強化したり、多国間協調主義の習慣を定着させたりするために行なわれていることはほとんどない。なぜならこの時点で、世界で唯一の超大国であるアメリカでは、単独主義の傾向がすでに強くなっていたからだ。

冷戦でアメリカが勝利した形になったからには、ある程度の傲慢さは予想できた。それ以前でさえ、自国の軍事力を称えるのはワシントンの政治文化の一部だった。二〇〇一年、傲慢さと軍国主義が、一般的に「アメリカによる平和（パクス・アメリカーナ）」として知られるアメリカの覇権計画においで結びついた。その計画の新保守主義的な支持者たちは、ジョージ・W・ブッシュ大統領のもとで、アメリカの軍事と外交政策を支配するにいたった。ブッシュ政権は、多国間制度を攻撃し続けた。弾道弾迎撃ミサイル（ＡＢＭ）制限条約を脱退し、国際刑事裁判所を妨害しようとし、生物化学兵器に対する協定に一層の法的強制力を持たせる修正案を拒否し、二〇〇一年九月一一日のテロ攻撃を理由に二〇〇三年にイラクへ侵攻した。この侵攻は、安全保障理事会の権威に対する意図的な攻撃でもあった。

二〇〇八年の二期目のブッシュ政権の終わりまでに、一九九〇年代に見られたあらゆる前進、とくに大国間の信頼が失われた。二〇一七年のトランプ政権の出現で、多国間制度に対するアメリカの新たな攻撃がはじまった。バイデン大統領は明らかにましではあるが、その一方で、バイデンがかつて具体化した外交政策の「ワシントン・コンセンサス」は、わたしたちを待ち受ける未来にとって適切なものではない。歴史から逃れる休日は、ほぼ終わったのだろう。

三つの大きな変化

国際体系を以前の無秩序に逆戻りさせかねない、三つの大きな変化が進行中である。地球温暖化、新たな大国の出現、核の拡散だ。平和の維持を目指して設計された脆い体系は、極度のストレスを受けることになるだろう。

上昇する地球の温度は、熱帯や亜熱帯の食糧生産に破滅的な影響を与えると考えられ、少なくとも一世代後には、温帯地方の富裕国も同じような影響を受ける。その結果、赤道により近い国々で飢饉が起こり、何百万もの困り果てた難民の波が先進国に押し寄せる。当然、国境は閉ざされるが、彼らを締め出し続ける唯一の方法は、国境を突破しようとする人々を殺して、「見せしめ」にすることかもしれない。おそらく最終的には、さまざまな国際協力（気候変動に関する協力も含めて）が破綻するだろう。ある国が他国の人々を殺していては、合意や譲歩が難しくなるからだ。

同時に、国際体系は、新しい大国の出現と、既存の大国の相対的な衰退に適合しようとする。二〇四〇年に世界の超大国になるチケットを手に入れる条件は、残酷なまでに単純だ。五億近く、あるいはそれ以上の人口を有する亜大陸規模の国々である。候補になるのは三カ国、すなわちアメリカ、中国、インドだけだ。

インドは、次の世代でアメリカや中国を追い抜くことはなさそうだが、露骨にもアメリカと同盟関係のようなものを結んでいる。中国との国境紛争を経験しているインドにとって〔一九六二年の中印国境紛争〕、「敵の敵は味方」である。

中国は、歴史の大半を通して、中国人が知っている世界においては誰もが認める超大国だった。その地位を過去三世紀で失ってしまったことについて多くの中国人は憤りを感じ、か

気候変動	大国の入れ替わり	核の拡散
飢饉	中国、アメリカ、インドという亜大陸の新しい三カ国がおそらく頂点に立つ	九カ国（増え続けている）が核弾頭を保有
難民と移民	その一方で、二〇世紀の衰退する大国が地位争いをする	インド対パキスタンなど対立関係にある地域が増える
武力による移民の取り締り		世界の安全のメカニズムが機能しない可能性
国際関係の破綻		

戦争の脅威

つての地位を回復すべきだと信じている。もし、そうした公正が自然になされないのであれば、多少の助けは必要だろう、と。

とはいえ、中国は一六世紀のスペインや二〇世紀初頭の日本のような、典型的な領土拡張政策を掲げる国とは異なる。主張する領土は、かつて支配していた地域を越えることはなく、そうした地域が国にとって命を賭して戦うほど重要なわけでもない。にもかかわらず、増大しつつある軍事力や、好戦的な発言に対して、近隣諸国は不安を抱いている。こうしたことが過去にたいていはどのような結果にいたったかを知っているからだ。

一方で、中国がアメリカを追い抜くことはないだろう。経済成長は過去一〇年で大幅に減速し、人口は急激に減りつつある。現在の中国政府は(また、今後の政府も)台湾の主権を決して手放さないだろうが、今の力のバランスが、同国の冒険主義を勢いづけることもないと思われる。

過去に大国同士が敵対した冷戦のときのように、この問題も対処可能だということがわかり、最後は平和裏に終わるかもしれない。かつて戦争は、国際体系にとって、衰退する国を犠牲にして勢いのある新興国の要求を受け入れる通常の方法だったが、そうしたことを二一世紀の兵器を使ってやりたいと思う者はいないだろう。

最後に、核兵器の拡散である。一九四五年から一九六四年のあいだに、国連安全保障理事会の「常任理事国五カ国」——アメリカ、ソビエト連邦、イギリス、フランス、中国——はいずれも初の核実験を行ない、さらにイスラエルが公な実験もせず、ひそかに核兵器を開発した。その後、新たな核保有国が現れるまでしばらく時間があった。

一九七〇年代後半から一九八〇年代に、アルゼンチン、ブラジル、南アフリカ、イラク、イラン、北朝鮮が核兵器計画をはじめたが、北朝鮮だけが実際に核抑止力を手に入れた。北朝鮮は戦争抑止政策の概念を明確に理解し、一、二発の核兵器をアメリカの都市に打ち込む能力があれば、自分たちをアメリカの攻撃から守るのに十分だとわかっている。そのため、軍事力は小規模のまま維持され、最終的にはアメリカ政府に脅威とみなされなくなる

平壌で披露された北朝鮮の潜水艦発射弾道ミサイル
2017年4月15日

かもしれない。だが残念ながら、インドとパキスタンの場合は状況が異なる。

インドは、一九七四年に、表面上は土木工学のプロジェクトとして最初の「平和的核爆発」実験を行なったが、実際には中国の核兵器を抑止するのが目的だった（一九六二年に両国は短期間ながら国境紛争を起こしている）。一方パキスタンは、過去二五年のあいだにインドと三度戦って敗れていることから、インドに追いつかなければならないと考え、ひそかに独自の核計画を開始した。両国の対抗意識によって、一九九八年に最初はインド、次はパキスタンが正式に六回の核実験を行なった。現在、両国は核軍備競争の「使うか、それとも失うか」（「警報即発射」として知られる）の局面にある。双方の比較的無防備なままの兵器（それぞれに約一五〇発の核弾頭）が攻撃されれば、両国の大部分が破壊されるだろう。さらに、両国の警告時間はわずか四分。冷戦時にアメリカとソ連の緊張がもっとも高まったときでさえ一五分以上あった。もし、インドとパキスタンがふたたび戦争状態に陥り、スクリーン上に向かってくるミサイルの軌道が映し出されたとしたら、それが本物かどうかを判断している時間はない。全面的な核戦争になればインドとパキスタンにとってはもちろん惨事だが、兵器の大半が都市を狙って使われたら、おそらくあらゆる場所で同時に核戦争が起こり、人類は地球全体を覆う核の冬の入り口に立たされるかもしれない。

［カシミールの特別な自治権を剝奪するという二〇一九年八月のインドの決定は］重大な結果をもたらすだろう……通常戦争がはじまるのなら、どんなことも起こり得る。わたしたちは戦い、核武装国が最後まで戦えば、国境をはるかに越える結果が生じる。世界全体におよぶ結果になる。

パキスタン　イムラン・カーン首相　二〇一九年九月二七日国連総会にて(2)

過去五〇年の世界の核拡散の調査報告の結果はそれほど悪くはない。核保有国は三カ国増えただけで、全部で九カ国だ。一九四五年のヒロシマ後にはじめられた、実際の核兵器の使用に反対する「核兵器抑制(ファイアーブレイク)」は、七五年間維持されている。だが、世界的規模の核戦争という最大級の惨事を起こさずに今世紀の残りを切り抜けるには、すぐれた管理と幸運が必要になるだろう。

協力、さもなければ

世界政府や、人類みな兄弟といったようなおとぎの国にいきなり飛び込むことを夢見ても仕方がない。現存の国家システムの状況のなかで、戦争の問題を解決しなければならない。つまり、実際には、第二次世界大戦後に築いてきた（多くの妨害や失敗はあったものの）多国間制度を維持し、拡大することである。こうした制度のなかに新興国を組み込み、居場所を与え、協調を重んじていかなければならない。対立や軍事力で対処するべきではない。

これは、まさに数世代にわたって試みられてきたことである。もちろん、それほど成功してきたわけでもないが、これまでのところ、それ以上に納得できるアイデアを思いついた者はいない。つまり、簡単な道はないということだろう。

世界的な無政府状態によって各国が武装化して戦争がはじまったことから、一九一八年の最初の全面戦争が終わるとほぼ同時に、当然とも言える解決策が講じられた。必要とされたのは、少なくとも戦争と平和に関して、世界のすべての国家によって主権を共同管理することだ。そこで、第一次世界大戦の戦勝国によってすぐに国際連盟が作られた。しかし、悪魔は細部に宿る。異端の国による武力攻撃を抑止する、あるいは罰するために世界の国々が結束するという考えは、原則としては良い。だが、攻撃を仕掛けているのは誰なのかを定義し、誰がそれを止めさせるために金と命を差し出すのだろうか。

国際連盟の加盟国はみな、もしこの組織が実際に力を持てば、その力が自分たちに敵対するために使われる可能性があることをわかっていたため、連盟に実権を握らせようとはしなかった。そして、第二次世界大戦が起こった。この戦争は人命と資金の両面において犠牲があまりに大きかったため、戦勝国は一九四五年、真に戦争を防ぐことができる国際機関を作ろうと二度目の試みを行なった。第二次世界大戦の勝者は戦争を恐れた。一九四五年のサンフランシスコ会議で国際連合憲章を採択し、戦争を非合法だとした。新しい国連憲章は、厳密な意味での自己防衛または安全保障理事会の命令によるものをのぞいて、他国への武力行使を禁じた。また、この命令は、加盟国が攻撃されるのを阻止するためにのみくだされることになった。こうして、古き悪しき時代から、戦争が法律で禁止される新しい世界へと一挙に移行した。

ところがそう単純なことではなかった。誰もが、国際連合の発足は一〇〇年がかりの計画のはじまりにすぎないことをわかっていた。史上最悪の戦争を経験したからには、自分たちの試みが簡単ではないことも認識していた。それは、執行に関する規定に盛り込まれた容赦のない現実主義に示されている。

通常の国際条約では、表面上、すべての主権国家は平等である。ところが国連憲章はそうではない。一九四五年の戦勝国であるアメリカ、イギリス、フランス、ソビエト連邦、中国に、安全保障理事会の常任理事国の席を与える一方で、他の国々は二年ごとに交代する。武力攻撃をした国に対する軍事行動を命令するには、一五カ国で構成される安全保障理事会で過半数の賛成が必要だが、常任理事国のうち一国でも拒否権を行使すれば、一四対一の賛成多数であっても決議は採択されない。この原則を決めた人々は、常任理事国は他の国よりも地位が上だとあからさまに認めているということだ。この新しいシステムをなんとしても機能させたかったたからである。

戦勝国五カ国にこうした原則について調印させるのは、一筋縄ではいかなかった。世界でやりたいようにやるために使ってきた道具、すなわち軍事力の放棄が求められている。自分たちもいつか大国に攻められて破滅するかもしれない。国際的なルールの変更は長期的には自国の利益につながりはするが、手のなかの鳥を藪のなかの鳥と交換しなければならない。常任理事国に与えられた拒否権は、このハードルを越えるためのものだった。つまり、国連は、常任理事国に対して決して軍事行動を起こさない。実質的に、新しい国際法から戦勝国を免除したのだ。一方、他の国々はこれに従わなければならなかった。そうした国々の行動が平和を脅かすものだと安全保障理事会が合意すれば、国連の旗を掲げた軍隊が派遣される。一九五〇年の北朝鮮、一九九〇年のイラクがそうだった。

常任理事国も法に従うことを期待されていたし、そうしなければさまざまな重圧を受けただろうが、軍事的責任を問われることはなかった。安全保障理事会が自分たちを非難するような決議を行なおうとしたときも拒否権を使うことができた（二〇二二年三月時点で拒否権の行使は、ロシア／ソビエト連邦一二〇回、アメリカ八二回、イギリス二九回、フランス一六回、中国一六回である）。

ロシアの国連大使は、シリアの化学兵器使用の疑いを調査するというアメリカの決議に反対した　2018年4月10日

こうした現実主義にもかかわらず、国連は機能しなかった。数年のうちに、常任理事国の五カ国は、ふたつの敵対する軍事ブロックに分かれた。大きな戦争に勝った国のあいだではよく起こることだ。歴史的には、そうならないほうが驚きだったろう。

戦争犯罪

第二次大戦後にもうひとつ大きく変わったのは、「戦争犯罪」に関する裁判だ。それはまさに「勝者の裁き」だった。ドイツと日本の当局者や将校が告発されるもととなった法律のいくつかは、申し立てられた犯罪が行なわれたときには存在しなかった。だが、戦争の残酷さと混乱のなかにおいて、とるべき適切な行動を定義し、それを実行させようとする大胆な企てであり、ある程度うまくいった。不思議なことだが、戦勝国の司令官による戦争犯罪は行なわれなかったとされた。

ある場所で、わたしは戦闘中である。率いる部隊は前進している。戦車はドイツ軍にやられ、乗員四人は脱出した。負傷はしていないが、呆然としている。こちらに戻ってこず、ドイツの戦線に向かっていった。ドイツ兵は、そこで、その場で、彼らを殺した。部下の何人かがそれを見て言った。「やつらはなんのチャンスも与えずに殺した。ひどい話だ」

ジャック・デクストレイズ少佐　カナダ　フュージリアー連隊

ジャック・デクストレイズは、一九四四年八月、二四歳のときにノルマンディーで少佐としてフランス系カナダ人の歩兵隊を指揮した。そのときの出来事を次のように記している。

順調だ。戦闘は続き、数人を捕虜にする。ある兵士を呼び、捕虜たちを後方に連れていかせる。捕虜を見張る男が、橋のところに来て、すでに五キロメートル以上を走らせた捕虜に向かって言った。「だめだ。おまえらはたくさんの橋を爆破した。泳げ」五キロメートル走ったあとに泳げば……たいがいは溺れることが容易に想像がつく。

ジープで近くを通ると三〇人、四〇人、五〇人の溺死した死体が見え……いったいどうしたのかと思うが、多くは尋ねない……わたしは、部隊で内部処分を行なったが、それについては何ひとつ公表しなかった。

ニュルンベルク裁判を見て、自分自身に言った。「やれやれ、勝ってよかった」わたしがもしあの場にいたら、部下がやったことに対して責任を問われるだろう。

デクストレイズは、最後には大将およびカナダ空軍の国防参謀総長にまでなった優秀な兵士だ。カナダ軍は、二〇世紀に、ベトナム戦争をのぞくすべての西側の戦争に参加し、その間の国民ひとりに対する戦死者の割合はアメリカの二倍だった。戦争犯罪は一八九九年と一九〇七年のハーグ条約で成文化されていたが、実際には、デクストレイズは当時自分の連隊で起こった戦争犯罪についてどこにも相談できなかった。できたのは隊における処分と隠蔽だけだった。

一九四七年のニュルンベルク諸原則と一九四九年のジュネーブ諸条約で事態は変わり、以降、戦争犯罪の起訴件数が激増した。大半の西側の軍隊では、最低年に一度、兵士たちに戦時の法的義務を再確認させせる。オーストラリア軍が、アフガニスタンに派遣された部隊で戦争犯罪が起こったことを知ったときは、根本的に異なる反応を示している。

彼らには血なまぐさい欲望しかなかった。精神がやられている。完全にやられている。
われわれが彼らをそうさせたのだ。

アフガニスタンの特殊空挺部隊による殺人事件に関与した兵士

オーストラリアの部隊は、二〇〇一年から二〇二一年まで、ほぼ継続してアメリカ軍主導の多国籍軍の一部としてアフガニスタンに駐留し、タリバンや他のイスラム主義者による反対勢力に対抗してアメリカが樹立した暫定政府を支援した。オーストラリアの精鋭たちによって構成される特殊空挺部隊の行為についての噂が、特殊作戦司令官ジェフ・センゲルマンの耳に届いた。センゲルマンは、民間人である軍事社会学者サマンサ・クロムフォーツ博士に、特殊部隊の文化の調査を委任した。博士が行なった面談を証拠として（そのひとつは先に引用）、二〇一六年にオーストラリア国防軍の監察官は、予備役将校であり、ニューサウスウェールズ州控訴裁判所判事であるポール・ブレレトン少将を長として独自の取り調べを行ない、公式調査を実施した。
ブレレトンによる綿密に編集された報告書が、二〇二〇年一一月に公表され、二〇〇七年から二〇一三年に二五名のオーストラリア特殊空挺部隊の隊員によって三九人のアフガン人――戦争捕虜、農業従事者、その他一般市民――の殺害が行なわれた確かな証拠が明らかになった。報告書によると、どの殺害も戦闘のさなかに行なわれたのではなく、（陪審員が認めるのであれば）殺人の戦争犯罪に相当する状況下で行なわれた。ほとんどが「戦士文化」の影響下だった。そこでは、下位の兵士たちが、たいていは彼らの上位の下士官である野戦指揮官の命令で捕虜を撃ち、「初体験」（つまりはじめての殺人）をした。「戦いの印」（奪った武器や無線機）が犠牲者の死体のそばに置かれ、軍事報告を作る際の「つじつま合わせ」のために撮影された。ウルーズガーン州の特殊空挺部隊の基地内に設置された非公式のバー「ファット・レディーズ・アーム」では、兵士たちがタリバンの戦士の死体からはずした義足をカップにして酒を飲んだ。

ブレレトン報告への反応がオーストラリア全国にテレビ放映され、そのなかで国防軍司令官のアンガス・キャンベル陸軍大将は、ブレレトンの一四三のすべての提言を受け入れ、犯罪捜査のためにオーストラリア連邦警察へ報告書を提出し、アフガニスタン国民へ謝罪した。また、特殊空挺部隊内にはびこる「恥ずべき」「悪しき」文化を非難し、特殊部隊の今後の派遣においてはヘルメットか体の一部にカメラの装着を義務づける必要性を支持した。命令系統をどこまで遡って責任を問うべきかについては明言しなかったために、完璧な対応だったとは言えないが、ある程度は評価できる。

当然ながら、国粋主義者たちの反発があった。キャンベル司令官が、特殊作戦タスクグループ全体から「部隊勲功章」を剝奪しようとしたからだ。そうすれば、世間の関心を戦争犯罪から逸らしたいと思う人々は、二〇〇七年から二〇一三年に同じ部隊にいた他の三〇〇〇人のオーストラリア兵が感じたであろう心の痛みに集中することができる。キャンベルは実際にそういうことが起こるとわかっていたにちがいない。とにかくそれを実行した。

デクストレイズとキャンベルの対応の大きな違いは、性格や国民性の問題ではない。時期の問題だ。戦闘の状況下においては倫理面の複雑さがあるにしても、軍は兵士たちに犯罪行為の責任を問うようになりつつある。これは、戦争法が第二次世界大戦後に明確にされ、拡大されたためだ。少しずつではあるが。

遠い将来

各国の政府が、国際機関による国策の制限に実際に従う準備ができるのはまだずっと先のことだろう。とりわけ国内からきわめて強固な反対がしばしば起こるからだ。

ブライアン・アークハート　元国際連合事務次長

この「国内からのきわめて強固な反対」は、さまざまな民主主義国家（アメリカ、イギリス、ブラジル、ポーランド、ハンガリー、インド、フィリピン）で選ばれたポピュリスト／国粋主義の政府が具体的に示している。極端なポピュリストであるドナルド・トランプはすでに去ったが、それが「歴史の終わり」でないことは、一九八九年の非暴力、反共産主義革命と同様である。いまや文化はひとつのグローバルなものになっている。地域による差異は多いが、政治的流行に一挙に飲み込まれてしまうほどには十分に一体化している。しかも、現在のポピュリズムの流行も決め手にはなりそうにない。わたしたちは、未来のある時点で振り返り、この流れがとんでもなくひどいことになる前に元通りになったことをありがたく思うかもしれない。

国連は最初からうまく機能するはずだったのに失敗している、ということではない。むしろ、相対的に失敗するようになっていた。かと言って、絶望する理由もない。進歩は、場合によっては何十年もかけて、小さなステップとして測る必要がある。ガンディーのような人が世界に現れ、人々の考え方を変え、国益や権力への執着からわたしたちを解放してくれることを願っていても仕方がない。

わたしたちがこのような振る舞いをするのは、愚かだとか、卑劣だとかいう理由のせいではない。望むものをすべて手に入れることはできない。だからこそ、隣国同士がつねに戦争の可能性にさらされてきた。二万年前の、隣り合う狩猟採集民の集団がそうだったように。

もし、紛争を解決するための別の方法を作り出さなければならないときが来ているとしても、それは世界各国の政府が協力し合うことでしか実現し得ない。戦争が可能になるのは、中央政府が独立しているからだ。不幸なことに、不信はどこにでも入り込み、国家はほんのわずかな利益についてでさえ、外国人によって決定されるのをなかなか認めようとしない。

国連が力を持つことを国粋主義者たちが不安に思うのは当然だろう。国連は戦争を終わらせるために設立されたからだ。ダグ・ハマーショルドはこう言っている。「人類を天国に連れていくのではなく、地獄から救う」と。国連の創設者たちは、隣国による攻撃に対して、それぞれの国の安全を保障し、国際紛争に関する決断をくだし、それを実行するには、強力な軍隊を指揮下に置く必要があるとわかっていた。実際に、国連憲章にはそうした軍隊に関する条項がある。

わずかな原則、大きな力

力なくしての正義は無益である。

ブレーズ・パスカル[3]

国連が思い描かれた通りに機能していないのには理由がある。国連が実際に軍事力を持てば、各国の政府を支配するようになる。そういった事態は、当然、どの国の政府も受け入れられない。国際戦争を終わらせるためにどうすべきかはわかっている。少なくとも一九四五年以降、ずっとわかっていた。だが、進んでそうするつもりはない。抵抗することができないほど強大になった国連の決定によって、いつか自国の利益が損なわれるのではないかと懸念するあまり、戦争のリスクと共存することを選んでいる。

現在の国連は、確かに理想主義者のための場所ではないが、国連が実際に機能したら、彼らはもっと気まずい思いをするだろう。国連はこれからも今までと同じように、聖人の集まりではなく、森番となった元密猟者の集まりであり続け、公正平等の基準によって意思決定をすることはないだろう。全人類が従う公正平等の概念は存在しない。いずれにしても、国連の場で意思決定をするのは「人類」ではない。それぞれの守るべき国益に応じて意思決定をする政府である。現在、意思決定はきわめて政治的なプロセスにより、道理の範囲内で行なわれている。唯一の基準となるのは、戦争回避の基本合意を決裂させないよう力のある加盟国、あるいは加盟国のグループの利益を著しく害してはいけないという共通認識だ。

これは驚くべきことではない。どこの国の政府も似たようなものだ。わずかな原則と、大きな権力と、そうした権力の抑制の組み合わせによって動いている。内乱を避け、国家の基盤である民意を守るために、政府は権力を容赦なく振りかざすことを控えなければならない。わたしたちは、国家のレベルであれば、理不尽な冷たい政府による過大な要求や不都合も受け入れる。最終的に見れば、犠牲よりも利益のほうが大きいからだ。政府は、国内平和を保ち、他の国民共同体の野望から自国民を守り、社会が掲げる目的を追うために大きな協力体制を作る枠組みを用意してくれるだろう。

これと同じ主張が国際機関にも当てはめられるべきだが、世界のどの大国にも、国連に主権を渡すことに対して国民の広い支持は得られない。国民の多くは、戦争と国家主権は固く結びついており、戦争をなくすには、主権の多くも手放さなければならないことを認めたがらない。個人の大多数は、自分の国は完全な独立を保つべきだと信じている。

興味深いことに、この信念は、政府内よりも統治されている国民のあいだにおけるほうが強い。国連は多くの人々の支持によって設立されたわけではない。進む道に警戒感を抱き、厳しい状況を無視できなくなった国々の政府によって作られた。もし政府が、自国の国民がどう反応するかを気にする必要がなければ、どこの国の外交専門家でも、必要最低限の譲歩で機能する国際機関を創設できるだろう。思慮深い軍事専門家にも同じことが言える。

障害となるのは「国民」だ。独立を少しでも譲歩することに対して、国内では大きな抵抗が起こる。政治家も障害となる。政治家は、たとえ状況を正しく理解していたとしても（政治家は国内問題を専門とすることが多く、理解していない場合も多い）、国民を遠くに置き去りにすることはできない。それでも、進歩はなされてきた。

われわれは、現代の国民国家をやっつけなければならない。やっつけられる前に。

ドワイト・マクドナルド　一九四五年(4)

大国の戦争を根絶し、国際法を作るのが一〇〇年がかりの計画だとすれば、今はいくらか予定より遅れている。だが、大きく前進はしている。第三次世界大戦は起こっていない。これは少なくとも、国連が大国に、面目を保ったままもっとも危険な対立から退く手段を与えてきたおかげだとも言える。国連憲章にある、武力による国境の変更を禁ずる条項はすべての国境紛争を防いでいるわけではないが、国境を強制的に変えようとする行為は、どれも広く国際的な承認を得ていない（たとえば、ロシアがウクライナ領のクリミア半島とドンバス地方を占領した事例）。アラブとイスラエル、あるいはインドとパキスタンなど、中堅国家（ミドルパワー）間の戦争は、たいてい一カ月以上は続かない。国連が休戦や平和維持軍の派遣を提案し、劣勢の側に早期の解決を促すからである。

一九八〇年代に八年間続いたイラン・イラク戦争のような大きな失敗もある。この戦争は、イスラム主義によるイランの革命政権をサダム・フセインが打倒することを願ったアメリカとロシアの支援によって、意図的に長期化された。一九七九年のソビエトによるアフガニスタン侵攻、二〇〇三年のアメリカのイラク侵攻といった大国の動きは違法であったものの、国連は拒否権のシステムのために対処できなかった。過去三〇年間の紛争での死亡のほとんどは内戦（おもにアフリカ）によるもので、国連にはそれらに干渉できる権限がない。

低い位置から見あげれば、少なくともグラスの半分は満たされている。加盟国が戦争の回避や防止のために努力し、ときにそれを成功させるための、永続的で包括的な公開討論の場として国連が存続していることで、これまでの歴史にはなかった新たな状況が作り出されているのだ。

再定義の最終章

しかしながら、地球の急激な温暖化によって、ぞっとするような選択が必要になるかもしれない。気温上昇のペースを遅らせる地球工学技術は、赤道により近い大国にとってはきわめて重要だが、時間的にまだ余裕のある温帯の大国にとっては、優先順位が低くなるかもし

サダム・フセインに挨拶するソ連のアレクセイ・コスイギン首相
1975年4月14日

れない。こうした意見の違いが、現在では想像できないような、大国間の戦争のようなものを引き起こす火種になりかねない。

比較的安く、有効な兵器システム（ドローンやロボットなど）の発達は、戦場における国家間の差を解消している。こうした兵器の一群を使えば、小さく貧しい国々が、大きく豊かな国々を、壊滅的な威力のある覆面攻撃にさらすことができるからだ（最近の例では、二〇一九年のサウジアラビア石油施設へのドローン攻撃）。これから出現し得る、驚くべきテクノロジーや戦略のリストは長い。わたしたちはつねに「知らないことを知らない」でいる。

人類は、大量伝達技術によって可能になった変化のさなかにあり、古代からの平等主義の遺産を取り戻そうとしはじめている。民主化がよ

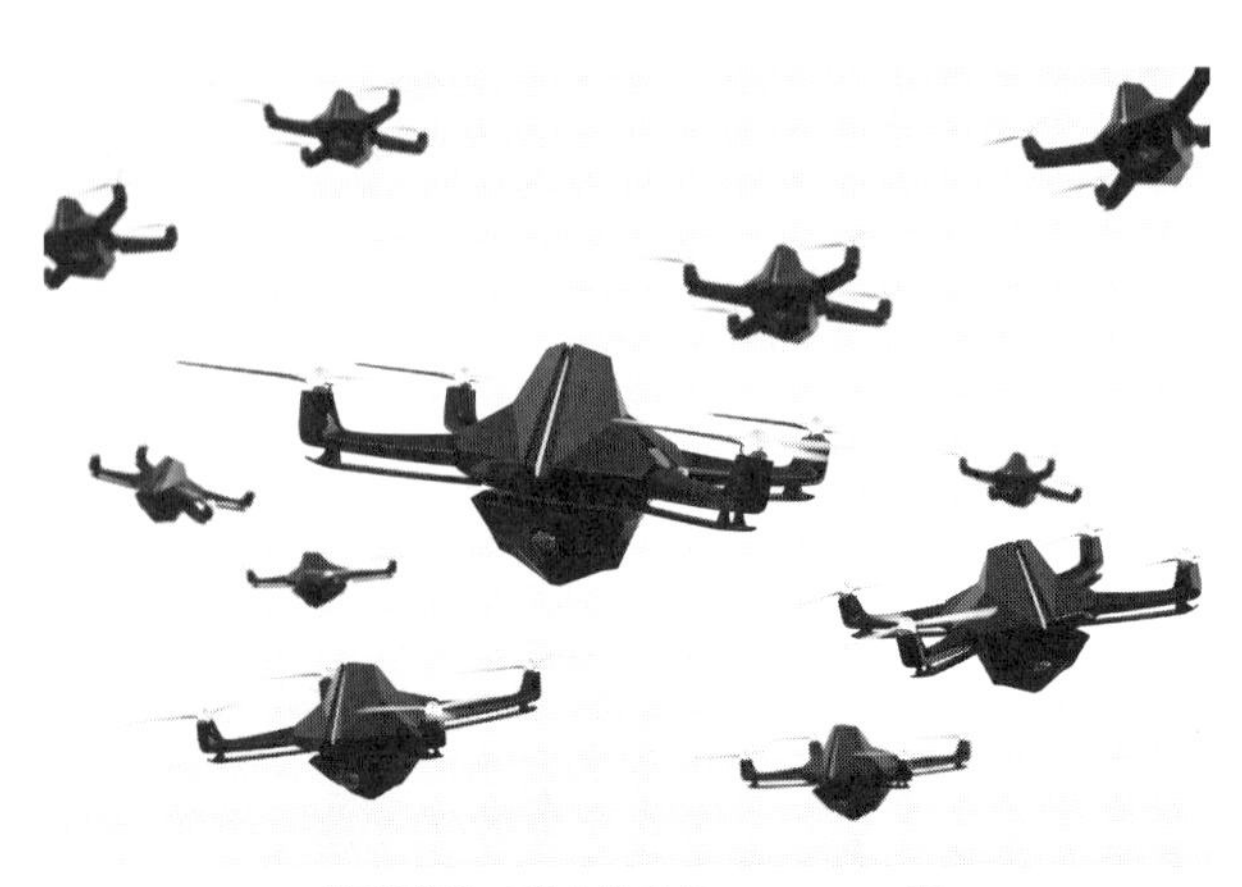

整列隊形で飛ぶ偵察ドローンの一群

り進めば、より平和に暮らせるという理由は明らかではないものの――これまで見てきたように、平等主義社会の狩猟採集民が必ずしも平穏に暮らしていたわけではない――それでも効果はありそうだ。民主主義の国々も戦争をするが、互いを相手に戦ったことはほとんどなかった。制度は微調整を加え続けなければならず、そうしなければ、世界がより平等で、より結びつきを強めても、戦争はふたたび起こる。だが、望みはある。人間の意識には、ゆっくりだがはっきりとわかる変革がすでにはじまっている。

わたしたちは、つねに特別な領域の人々がいるという仮定のもとで物事を進めている。そうした人々を、平等という点で同じ権利と義務を有し、争いがあっても殺してはならない、ひとりの完全な人間としてとらえている。また、過去一万年以上にわたり、狩猟採集民の集団から、その領域を拡大してきた。最初は、血族的な絆や儀式によって結びついた何千人かの部族だった。次は国家で、互いに知らない、また将来会うこともない何百万もの人々が利益を共有していることを認め合っている。そして今、領域はついに全人類にまで広がろうとしている。

こうした変化は、理想としてあったわけではない。人々の物質的利益を拡大し、生存を保証するために、たまたま起こったのである。同じことが、この再定義の最終章にも当てはまる。倫理的な想像力をふたたび広げなければいけないときが来た。全人類をそのなかに含めなければならない。そうしなければ、人類は滅びる。文化的視点を変え、その新しい視点を反映した政治制度を創設するには相当な時間がかかるだろう。目標をすでに半分達成したと考えるのは難しい。

国を超え、人類はみな兄弟という関係は決して実現しないという議論があるが、実現しなくてもいい。ひとつの国家のなかでさえ実現できないのに、国を超えて実現できるはずがない。現状の、そしてあらゆる国境を越えて拡大しなければならない認識は、権利や利益が対立したときに、殺し合うのではなく、互いの権利を尊重して国よりも上位にある機関の仲裁を受け入れれば、より幸せに暮らせるということだ。どの年にも、新たな世界大戦が起こって人類文明が終わる危険性は少なからずある。これが積み重なる一方で、変化が起こるのに時間がかかれば、危険はきわめて大きくなるだろう。それでも努力をやめる理由はない。

国際連合がさまざまな意味で、どんなに不完全であっても、わたしは、絶対に必要不可欠な組織だと考える。この努力をしない理由はない——しなければならない。急な坂道に巨大な石を押し上げているのだということを十分理解しながら。ときには、滑って落ちてくることもあるだろうが、それでも押し上げ続けなければならない。そうしなければ、いつかふたたび世界大戦が起こるという考えに屈することになる。今度は、核兵器による戦争だ。

ブライアン・アークハート

次の何世代かをかけてわたしたちがやらなければならないのは、独立した国家から成る現在の世界を、真の国際共同体のようなものに変えていくことだ。そうした共同体を作るのに成功すれば、そこがどんなに論争が絶えず、不満が多く、不当行為に満ちていても、戦争という古びた慣例を実質的に排除することができるだろう。そうすれば、ようやく一息つける。

あとがき

わたしは、これを二〇二二年三月の下旬に書いている。ロシアのウクライナ侵攻ではじまった戦争は依然収まらず、結果は明らかになっていない。ロシア軍が短期間で勝利し、その後、ロシアの占領に対するウクライナの根強いゲリラ戦が続くという予想は、ロシア軍の驚くほど乏しい戦闘力と、それに対するウクライナ部隊の想定外の献身と能力により、すでに覆されている。ロシア軍は、通常戦争（とその後に必然的に続くゲリラ戦）において規模と軍事力で最終的な勝利を収めるかもしれないし、ウクライナを侵略しながらも、士気の低下によって膠着状態に陥り、ゆっくりと崩壊するかもしれない。現時点では、あらゆる可能性が残されている。和平交渉が行なわれるかもしれないし、ロシアが「忍耐」を切らして、低出力の核兵器を使用することもあり得る（プーチン大統領は決して明言していないが）。未来はわからないが、いくつか確実に予測できることがある。

まず、この先、全面的な核戦争に発展することを避けられれば、「世界を永久に変えた」と言われるようなことにはならないだろう。現状では、全面的核戦争にはいたりそうにない。

アメリカと、同様に核兵器を持つ同盟国イギリスとフランスは、ロシアと直接戦うようなことになれば、これまで八〇年近く回避してきた核兵器保有国同士が対決する正真正銘の大戦争になることを痛いほど認識しているからだ。どちらか一方だけに大国がからむ戦争であればよくあることで、そうしたリスクはない。今回の場合、プーチンのウクライナ攻撃は、ロシアが超大国の地位から段階的に転げ落ちる決定的な一歩になるだろう。一九五六年にイギリスとフランスがエジプトを攻撃した〔第二次中東戦争。スエズ動乱とも呼ばれる〕結果が、かつてのふたつの帝国に与えた影響と同じだ。

ほぼどんな戦争でも見られるように、ウクライナでいくつかの新しい軍事技術がはじめて使われたが、従来のものからの重要な変化はまだ起こっていない。軍事作戦についても、過去五〇年のあいだに何らかの通常戦争に従軍した兵士たちにとって、驚くべきことはほとんどない。軍隊の規模や犠牲者の数は、二〇世紀前半のふたつの大戦より桁違いに小さい。同様に、「サイバー戦争」も、決定的あるいは、そこそこの成果でさえ収めていない。

今回の戦争のまったく新しい点は、西側諸国がロシアに対して、大規模で包括的な制裁を行なったことだった。制裁は他国の軍事行動を認めはしないものの、みずから戦争に参加するつもりはない国々の昔からの常套手段だった。そのため、核保有国を含む相手と、直接もしくは代理対決するのにうってつけだった。なんと言っても、制裁は単にジェスチャーであり、対象となる国のやり方を無理やり変えさせることは決してないからだ。しかし、恥知らずで厚かましいロシアのウクライナ侵攻には、納得できる弁明や挑発もなかったため、西側諸国は予想外にも団結して、ロシア連邦の経済の安定を著しく脅かしかねないほど厳しい制裁を発動した。

こうした対応を引き起こしたのは、今、止めなければロシアがヨーロッパの他の地域を征服するという恐れからではないだろう。ロシアにはそのようなことが可能な財政的および軍事的資源がない。むしろ一九四五年以降大いに成功を収めた、武力による国境変更の禁止の効力が消えかけていることが、遅ればせながら認識されたと考えられる。

武力による国境変更を最後に止めることができたのは、一九九〇年から九一年の第一次湾岸戦争だった。アメリカ主導の国連多国籍軍がクウェートを解放し、イラク国境を元の位置まで押し戻した。ジョージ・W・ブッシュ大統領が、二〇〇三年に偽りの理由で国連軍の承認を得ずにイラクに侵攻したことで、国連のルールの効力が大幅に弱められたが、アメリカ軍は政治体制を変更するだけにとどまり、国境を変更することはなかった。ウラジーミル・プーチンはすでに一度、二〇一四年に武力によって違法にウクライナの国境を変えた。今回は、それをすべて無効にしてウクライナの国全体をロシア連邦に組み込もうと企んだ恐れは十分にある。少なくともウクライナ政府を倒し、憲法を廃止して、ロシア軍を後ろ盾に傀儡政権を作ろうとしたのだろう。そうなれば一九四五年の実験を放棄し、勝者が正義という征服戦争が容認された非合法の過去へ逆戻りするのを受け入れることになる。

国際法による支配は実現の可能性がなかったと考える者もいる。そのなかには、核兵器や他の大量破壊兵器が存在する無法な世界であっても長い未来があると信じられる者と、人類はそもそも消える運命にあることをただ受けとめる者がいる。これは、何を信じるかの問題であり、考え方が違う人を説得するつもりはない。だが、第二次世界大戦後に創設され、こんにちも優位性を維持している国際体系は、合理的な利己主義によって大多数の人々や国家が法の支配を支持すること、また、人類の文化が戦争ほど深く根づいた慣行でさえも、利益をもはや供しないのであれば、放棄するという希望に根ざしている。どちらが真実かは、やがてわかるだろう。

解説——世界史の見取り図としての戦争全史

東京大学大学院人文社会系研究科西洋史学研究室教授
池田嘉郎

いかに戦争をうまく進めるか、そして防ぐか。この問いが人類史の主要な動力であった。戦争の歴史を振り返るということは、世界史を圧縮して描くことである。軍事史と世界史の両方をよく知る書き手だけが、納得のいく見取り図を示すことができる。いま読者が手にしている本は、まさにそうした見取り図にほかならない。数千年の歴史を踏まえた叙述であればこそ、本書は現在を理解し、将来を見据えるためにも力となってくれる。戦争という、不安や混乱と不可分である現象を前にして、私たちが落ち着いた足取りを取り戻すための手がかりを与えてくれるのである。

本書はGwynne Dyer, *The Shortest History of War*（2022）の全訳である。著者グウィン・ダイヤーは世界的に知られたカナダ・イギリスの軍事史家・アナリストである。ダイヤーは一九四三年にカナダのニューファンドランドで生まれ、ロンドン大学で軍事史・中東史を学び、博士号を取得した。イギリスのサンドハースト王立陸軍士官学校で講師を務め、カナダ・イギリス・アメリカの海軍に在籍した。一九八三年に彼が製作したカナダのテレビシリーズ「戦争」によって、その名は一躍知られるようになった。本来の専門は中東情勢で、イラク戦争がもたらした混乱を論じた *The Mess They Made*（2007）がある。その後は現代世界の諸問題に議論の幅を広げ、*Climate Wars*（2009）（邦訳『地球温暖化戦争』）では気候変動、*Growing Pains*（2018）ではポピュリズムについて、軍事・歴史の知識に裏付けられた分析を展開した。他にも多くの著作があり、現在も日々メディアに評論を発表している。

テレビ番組の製作を手がけただけに、ダイヤーの筆致は分かりやすい。文化人類学の成果を活かした巨視的な把握から入って、戦争の歴史の変遷を要領よくまとめていく。武器の発展や戦術の考案も大事だが、狩猟採集や農耕や遊牧といった社会経済上の変化、国家の形成と拡大、それに国際秩序の成立が、戦争の進化と一体的に叙述される。読者はあらためて、戦争が人間社会のあらゆる側面と深く関わっていること、戦争の変化は人間社会の変化のバロメーターであることを知るであろう。兵士の心理に分け入っている点も読み応えがある。人はどれだけ人を殺す気になれるのか。この難しい問いにダイヤーはすぐれて実証的に——「ゲティスバーグの戦い」後に拾い集められたマスケット銃の弾の数から！——向き合い、さらに爆撃機やドローンのパイロットの視線をも解析する。様々な地域や時代、トピックをさばいていく本書であるが、消化不良にならないのはダイヤーの手際のよさもさることながら、月沢李歌子氏の安定感のある訳によるところも大きい。

　現在進行形の話である第9章の副題にある「核兵器、通常兵器、テロリスト」という三つの事柄のうち、少し前まで私たちを一番に脅かしていたのはテロリストであっただろう。ダイヤーは都市ゲリラを含む現代テロリズムの歴史や戦略を明快に説明しているが、私たちがテロに過剰反応してはならないことを強調する。九・一一テロを起こしたビン・ラディンの本当の狙いにしても、アメリカを軍事行動へと誘い出し、イスラム教徒を原理主義に向かわせることだったのだ。もっとも、アメリカ国民の怒りを考えれば、ブッシュがアフガニスタン侵攻を避けることは難しかっただろうともダイヤーは述べる。政治家だけではなく国民の意思が、現代戦争には深く関わっているのだ。

　三つの事柄の残りの二つ——核兵器と通常兵器を取り巻く状況は、この二年弱の間にだいぶ変わってしまった。東アジアでの国際情勢が二一世紀に入って緊張しつつあったものの、私たちは核兵器や通常兵器による大国間の戦争を現実に目にしていたわけではない。しかし、二〇二二年二月のロシア＝ウクライナ戦争の勃発によって情景は一変した。本書「あとがき」は二〇二二年三月下旬に書かれているので、この戦争についての言及はわずかである。

だが、本書の内容とロシア＝ウクライナ戦争とは地続きだ。著者が批判的に紹介している米ソが育んだ仮想現実が、今やリアルになりつつあるように見える。第二次世界大戦終結後、核保有国同士の武力衝突が極めて危険なものとなったにもかかわらず、「大国は、中央ヨーロッパを絶滅しかけている通常戦争を保存できる保護区域にしようと試みた」。米ソは「全面的核戦争にはいたらない状況において、いかに『戦術的』核兵器の使用が可能かという手の込んだ理論を作りあげさえした」（二五二頁）。現在戦場となっているウクライナは、まさにこの中央ヨーロッパだ。プーチンが戦術核を使うかどうかも、この間頻繁に論じられている。ＮＡＴＯ軍とワルシャワ条約機構軍の「両陣営とも、瞬く間に戦車や戦闘機などの最良の兵器を、代わりが間に合わないほどの速さで失いはじめる」（二五七頁）という展望も、現状にかなり似ていよう。

互角の近代戦力を有する軍隊による深刻な通常戦争は、一九七三年の第四次中東戦争が長らく最後のものであった。ロシア＝ウクライナ戦争はそれから半世紀ぶりに起こった。この戦争の性格については日本でも小泉悠氏や山添博史氏が論じている。一九八〇年代末から米軍では小規模テロや情報戦など、「戦場の外部」での闘争が大きな意義をもつ「ハイブリッド戦争」が新しい戦争として想定されてきた。二〇一四年のクリミア併合、ドンバスへの介入、その後の対欧米情報工作にはたしかにそうした面があった。だが、二〇二二年二月に始まった戦争はそうはならなかった。数日間でキーウ政権を打倒するというプーチンの見込みはウクライナの抵抗によって外れた。そのためロシアは戦場での戦闘が決定的な意味をもつ、古典的な戦争に滑り込んでいったのである。*

ただしこれまでのところ、そこでの戦闘は一定の抑制のもとにおかれている。NATOはプーチンを核使用にまで追い込まぬよう、ウクライナへの武器供給を自制しているし、プーチンもまたNATOとの直接対決を恐れて核兵器の使用に慎重である。こうした事態もまたダイヤーによって予見されていた。「核紛争における計算違いの痛手はあまりに大きいため、政治指導者たちの行動はきわめて慎重で保守的になる」（二二九頁）のである。

もうひとつ、ロシア＝ウクライナ戦争を考えるうえで示唆的なことを、ダイヤーは書いている。第10章「戦争の終わり」において彼は、核戦争を起こさずに今世紀の残りを切り抜けるためには、「多国間制度を維持し、拡大すること」が必要であり、「こうした制度のなかに新興国を組み込み、居場所を与え、協調を重んじていかなければならない」と考えている（三〇四頁）。現在、ロシアに制裁を科すアメリカ合衆国、ヨーロッパ諸国、日本などに対

＊小泉悠『ウクライナ戦争』、ちくま新書、二〇二二年、一九九～二〇三頁、山添博史「ロシア・ウクライナ戦争と歴史的観点」、黛秋津編『講義ウクライナの歴史』、山川出版社、二〇二三年、二八九～三〇〇頁

して、「グローバル・サウス」と呼ばれる諸国は批判的であるといわれている。これは「西側先進諸国」が驕りによって、ダイヤーのいう多国間制度の維持に失敗したことを示すのであろうか。必ずしもそうとはいえまい。宇山智彦氏によれば、中立を維持している国々の多くに共通するのは、「大国間の対立に巻き込まれたくない」こと、「より切迫した問題がほかにある」ことである。[*]「西側先進諸国」対「グローバル・サウス」という対立的・固定的な構図を描くのではなく、個々の国のおかれた状況を理解しようと努めることが、ダイヤーの提言に適うことではないだろうか。

ロシア＝ウクライナ戦争の見通しはなお不透明であるし、戦後のロシアの動静も読めない。だが、私たちは焦ってはならないだろう。テロリズムに向き合う姿勢として、「大事なのはパニックを起こさないこと。そして、忍耐を失わないことだ」（二八八頁）とダイヤーは書いている。*Don't Panic*（2015）とはイスラム国に関する彼の著書のタイトルでもあった。同じことは、現在のロシア＝ウクライナ戦争に対してもいえることだろう。

＊宇山智彦「ロシアは非欧米諸国に支持されているのか？　ウクライナは譲歩すべきなのか？」、日本国際フォーラム、二〇二二年七月二〇日、https://www.jfir.or.jp/studygroup_article/8835/

注

まえがき

1. Robyn Dixon,'Drones owned the battlefield in Nagorno-Karabakh — and showed future of warfare',*Washington Post*, 11 Nov 20

第1章

1. J. Morgan, *The Life and Adventures of William Buckley: Thirty-Two Years A Wanderer Amongst the Aborigines*,Canberra: Australian National University Press, 1979 [1852], 49-51.
2. W. L. Warner,'Murngin Warfare', in *Oceania* I :457-94 (1931).
3. N. A. Chagnon, *Studying the Yanomamo*, New York:Holt, Rinehart and Winston,1974,157-61; N. A. Chagnon, *Yanomamo*, 4th edition, New York: Harcourt and Brace: Jovanovich College Publishers, 1994, 205.
4. E.S.Burch Jr.,'Eskimo Warfare in Northwest Alaska,' *Anthropological Papers of the University of Alaska* 16 (2), 1-14, (1974).
5. Richard Wrangham and Dale Peterson, *Demonic Males: Apes and the Origins of Human Violence*, Boston: Houghton Mifflin,1996, 17〔邦訳『男の凶暴性はどこからきたか』山下篤子訳、三田出版会、1998年〕
6. Stephen A. LeBlanc and Katherine E. *Register*, Constant Battles: The Myth of the Noble, Peaceful Savage, New York: St. Martin's Press, 2003, 81-85.
7. 同上., 94-97.
8. Wrangham and Peterson, 前掲書, 65.

9. Harold Schneider, *Livestock and Equality in East Africa: the economic basis for social structure*, Bloomington and London: Indiana University Press, 1979, 210.

10. Bruce Knauft,'Violence and Sociality in Human Evolution', *Current Anthropology* Vol. 32 No. 4 (Aug.-Oct., 1991), 391-428.

11. Christopher Boehm, *Hierarchy in the Forest*, 1999, Kindle 2119-20.

12. Richard B. Lee,*The !Kung San: Men, Women and Work in a Foraging Society*, Cambridge: Cambridge University Press, 1979.

第2章

1. John Ellis,*The Sharp End of War* (North Pomfret,VT, David and Charles,1980),162-64; Richard Holmes, *Acts of War:The Behaviour of Men in Battle* (London, Random House, 2003).

2. M. Lindsay, *So Few Got Through*, London: Arrow, 1955, 249.

3. Samuel P. Huntington, *The Soldier and the State*, New York: Vintage, 1964, 79.〔邦訳『軍人と国家』市川良一訳、原書房、1978年〕

4. S. Bagnall, *The Attack*, (London, Hamish Hamilton, 1947), 21

5. S. A. Stouffer et al., *The American Soldier*, vol. II (Princeton, NJ, Princeton University Press, 1949), 202.

6. Lt. Col. J. W. Appel and Capt. G.W. Beebe,'Preventive Psychiatry: An Epidemiological Approach,' *Journal of the American Medical Association*, 131 (1946), 1470.

7. Bagnall, 前掲書, 160.

8. Appel and Beebe, 前掲書

9. Col. S.L.A. Marshall, *Men Against Fire*, New York: William Morrow and Co., 1947, 149-50.

10. Martin Middlebrook, *The Battle of Hamburg*(London, Allen Lane, 1980), 244.

11. https://apply.army.mod.uk/roles/royal-artillery/gunner-

unmanned-aerial-systems
12. Airwarsの報告を見てほしい。
調査報道局は、米国の無人偵察機による「最小限の確認された攻撃」は14,040回、「総死亡者」は8,858〜16,901人と控えめに見積もっている。その内、民間人は910〜2,200人しかいない。Airwarsはまた、予告なしのアメリカの無人機による攻撃(パキスタンでのものも含む)もカウントしている。シリアでのロシアの無人機による攻撃、イラク、シリア、リビアでのトルコの無人機による攻撃、イエメンでのサウジアラビアとUAEの無人機、なども。
13. https://www.legion.org/pressrelease/214756/distinguished-warfare-medal-cancelled
14. Patrick Wintour,'RAF urged to recruit video game players to operate Reaper drones', *The Guardian*, 9 December 2016.
15. D. Wallace and J. Costello,'Eye in the sky: Understanding the mental health of unmanned aerial vehicle operators', *Journal of Military and Veteran's Health* (Australia), Vol. 28, No. 3, October 2020.
16. Eyal Press, 'The Wounds of the Drone Warrior',*New York Times Magazine*, 13 June 2018.
17. Sky News interview, 8 November 2020.
18. 自律型兵器の開発・使用を規制する際の法的問題点に関する詳細な議論については、以下を参照してほしい。Frank Pasquale, 'New Laws of Robotics: Defending Human Expertise in the Age of AI', Harvard University Press, 2020.

第3章

1. Robert L.O'Connell, *Ride of the Second Horseman: The Growth and Death of War* (Oxford, Oxford University Press, 1995), 64-66; John Keegan, *A History of Warfare* (New York, Vintage, 1994), 124-26.〔邦訳『戦略の歴史』遠藤利國訳、中公文庫、2015年〕

2. O'Connell, 前掲書 , 68-76.
3. Homer, *Iliad*, trs. Richard Lattimore (Chicago, University of Chicago Press, 1951), 65-84.〔邦訳『イーリアス』呉茂一訳、平凡社、2003 年〕
4. Samuel Noah Kramer, *History Begins at Sumer*(Philadelphia: University of Pennsylvania Press, 1981), 30-32.
5. O'Connell, 前掲書 , 77-83; Keegan, 前掲書, 156-57.
6. Keegan, 前掲書, 181.
7. Keegan, 前掲書, 166.
8. O'Connell, 前掲書, 122, 165-66; Keegan, 前掲書, 168.

第４章

1. H.W.F. Saggs, *The Might That Was Assyria*, London: Sidgwick & Jackson, 1984, 197.
2. Robert L.O'Connell, *Ride of the Second Horseman: The Growth and Death of War*, Oxford: Oxford University Press, 1995, 145-58.
3. Virgil, *The Aeneid*, trs. W.F. Jackson Knight, London: Penguin Books, 1968, 62-65.〔邦訳『アエネーイス』杉本正俊訳、新評論、2013年〕
4. ポリュビオスの目撃証言自体は散逸してしまったが、このアッピアノスによる記述はポリュビオスの目撃証言に基づいている。Susan Rowen,*Rome in Africa*, London: Evans Brothers, 1969, 32-33.
5. Graham Webster, *The Roman Imperial Army*, London: Adam Charles Black, 1969, 221.
6. Herodotus, *The Histories*, trs. Aubrey de Selincourt, London: Penguin, 1954, 428-29 でマラトンの戦いについて記述している。〔邦訳『歴史（中）』松平千秋訳、岩波文庫、2008年〕
7. Aeschylus,*The Persians*, lines 355 ff.〔邦訳『世界古典文学全集８』湯井壮四郎訳「ペルシア人」高津春繁編、筑摩書房、1981年〕演出のため、アイスキュロスはペルシャ側から戦いを描写

している。

8. Thucydides, *History of the Peloponnesian Wars*, London: Penguin, 1952, 523-24.〔邦訳『戦史』久保正彰訳、中央公論新社、2013 年〕
9. Keith Hopkins, *Conquerors and Slaves, Sociological Studies in Roman History*,vol.1,Cambridge: At the University Press,1978, 33.
10. 同上., 28.
11. Edward N. Luttwak, *The Grand Strategy of the Roman Empire From the First Century AD to the Third Century AD*, Baltimore, Johns Hopkins Press, 1976, 15, 189.

第５章

1. Charles C.Oman,*The Art of War in the Sixteenth Century*(London: Methuen, 1937), 237-38.
2. 同上., 240.
3. Douglas E. Streusand, *Islamic Gunpowder Empires: Ottomans, Safavids, and Mughals* (Philadelphia: Westview Press, 2011), 83.
4. Andre Corvisier, *Armies and Societies in Europe 1494-1789* (Bloomington, Indiana: University of Indiana Press, 1979), 28.
5. J.J. Saunders, *The History of the Mongol Conquests* (London: Routledge and Kegan Paul, 1971), 197-98.
6. C.V. Wedgwood, *The Thirty Years' War* (London: Jonathan Cape, 1956), 288-89.〔邦訳『ドイツ三十年戦争』瀬原義生訳、刀水書房、2003年〕
7. J.F. Puysegur, *L'art de la guerre par principes et par règles* (Paris, 1748), I.
8. Edward Mead Earle, ed., *Makers of Modern Strategy* (New York: Atheneum, 1966), 56.〔邦訳『新戦略の創始者　マキャベリーからヒットラーまで　上』山田積昭・石塚栄・伊藤博邦訳、原書房、1978年〕
9. Hew Strachan, *European Armies and the Conduct of War* (London: George Allen and Unwin, 1983), 8.

10. Laurence Sterne, *A Sentimental Journey through France and Italy* (Oxford: Basil Blackwell, 1927), 85.〔邦訳『センチメンタル・ジャーニー』松村達雄訳、岩波文庫、1952年〕

11. Christopher Duffy,*The Army of Frederick the Great* (London: David and Charles, 1974), 62.

12. Strachan, 前掲書, 9.

13. Martin van Crefeld, *Supplying War: Logistics from Wallenstein to Patton*, Cambridge: Cambridge University Press, 1977, 38〔邦訳『増補新版　補給戦—ヴァレンシュタインからパットンまでのロジスティクスの歴史』石津朋之監訳・解説、佐藤佐三郎訳、中央公論新社、2022年〕

14. Maurice, Comte de Saxe, *Les Réveries, ou Mémoires sur l'Art de la Guerre* (Paris: Jean Drieux,1757) 77.

15. Koch, Alexander; Brierley, Chris; Maslin, Mark M.; Lewis, Simon L.(2019).'Earth system impacts of the European arrival and Great Dying in the Americas after 1492'.*Quaternary Science Reviews*, 207: 13-36

第6章

1. Edward Gibbon, *The Decline and Fall of the Roman Empire*(New York: The Modern Library, 1932).〔邦訳『ローマ帝国衰亡史』中野好夫・朱牟田夏雄訳、筑摩書房、1988年〕

2. Maj.Gen. J.F.C. Fuller, *The Conduct of War, 1789-1961* (London: Eyre and Spottiswoode, 1961), 32.

3. R.D.Challener, *The French Theory of the Nation in Arms, 1866-1939* (New York: Russell and Russell, 1965), 3; Alfred Vagts, A History of Militarism, rev.ed., (New York: Meridian, 1959), 108-11.

4. Vagts, 前掲書, 114; Karl von Clausewitz, *On War*, eds. and trs. Michael Howard and Peter Paret (Princeton, New Jersey: Princeton University Press, 1976).

5. Vagts, 前掲書, 126-37; John Gooch, *Armies in Europe* (London: Routledge and Kegan Paul, 1980), 39.

5a. David Mitch,'Education and Skill of the British Labour Force,' in Roderick Floud and Paul Johnson, eds., The Cambridge Economic History of Modern Britain, Vol. I: Industrialisation, 1700-1860, Cambridge: Cambridge University Press, 2004. 344.

6. Eltjo Buringh and Jan Luiten van Zanden,'Charting the'Rise of the West'Manuscripts and Printed Books in Europe, A Long-Term Perspective from the Sixth through Eighteenth Centuries', The Journal of Economic History, Vol. 69, No. 2 (2009), 409-445.

7. Anthony Brett-James, 1812:*Eyewitness Accounts of Napoleon's Defeat in Russia*(London: Macmillan, 1967), 127.

8. Christopher Duffy,*Borodino and the War of 1812* (London: Seeley Service, 1972), 135.

9. David Chandler,*The Campaigns of Napoleon*(New York: Macmillan, 1966), 668; Gooch, 前掲書, 39-41.

10. Vagts, 前掲書, 143-44.

11. 同上., 140.

12. Edward Meade Earle, ed., *Makers of Modern Strategy*, (New York: Atheneum, 1966), 57.

13. Karl von Clausewitz, *On War*, trs. Col. J.J. Graham (London: Trubner, 1873), I, 4.〔邦訳『戦争論』清水多吉訳、中央公論新社、2001年〕

14. Paddy Griffith, Battle Tactics of the Civil War (New Haven, CT: Yale University Press, 1987), 144-50.

15. Frank E. Vandiver, *Mighty Stonewall* (New York: McGraw-Hill, 1957), 366.

16. Col. Theodore Lyman, *Meade's Headquarters, 1863-1865* (Boston, Massachusetts: Massachusetts Historical Society, 1922), 101, 224.

17. Mark Grimsley,'Surviving Military Revolution: The US Civil

War,' in Knox and Williamson Murray, eds. *The Dynamics of Military Revolution, 1300-2050*, (Cambridge: Cambridge University Press), 2001, 84.
18. Frederick Henry Dyer, *A Compendium of The War of the Rebellion*, New York: T. Yoseloff, 1959.
19. *Personal Memoirs of General W. T. Sherman*, Bloomington, Indiana: Indiana University Press, 1957, II, 111.

第7章

1. I. S. Bloch, *The War of the Future in Its Technical, Economic and Political Relations*. English translation by W. T. Stead entitled *Is War Impossible?* , 1899.
2. Jacques d'Arnoux,'Paroles d'un revenant', in Lieut.-Col. J. Armengaud, ed., *L'atmosphere du Champ de Bataille, Paris*: Lavauzelle, 1940, 118-19.
3. J. E C. Fuller,*The Second World War ; 1939–1945: A Strategic and Tactical History*, New York: Duell, Sloan and Pearce, 1949, 140.
4. 同上., 170; Keegan, 前掲書, 309.
5. Henry Williamson, *The Wet Flanders Plain*, London: Beaumont Press,14-16. ウィリアムソンは、ソンムの戦いの当時19歳だった。
6. Arthur Bryant, *Unfinished Victory*, London: Macmillan, 1940, 8.
7. Aaron Norman,*The Great Air War*, New York: Macmillan, 1968, 353.
8. Bryan Perret, *A History of Blitzkrieg*, London: Robert Hale, 1983, 21.
9. Jonathan B.A. Bailey,'The Birth of Modern Warfare', in Knox and Murray, 前掲書, 142-45.
10. Sir William Robertson, *Soldiers and Statesmen*, London: Cassell, 1926, I, 313.
11. Theodore Ropp, *War in the Modern World*, rev. ed., New York: Collier, 1962, 321, 344.

12. Guy Sajer, *The Forgotten Soldier*, London: Sphere, 1977, 228-30.
13. Giulio Douhet, *The Command of the Air*, London: Faber & Faber, 1943, 18-19.
14. Max Hastings, *Bomber Command*, London: Pan Books, 1979, 129.
15. Martin Middlebrook, *The Battle of Hamburg*, Allan Lane: London, 1980, 264-67.
16. Craven and Cate, *US Army Air Forces*, Chicago: University of Chicago Press, 1948, vol. 5, 615-17.
17. H. H. Arnold, *Report... to the Secretary of War ; 12 November 1945*, Washington: Government Printing Office, 1945, 35.
18. Leonard Bickel, *The Story of Uranium: The Deadly Element*, London: Macmillan, 1979, 78-79, 198-99, 274-76.

第8章

1. Bernard Brodie, ed., *The Absolute Weapon: Atomic Power and World Order* : New York: Harcourt Brace, 1946, 76.
2. Fred Kaplan, *The Wizards of Armageddon*, New York: Simon & Schuster, 1983, 26-32.
3. 同上.
4. Gregg Herken, *Counsels of War*, New York: Knopf, 1985, 306.
5. Kaplan, 前掲書, 133-34.
6. Herken, 前掲書, 116.
7. Gerard C. Smith, *Doubletalk: The Story of the First Strategic Arms Limitation Talks*, Garden City, N.Y. : Doubleday, 1980, 10-11.
8. Desmond Ball,'Targeting for Strategic Deterrence,'*Adelphi Papers*, No. 185 (summer 1983), London: International Institute for Strategic Studies, 40.
9. *New York Times*, 12 May 1968.
10. Herken, 前掲書, 143-45; Ball, 前掲書, 10.
11. Kaplan, 前掲書, 242-43, 272-73, 278-80; Herken, 前掲書, 51, 145;

Ball, 前掲書, 10-11.

12. Robert F. Kennedy, *Thirteen Days: A Memoir of the Cuban Missile Crisis*, New York: Norton, 1968, 156.〔邦訳『13日間　キューバ危機回顧録』毎日新聞社外信部訳、中央公論新社、2001年〕
13. *The Fog of War*〔映画『フォッグ・オブ・ウォー　マクナマラ元米国防長官の告白』、2003年〕
14.'The Cuban Missile Crisis, 1962: A Political Perspective After Forty Years,' in *The National Security Archive of The George Washington University* (website) http://www.gwu.edu/~nsarchiv/nsa/cuba_mis_cri/ を参照
15. McGeorge Bundy, George F. Kennan, Robert S. McNamara and Gerard Smith,'The President's Choice; Star Wars or Arms Control,'*Foreign Affairs* 63, no. 2 (Winter 1984-85), 271.
16. Carl Sagan,'Nuclear War and Climatic Catastrophe: Some Policy Implications,'*Foreign Affairs*, Winter 1983/84, 285.
17. Turco, R.P., Toon, A.B., Ackerman, T.P.,Pollack, J.B., Sagan, C. [TTAPS],'Nuclear Winter: Global Consequences of Multiple Nuclear Explosions', *Science*, Vol. 222 (1983), 1283-1297; and Turco, R.P., Toon, A.B., Ackerman, T.P., Pollack, J.B., Sagan, C. [TTAPS], 'The Climatic Effects of Nuclear War',*Scientific American*, Vol. 251, No. 2 (Aug.1984), 33-43.
18. Paul R. Ehrlich et al.,'The Long-Term Biological Consequences of Nuclear War,'*Science*, vol. 222, no. 4630 (December 1983), 1293-1300.
19. Sagan, 前掲書, 276; Turco et al., 前掲書, 38.
20. *Science*, Vol. 247 (1990), 166-76

第9章

1. カウフマンの1955年のエッセイは、ヨーロッパでの戦争を通常兵器に限定する可能性について、米国陸軍の考え方を形成する上で

多大な影響を与えた。Fred Kaplan,*The Wizards of Armageddon*, New York: Knopf, 1984, 197-200.

2. Karl von Clausewitz, *On War*, New York: The Modern Library; 1943.
3. W. Baring Pemberton,*Lord Palmerston*, London: Collins, 1954, pp. 220-21.
4. Walter Laqueur,*Guerilla*, London: Weidenfeld and Nicholson, 1977, 40.
5. Christon I. Archer, John R. Ferris, Holger H. Herwig and Timothy H.E. Travers, *World History of Warfare*, London: Cassell, 2003, 558.
6. Robert Moss, *Urban Guerillas*, London: Temple Smith, 1972, 198.
7. Sarah Ewing, 'The IoS Interview' , in the *Independent on Sunday*, London, 8 September 2002.

第10章

1. Natalie Angier,'No Time for Bullies: Baboons Retool Their Culture,'*New York Times*, 13 April 2004.
2. 'India's Actions in Kashmir Risk Nuclear War,'*The Guardian*, 28 Sept. 2019
3. Blaise Pascal, *Pensées* ch. iii, sec. 285 (1660) in: *Œuvres complètes*, Gallimard pléiade (1969 年版), 1160.
4. Dwight MacDonald, *Politics* (magazine), August 1945.

図版クレジット

p.15 Cover of *Yanomamö* by Napoleon A. Chagnon. Pub. Holt, Rinehart, Winston, 2nd ed., 1977

p.18 Jane Goodall, ca 1965. Contributor: Everett Collection Historical / Alamy Stock Photo

p.31 Bushmen in Namibia. Creative Commons. (c) Archiv Dr. Rüdiger Wenzel

p.36 *Vietnam.... A Marine walking point for his unit during Operation Macon moves slowly, cautious of enemy pitfalls.* U.S. National Archives and Records Administration, 1966. Public Domain.

p.42 Red Army shoulder marks, c. 1943. Public Domain.

p.45 Korean War, one infantryman comforts another while a third fills out body tags, Aug 25 1950, Sfc Al Chang, US Army Korea Medical Centre. Public Domain.

p.55 A new recruit responds to drill instructors, Marine Corps Recruitment Depot, San Diego. marines.mil. Public Domain.

p.60 Gabreski in the cockpit of his P47 Thunderbolt after his 28th kill (& 5 days before his capture). U.S. National Archives and Records Administration. Public Domain.

p.70 David Wreckham on an anti-killer robot leafletting drive outside parliament in April. Photograph: Oli Scarff/Getty Images

p.84 Stele of Vultures, c. 2450 BC, Dept of Mesopotamian Antiquities, Louvre Museum, France, photo Commons: by Eric Gaba, July 05.

p.90 Scythians shooting with composite bows, Kerch, Crimea, 4th century BCE, Louvre Museum, photo Commons: PHGcom, 2007

p.95 Possible chariot on the Bronocile pot, Poland, c. 3500 BCE; Archaeological Museum, Krakow, Commons, user Silar

p.104 Siege tower on Assyrian bas-relief, NW Palace of Nimrud, c. 865-860BCE, British Museum, Commons, user: capillon, 12 June 2008

p.108 Hoplites fighting, design on an urn before 5th century BCE, Athens Archaeological Museum. Public Domain.

p.112 Carthaginian war elephants engage Roman infantry at the Battle of Zama Henri-Paul Motte. *Das Wissen des 20.Jahrhunderts*, Bildungslexikon, Rheda 1931. Public Domain.

p.115 Artist's rendition of the trireme commanded by Pytheas (c.300BCE). From *The Romance of Early British Life*, by G.F.Scott Elliot, 1909 Illustration by John F.Campbell. Public Domain.

p.123 14th-century miniature from William of Tyre's *Histoire d'Outremer* of a battle during the Second Crusade, National Library of France, Department of Manuscripts, French. Public Domain.

p.128 Infantry on the march, wood engraving after a relief on the tomb of King Francis I (died in 1547). INTERFOTO / History / Alamy Stock Photo

p.133 First illustration of Fire Lance, 10th Century, Dunhuang. A detail from an illustration of Sakyamuni 's temptation by Mara. Public Domain.

p.136 Tilly's entry into destroyed Magdeburg on May 25, From p.245 of *Deutschlands letztere drei Jahrhunderte, oder: des deutschen Volkes Gedenk-Buch an seiner Väter Schicksale und Leiden seit drei Jahrhunderten, etc* By Franz Lubojatzky, 1858. Public Domain.

p.141 Musket Drill: *L'Art Militaire pour l'Infanterie*, de Johann Jacobi von Wallhausen, Leewarden, Claude Fontaine, 1630. Public Domain.

p.145 The Storming of the Schellenberg at Donauwörth. Detail of tapestry by Judocus de Vos c. 18th C. Blenheim Palace. Wikimedia Commons. Public Domain Art.

p. 155 Napoleon Bonaparte (1769-1821) as Emperor Napoleon 1 of France reviewing the Grenadiers of the Imperial Guard on 1 June 1811 in Paris, France. An engraving by Augustin Burdet from an original painting by Auguste Raffet. (Photo by Hulton Archive/Getty Images)

p.164 The Withdrawal of the Grand Army from Russia, by Johann Adam Klein. AKG images: ID AKG108396.

p.165 Certificate of the award of the Iron Cross 2nd class for Edgar Wintrath, awarded to him on October 2nd, 1918. Wikimedia Commons. Public Domain.

p.171 Soldiers in the trenches before battle, Petersburg, Virginia, America, 1865. Public Domain.

p.185 Female munitions workers operating lathes in a British shell factory. Note the improvised wooden machinery guards used in the works. © Imperial War Museum Q 54648

p.187

Top: WWI poster -"It is far better to face the bullets than to be killed at home by a bomb. Join the army at once & help to stop an air raid. God save the King". 1915. United States Library of Congress's Prints and Photographs division ID cph.3g10972. Public Domain.

Bottom: The wreck of Zeppelin L33 at Little Wigborough, Essex. September, 1916. Essex Record Office. Creative Commons: Official Record of the Great War, H.D. Girdwood (India Office, 1921).

p.190 The first official photograph taken of a Tank going into action, at the Battle of Flers-Courcelette. 15 September, 1916. Q 2488 ©Imperial War Museum

p. 192 German boy soldiers WW1. Photograph probably taken in 1917. Public Domain.

p.197 *Springfield Union* Headline: "Germany's long-delayed offensive against Russia opens on 165-mile front". Public Domain.

p.205 Oblique aerial view of ruined residential and commercial buildings south of the Eilbektal Park (seen at upper right) in the Eilbek district of Hamburg, Germany. These were among the 16,000 multi-storeyed apartment buildings destroyed by the firestorm which developed during the raid by Bomber Command on the night of 27/28 July, 1943 (Operation GOMORRAH). By Dowd J (Fg Off), Royal Air Force official photographer. Wikimedia Commons. IWM Non-Commercial License photo CL 3400. Public Domain.

p.209 Firestorm cloud over Hiroshima, near local noon. August 6, 1945. US Military. Public Domain.

p.212 General Buck Turgidson (George C. Scott) demonstrating a B-52 flying low enough to fry chickens in a barnyard in Dr. Strangelove trailer from 40th Anniversary Special Edition DVD, 2004 from Dr. Strangelove or: How I Learned to Stop Worrying and Love the Bomb by Stanley Kubrick, 1964. Wikimedia Commons. Public Domain.

p.225 Theatrical release poster for *Duck and Cover* film, by Anthony Rizzo,

1952. Wikimedia Commons. Public Domain.

p.227 Low-altitude reconnaissance photograph showing a nuclear warhead bunker under construction, prefabrication materials, and construction personnel at site number 1 in San Cristobal, Cuba. United States. Department of Defense. Department of Defense Cuban Missile Crisis Briefing Materials. John F. Kennedy Presidential Library and Museum, Boston. 23 October 1962. Accession No. PX66-20:20. Public Domain.

p.232 A "personnel reliability program" examines details of each crew member's personal life to make sure they are mentally fit to carry out the great responsibility of controlling nuclear weapons. U.S. Air Force photo. VIRIN: 090108-F-1234P-010.JPG. https:// www.nationalmuseum.af.mil/Upcoming/Photos/igphoto/2000642472/ Public Domain.

p.233 Strategic Defense Initiative logo. United States Missile Defense Agency, US Federal Government. Wikimedia Commons. Public Domain.

p.235 Soviet Premier Mikhail Gorbachev shaking hands with U.S. President Ronald Reagan in the 1980s. Everett Collection Inc / Alamy Stock Photo

p.241 Albert Einstein portrait, 1945. ALAMY. Alamy ID: P89CC5

p.254 British troops taking part in NATO's Exercise Lionheart in Germany 1984. Courtesy of the National Army Museum, London

p.256 An Israeli tank crossing the Suez Canal during the Arab-Israeli War. From the booklet President Nixon and the Role of Intelligence in the 1973 Arab-Israeli War. 1 October, 1973. Wikimedia Commons. Central Intelligence Agency. Public Domain.

p.258

Left: Supermarine Spitfire Mk IXc, 306 (Polish) Squadron, Northolt 1943. Taken by RAF 1943. Wikimedia Commons. Public Domain.

Right: USAF F-35A Lightning II stealth fighter. 15 May, 2013, 00:44:57. Crop of larger picture by U.S. Air Force Master Sgt. Donald R. Allen. Wikimedia Commons. Public Domain.

p.269 Captured communist photo shows VC crossing a river in 1966. George Esper, *The Eyewitness History of the Vietnam War 1961-1975*, Associated Press, New York 1983. Wikimedia Commons. Public Domain.

p.272 Mao Zedong in Yan'an. 1930s. Wikimedia Commons. Public Domain.

p.276 Poster for The Baader Meinhof Complex (2008) Portrayal of Germany's terrorist group, The Red Army Faction (RAF), which organized bombings, robberies, kidnappings and assassinations in the late 1960s and '70s. Efforts have been made to contact the distributor of the item promoted, Constantin Film Verleih (Germany) Metropolitan Filmexport (France) Bontonfilm (Czech Republic), the publisher of the item promoted or the graphic artist.

p.281 World Trade Centre Attack, September 11th 2001. Robert Giroux / GETTY IMAGES. https://www.gettyimages.co.uk/detail/news-photo/smoke-pours-from-the- world-trade-center-after-it-was-hit-by-news-photo/1161118.

p.294 Neuroscientist Robert Sapolsky with baboon Image credit: stanford.edu

p.301 A submarine-launched ballistic missile Pukguksong is pictured during a military parade at Kim Il Sung Square in Pyongyang on April 15, 2017, as North Korea marked the 105th anniversary of its founding leader's birth. Credit: BJ Warnick / Alamy Stock Photo

p.307 Russian Ambassador to the United Nations Vassily Nebenzia votes against US resolution to create an investigation of the use of weapons in Syria, at United Nations Headquarters in New York, on April 10, 2018. Hector Retamal / GETTY IMAGES. Getty code: AFP_13W7Z6. https://www.gettyimages.co.uk/detail/news-photo/russian-ambassador-to-the-united-nations-vassily-nebenzia-news-photo/944426684?adppopup=true..

p.319 Alexei Kosygin USSR Premier greets Saddam Hussein. 14th April 1975. SPUTNIK / ALAMY STOCK PHOTO. Alamy ID: B9EGNP

p.320 Swarm of drones flying in the sky. 3D rendering image. Contributor: Haiyin Wang / Alamy Stock Photo

訳者
月沢李歌子（つきさわ・りかこ）
翻訳家。津田塾大学学芸学部英文学科卒業。訳書にブラウン『ビジネスの兵法』、ピリウーチ『迷いを断つためのストア哲学』（以上早川書房刊）、モティエ『14歳から考えたい セクシュアリティ』、ヘクト『自殺の思想史』など。

著者略歴

一九四三年カナダ生まれ、ロンドン在住。作家、歴史家、ジャーナリスト。一九七三年にロンドン大学で軍事史と中東史の博士号を取得後、一九七七年までサンドハースト王立陸軍士官学校に上級講師として勤務。このほか、カナダ・アメリカ・イギリスの海軍に予備役として在籍した経験を持つ。一九八〇年代以降は主にジャーナリストとして活動し、新聞へのコラムの寄稿やテレビ番組の制作に携わっている。著書に『地球温暖化戦争』など。

ハヤカワ新書　015

戦争と人類

二〇二三年十月二十日　初版印刷
二〇二三年十月二十五日　初版発行

著　者　グウィン・ダイヤー
訳　者　月沢李歌子
発行者　早川　浩
印刷所　精文堂印刷株式会社
製本所　株式会社フォーネット社
発行所　株式会社　早川書房
東京都千代田区神田多町二ノ二
電話　〇三 - 三二五二 - 三一一一
振替　〇〇一六〇 - 三 - 四七七九九
https://www.hayakawa-online.co.jp

ISBN978-4-15-340015-3 C0220
Printed and bound in Japan

未知への扉をひらく

「ハヤカワ新書」創刊のことば

誰しも、多かれ少なかれ好奇心と疑心を持っている。

そして、その先に在る納得が行く答えを見つけようとするのも人間の常である。それには書物を繙いて確かめるのが堅実といえよう。インターネットが普及して久しいが、紙に印字された言葉の持つ深遠さは私たちの頭脳を活性して、かつ気持ちに余裕を持たせてくれる。

「ハヤカワ新書」は、切れ味鋭い執筆者が政治、経済、教育、医学、芸術、歴史をはじめとする各分野の森羅万象を的確に捉え、生きた知識をより豊かにする読み物である。

早川　浩